ELAINNE OURIVES
AUTORA BEST-SELLER

ALGORITMOS DO UNIVERSO
O CÓDIGO DE TUDO

Diretora
Rosely Boschini

Gerente Editorial Sênior
Rosângela de Araujo Pinheiro Barbosa

Editora Júnior
Rafaella Carrilho

Produção Gráfica
Fábio Esteves

Preparação
Amanda Oliveira

Capa
Marcella Fonseca sobre arte de Valeska Pavoski

Foto de capa
Guilherme Lima

Projeto gráfico e Diagramação
Gisele Baptista de Oliveira

Revisão
Natália Domene Alcaide

Impressão
Edições Loyola

CARO(A) LEITOR(A),
Queremos saber sua opinião sobre nossos livros.
Após a leitura, curta-nos no **facebook.com/editoragentebr**, siga-nos no Twitter **@EditoraGente** e no Instagram **@editoragente** e visite-nos no site **www.editoragente.com.br**.
Cadastre-se e contribua com sugestões, críticas ou elogios.

Copyright © 2022 by Elainne Ourives
Todos os direitos desta edição são reservados à Editora Gente.
Rua Natingui, 379 – Vila Madalena
São Paulo, SP – CEP 05443-000
Telefone: (11) 3670-2500
Site: www.editoragente.com.br
E-mail: gente@editoragente.com.br

Dados Internacionais de Catalogação na Publicação (CIP)
Angélica Ilacqua CRB-8/7057

Ourives, Elainne
   Algoritmos do Universo / Elainne Ourives. - São Paulo : Editora Gente, 2022.
   368 p.

ISBN 978-65-5544-278-6

1. Desenvolvimento pessoal 2. Emoções I. Título

22-5450   CDD 158.1

Índices para catálogo sistemático:
1. Desenvolvimento pessoal

Nota da Publisher

Quem não deseja ter a vida dos sonhos? No plano material, tem gente que quer conquistar a casa própria, ter uma carreira de sucesso, fazer uma viagem inesquecível; no plano das emoções, deseja um relacionamento saudável, amizades recíprocas e boa relação com colegas de trabalho; e, espiritualmente, por que não se conectar melhor com a energia do Universo? Diante disso, a pergunta que fica é: como alcançar isso? E, ainda, é possível conquistar tudo?

Para Elainne Ourives, a resposta é sim! Em *Algoritmos do Universo*, a autora best-seller compila 365 códigos valiosos: os Algoritmos da Cocriação. Eles simbolizam todo o vasto conhecimento que Elainne desenvolveu ao longo de todos esses anos ajudando milhares de pessoas – e agora chegou a sua vez!

Descubra como materializar seus sonhos por meio do protocolo de sucesso que a autora entrega aqui. Cada código o ajudará a melhorar as áreas de sentimentos, comportamentos, espiritualidade e prosperidade em sua vida. Vire a página, desfrute e permita que os Algoritmos da Cocriação transformem quem você é!

ROSELY BOSCHINI
CEO e Publisher da Editora Gente

Agradecimentos

Algoritmos do Universo é um livro que resume em códigos tudo que aprendi em vinte e seis anos como pesquisadora do poder da mente e da Cocriação da realidade.

Sou grata pelos meus milhões de seguidores e a eles dedico este livro com todo meu amor.

Sou grata pelos meus 200 mil alunos ativos: compilei este guia universal de estudos para eles, agora decodificado para transformar o mundo inteiro.

Sou grata pela minha família, pelo meu pai, pelos meus irmãos – a todos, meu amor e carinho.

Agradeço à minha equipe de luz, todos têm participação especial em um projeto como este, sem eles nada existiria.

Agradeço aos meus amados: Ruti, Cleber, Tati, pessoas que cuidam da minha casa e me ajudam com meus filhos para que meu propósito seja cumprido.

Agradeço ao Diego Coelho, meu amor, a expressão do amor que desejei sentir uma vida inteira. Hoje vivo o amor, a família, a parceria que sempre desejei. Amo você.

Sou grata pelos meus filhos, Júlia, Arthur e Laura, por me apoiarem tanto e com tanto amor. Tudo que faço é por vocês. Amo e agradeço infinitamente por ter sido escolhida para ser a mamãe de vocês nesta vida.

Agradeço à Jaque, minha mana, sócia, amiga, ghostwriter deste livro e responsável por cada detalhe após ele ser escrito. Sem você, esta obra não existiria. Estamos juntas desde o começo e permaneceremos juntas até o fim. Te amoooooo!!!

Sou grata à minha mãe *in memorian*. Tenho certeza de que você está aqui me guiando com seu amor, em cada passo que eu dou. Saudade enorme de você. Te amo, minha mãe.

Gratidão com amor a nossa equipe de conteúdo, copy, mídias sociais, jornalistas e ghostwriters. Este livro passou por muitas mãos, pessoas especiais da nossa equipe de luz, e está sendo desenvolvido há mais de dez anos. Em especial Pedro Lichtnow, Soraya Dias Maia, Amanda Mariah Di Giorgio De Lima, Kelly Coelho.

Grata a todos os meus seguidores, alunos e amigos. Eu amo todos vocês.

Agradeço com todo meu amor e honra a Editora Gente, por confiar em mim e saber que vamos transformar e salvar vidas por meio de nossos livros!

Grata a Deus, por me escolher para viver esta missão. Eu amo ser quem eu sou!

Presentes especiais

Nesta obra, além de todo conteúdo programático, você receberá presentes com grande poder de impacto e resultados em um curto espaço de tempo.

1. HoloCINE 2.0 - OS 5 ENIGMAS DA MENTE

Acesse o filme em formato de Treinamento Intensivo que já impactou mais de 5 milhões de pessoas no mundo.

Chegou a hora de DESVENDAR as crenças que estão paralisando sua vida para finalmente se tornar seu próprio Mestre da Cocriação! Mesmo que você ainda não saiba o que significa Cocriar uma Nova Realidade!

Eu vou guiar você pelo mesmo caminho que trilhei para sair de uma morte em vida e conquistar uma VIDA INCRÍVEL!

Ao desvendar os ENIGMAS DA MENTE você vai liberar o PROTOCOLO SECRETO que revela as cinco novas formas de Cocriar a sua realidade. Um filme dividido em cinco episódios:

- Episódio 1: Por que não adianta pensar positivo;
- Episódio 2: Por que tudo o que você deseja acontece ao contrário;
- Episódio 3: Qual a Frequência mais Poderosa do Universo;
- Episódio 4: Como vibrar na frequência dos seus sonhos;
- Episódio 5: Qual é o Código Secreto da Mudança.

2. AGENDA *ALGORITMOS DA COCRIAÇÃO*

Esse será o seu planejamento estratégico para criar, planejar e conquistar metas durante o ano. A agenda é dividida em quatro ciclos, um para cada estação do ano, além de quatro técnicas exclusivas para cada estação.

3. EXERCÍCIOS GUIADOS

Ferramentas extraordinárias para desprogramação de crenças, mudanças de padrão, programação de metas e ações práticas para trazer o seu sonho para a realidade material.

4. ROTEIROS DE VISUALIZAÇÃO

Poderosa reprogramação neuronal para Visualização Holográfica do seu futuro em 10D. Meditação quântica para expansão de consciência e poder da sua pineal. Aprenda a projetar o roteiro cineholográfico na tela mental da imaginação para manifestação da realidade.

5. MEDITAÇÃO

Áudios para reverter imediatamente baixos estados de vibração como sentimentos e pensamentos indesejados e acelerar seu padrão vibracional, sintonizando Frequências de Aceitação, Alegria, Amor, Disposição, Iluminação, Paz e Razão.

6. FERRAMENTAS DE COCRIAÇÃO

Ferramenta detalhada da fórmula para acesso direto à matriz da cocriação por meio dos sete Níveis para codificar a sua nova Assinatura Vibracional com palavras de alta frequência, detalhamento da imagem holográfica dos seus sonhos, pensamento quântico, o poder da intenção, afirmações de desejo e a força da gratidão.

7. REPROGRAMAÇÃO MENTAL

Técnicas para reprogramação mental profunda e avançada da mente inconsciente, com as quais você pode desinstalar programas que o limitam e impedem de vibrar na frequência dos seus sonhos.

8. AUTOTERAPIA DO SONO

Tecnologias e comandos avançados de reprogramação mental que atuam enquanto você dorme para eliminar crenças limitantes e expandir a neuroplasticidade cerebral, abrindo espaço para a instalação de crenças positivas que reforcem a materialização de cada um dos seus sonhos.

9. AGENDA DO COCRIADOR

Agenda com afirmações e aformações incríveis que ajudam a manter o foco em seu planejamento estratégico e execução de metas com dicas, exercícios e ferramentas para potencializar o seu processo.

Aponte a câmera do seu celular para o QR Code abaixo ou acesse http://www.algoritmosdouniverso.com.br/presentes e confira!

Sumário

INTRODUÇÃO 18

CAPÍTULO I
**REVISÃO DOS ALGORITMOS DA COCRIAÇÃO
DECODIFICADOS NO *DNA REVELADO DAS EMOÇÕES*®** 22

ALGORITMO DA COCRIAÇÃO #1 – Emosentização® 25
ALGORITMO DA COCRIAÇÃO #2 – 100% de responsabilidade 28
ALGORITMO DA COCRIAÇÃO #3 – Assinatura Eletromagnética® 29
ALGORITMO DA COCRIAÇÃO #4 – Sentimento de gratidão em três níveis .. 30
ALGORITMO DA COCRIAÇÃO #5 – Mente racional 32
ALGORITMO DA COCRIAÇÃO #6 – Mente atemporal 32
ALGORITMO DA COCRIAÇÃO #7 – Cérebro verbal 33
ALGORITMO DA COCRIAÇÃO #8 – Ciclo de onda 34
ALGORITMO DA COCRIAÇÃO #9 – Mudança de polaridade 35
ALGORITMO DA COCRIAÇÃO #10 – Permissão deliberada 36
ALGORITMO DA COCRIAÇÃO #11 – Frequência da mudança 37
ALGORITMO DA COCRIAÇÃO #12 – Libido 38
ALGORITMO DA COCRIAÇÃO #13 – Rendição 39
ALGORITMO DA COCRIAÇÃO #14 – Comunicação interior 39
ALGORITMO DA COCRIAÇÃO #15 – Ideias descontínuas 40
ALGORITMO DA COCRIAÇÃO #16 – Ação assertiva 41
ALGORITMO DA COCRIAÇÃO #17 – Conexão presente 42
ALGORITMO DA COCRIAÇÃO #18 – Cinco sentidos cocriativos 43
ALGORITMO DA COCRIAÇÃO #19 – Silêncio superior 44
ALGORITMO DA COCRIAÇÃO #20 – Esquema da Cocriação 1.000 Hertz® . 46
ALGORITMO DA COCRIAÇÃO #21 – Força Interior 47
ALGORITMO DA COCRIAÇÃO #22 – Coragem arrebatadora 48
ALGORITMO DA COCRIAÇÃO #23 – Pensamento bioelétrico 48
ALGORITMO DA COCRIAÇÃO #24 – Poder Essencial 49

CAPÍTULO II
**ALGORITMOS DA COCRIAÇÃO
DECODIFICADOS DA FÍSICA QUÂNTICA** 50

ALGORITMO DA COCRIAÇÃO #25 – Campo eletromagnético 53
ALGORITMO DA COCRIAÇÃO #26 – Matriz Holográfica® (Campo Quântico) 54
ALGORITMO DA COCRIAÇÃO #27 – Dualidade Onda-Partícula 55
ALGORITMO DA COCRIAÇÃO #28 – Experimento da Dupla Fenda 55

ALGORITMO DA COCRIAÇÃO #29 – Observador da realidade 57
ALGORITMO DA COCRIAÇÃO #30 – Função de Onda 58
ALGORITMO DA COCRIAÇÃO #31 – Colapso da Função de Onda 58
ALGORITMO DA COCRIAÇÃO #32 – Não localidade 59
ALGORITMO DA COCRIAÇÃO #33 – Infinitas possibilidades 60
ALGORITMO DA COCRIAÇÃO #34 – Princípio da Incerteza 61
ALGORITMO DA COCRIAÇÃO #35 – Salto quântico 62
ALGORITMO DA COCRIAÇÃO #36 – Emaranhamento quântico 63
ALGORITMO DA COCRIAÇÃO #37 – Princípio da simetria 64
ALGORITMO DA COCRIAÇÃO #38 – Tunelamento quântico 64
ALGORITMO DA COCRIAÇÃO #39 – Correlação quântica 65
ALGORITMO DA COCRIAÇÃO #40 – Frequência Vibracional® 66
ALGORITMO DA COCRIAÇÃO #41 – Interferência construtiva 68
ALGORITMO DA COCRIAÇÃO #42 – Efeito Zenão 68
ALGORITMO DA COCRIAÇÃO #43 – Múltiplas escolhas 70
ALGORITMO DA COCRIAÇÃO #44 – Escolha atrasada 71
ALGORITMO DA COCRIAÇÃO #45 – Universo autoconsciente 71
ALGORITMO DA COCRIAÇÃO #46 – Soltar 72
ALGORITMO DA COCRIAÇÃO #47 – Teoria do Desdobramento Quântico do Tempo 75
ALGORITMO DA COCRIAÇÃO #48 – Os pensamentos criam futuros potenciais 75
ALGORITMO DA COCRIAÇÃO #49 – O Duplo Quântico 76
ALGORITMO DA COCRIAÇÃO #50 – Aberturas temporais 77
ALGORITMO DA COCRIAÇÃO #51 – Teoria das Supercordas 78
ALGORITMO DA COCRIAÇÃO #52 – Multiverso 79
ALGORITMO DA COCRIAÇÃO #53 – Campos Morfogenéticos 80
ALGORITMO DA COCRIAÇÃO #54 – Efeito Borboleta 80

CAPÍTULO III
ALGORITMOS DA COCRIAÇÃO DECODIFICADOS ATRAVÉS DAS NEUROCIÊNCIAS, DA PSICOLOGIA E DA PNL 82

ALGORITMO DA COCRIAÇÃO #55 – O jardim da mente 85
ALGORITMO DA COCRIAÇÃO #56 – Limpeza de crenças 86
ALGORITMO DA COCRIAÇÃO #57 – Autoimagem 87
ALGORITMO DA COCRIAÇÃO #58 – Mente Criativa 87
ALGORITMO DA COCRIAÇÃO #59 – Servomecanismo 88
ALGORITMO DA COCRIAÇÃO #60 – Linguagem não verbal 89
ALGORITMO DA COCRIAÇÃO #61 – Realidade e imaginação 89
ALGORITMO DA COCRIAÇÃO #62 – Imagens e emoções 90
ALGORITMO DA COCRIAÇÃO #63 – 5 × 95 91
ALGORITMO DA COCRIAÇÃO #64 – Inconsciente cognitivo 92
ALGORITMO DA COCRIAÇÃO #65 – Neuroplasticidade 93
ALGORITMO DA COCRIAÇÃO #66 – Memórias e emoções 94

ALGORITMO DA COCRIAÇÃO #67 – Sobrevivência × criatividade 95
ALGORITMO DA COCRIAÇÃO #68 – Coerência cardíaca 96
ALGORITMO DA COCRIAÇÃO #69 – Expansão energética do coração 96
ALGORITMO DA COCRIAÇÃO #70 – Neurônios do coração 97
ALGORITMO DA COCRIAÇÃO #71 – Coerência coração-mente 98
ALGORITMO DA COCRIAÇÃO #72 – Metacognição 99
ALGORITMO DA COCRIAÇÃO #73 – Glândula pineal 99
ALGORITMO DA COCRIAÇÃO #74 – Mente expansiva 101
ALGORITMO DA COCRIAÇÃO #75 – Escolhas recorrentes 101
ALGORITMO DA COCRIAÇÃO #76 – Dormir bem 103
ALGORITMO DA COCRIAÇÃO #77 – Barreira do terror 104
ALGORITMO DA COCRIAÇÃO #78 – Hora do milagre 105
ALGORITMO DA COCRIAÇÃO #79 – Avalie seus ganhos secundários 105
ALGORITMO DA COCRIAÇÃO #80 – Saindo do looping 106
ALGORITMO DA COCRIAÇÃO #81 – Neutralidade do sistema límbico 107
ALGORITMO DA COCRIAÇÃO #82 – Memórias do futuro 108
ALGORITMO DA COCRIAÇÃO #83 – Músicas do futuro 108
ALGORITMO DA COCRIAÇÃO #84 – Desapegue de ser você 109
ALGORITMO DA COCRIAÇÃO #85 – Efeito Lua de Mel 110
ALGORITMO DA COCRIAÇÃO #86 – Gatilho da fisiologia 111
ALGORITMO DA COCRIAÇÃO #87 – A fórmula de Joe Dispenza 112
ALGORITMO DA COCRIAÇÃO #88 – Bioquímica da gratidão 112
ALGORITMO DA COCRIAÇÃO #89 – Coerência cerebral 113
ALGORITMO DA COCRIAÇÃO #90 – Programe seus filhos 114
ALGORITMO DA COCRIAÇÃO #91 – Centros de energia 115
ALGORITMO DA COCRIAÇÃO #92 – Efeito placebo 116
ALGORITMO DA COCRIAÇÃO #93 – Foco aberto 117
ALGORITMO DA COCRIAÇÃO #94 – Repetição e insistência 118
ALGORITMO DA COCRIAÇÃO #95 – Neurônios-espelho 119
ALGORITMO DA COCRIAÇÃO #96 – Hábitos do sucesso 119
ALGORITMO DA COCRIAÇÃO #97 – Mudança de hábitos 120
ALGORITMO DA COCRIAÇÃO #98 – Autossugestão 121

CAPÍTULO IV
ALGORITMOS DA COCRIAÇÃO DECODIFICADOS ATRAVÉS DA EPIGENÉTICA 122

ALGORITMO DA COCRIAÇÃO #99 – Superação do determinismo genético 126
ALGORITMO DA COCRIAÇÃO #100 – Você é o senhor do seu DNA 126
ALGORITMO DA COCRIAÇÃO #101 – Biologia da mudança 127
ALGORITMO DA COCRIAÇÃO #102 – A ciência dos milagres 128
ALGORITMO DA COCRIAÇÃO #103 – Infinitas possibilidades dos genes 131
ALGORITMO DA COCRIAÇÃO #104 – Seleção de genes 131

ALGORITMO DA COCRIAÇÃO #105 – Sua personalidade determina sua biologia 132
ALGORITMO DA COCRIAÇÃO #106 – Ativação do "DNA lixo" 133
ALGORITMO DA COCRIAÇÃO #107 – Regulação ascendente e descendente 134
ALGORITMO DA COCRIAÇÃO #108 – A inteligência da membrana celular 135
ALGORITMO DA COCRIAÇÃO #109 – Programação da membrana celular 137
ALGORITMO DA COCRIAÇÃO #110 – Farmácia 24h 138
ALGORITMO DA COCRIAÇÃO #111 – Comunicação não local das células 138
ALGORITMO DA COCRIAÇÃO #112 – Sinais poderosos 139
ALGORITMO DA COCRIAÇÃO #113 – Epigenética na gestação 140
ALGORITMO DA COCRIAÇÃO #114 – Epigenética na infância 141

CAPÍTULO V
ALGORITMOS DA COCRIAÇÃO DECODIFICADOS DOS PRINCÍPIOS GERAIS DA COCRIAÇÃO 142

ALGORITMO DA COCRIAÇÃO #115 – Eletromagnetismo 145
ALGORITMO DA COCRIAÇÃO #116 – Tudo é vibração 146
ALGORITMO DA COCRIAÇÃO #117 – Princípio da Ressonância 146
ALGORITMO DA COCRIAÇÃO #118 – Ser para Ter 147
ALGORITMO DA COCRIAÇÃO #119 – Aceite o sucesso 148
ALGORITMO DA COCRIAÇÃO #120 – Conhecimento infinito 149
ALGORITMO DA COCRIAÇÃO #121 – Poder total 150
ALGORITMO DA COCRIAÇÃO #122 – Conhecimento desperto 150
ALGORITMO DA COCRIAÇÃO #123 – Semeie e compartilhe 150
ALGORITMO DA COCRIAÇÃO #124 – Consciência da Prosperidade 151
ALGORITMO DA COCRIAÇÃO #125 – Alinhamento das três mentes 153
ALGORITMO DA COCRIAÇÃO #126 – O fracasso é a semente do sucesso 154
ALGORITMO DA COCRIAÇÃO #127 – O Vão da Cocriação 154
ALGORITMO DA COCRIAÇÃO #128 – Palavra tem poder 155
ALGORITMO DA COCRIAÇÃO #129 – Energia da mudança 156
ALGORITMO DA COCRIAÇÃO #130 – Individuação Superior 157
ALGORITMO DA COCRIAÇÃO #131 – Sentimentos 158
ALGORITMO DA COCRIAÇÃO #132 – Conhecimento interno 159
ALGORITMO DA COCRIAÇÃO #133 – Atenção 159
ALGORITMO DA COCRIAÇÃO #134 – Foco 160
ALGORITMO DA COCRIAÇÃO #135 – Intenção 161
ALGORITMO DA COCRIAÇÃO #136 – Comprometimento 162
ALGORITMO DA COCRIAÇÃO #137 – Objetivo específico 162
ALGORITMO DA COCRIAÇÃO #138 – Objetivos possíveis 163
ALGORITMO DA COCRIAÇÃO #139 – Algo melhor 164
ALGORITMO DA COCRIAÇÃO #140 – Propósito além do ego 164
ALGORITMO DA COCRIAÇÃO #141 – É normal ser abundante 165
ALGORITMO DA COCRIAÇÃO #142 – Ofereça o que deseja receber 166

ALGORITMO DA COCRIAÇÃO #143 – Congruência 166
ALGORITMO DA COCRIAÇÃO #144 – Você não precisa ser inteligente 167
ALGORITMO DA COCRIAÇÃO #145 – Se alguém conseguiu, você também consegue ... 168
ALGORITMO DA COCRIAÇÃO #146 – Você está sempre certo! 168
ALGORITMO DA COCRIAÇÃO #147 – Sonhos sem medidas 169
ALGORITMO DA COCRIAÇÃO #148 – Manutenção da frequência 171
ALGORITMO DA COCRIAÇÃO #149 – Imaginação 171
ALGORITMO DA COCRIAÇÃO #150 – Razão 172
ALGORITMO DA COCRIAÇÃO #151 – Cérebro próspero 173
ALGORITMO DA COCRIAÇÃO #152 – Mindset da abundância 174
ALGORITMO DA COCRIAÇÃO #153 – "Nevilize" seus objetivos 175

CAPÍTULO VI
ALGORITMOS DA COCRIAÇÃO DECODIFICADOS ATRAVÉS DO ESTUDO DAS EMOÇÕES E DOS SENTIMENTOS 176

ALGORITMO DA COCRIAÇÃO #154 – Amor 179
ALGORITMO DA COCRIAÇÃO #155 – Afeto 180
ALGORITMO DA COCRIAÇÃO #156 – Aceitação 180
ALGORITMO DA COCRIAÇÃO #157 – Perdão 181
ALGORITMO DA COCRIAÇÃO #158 – Amor-próprio 181
ALGORITMO DA COCRIAÇÃO #159 – Empatia harmônica 182
ALGORITMO DA COCRIAÇÃO #160 – Generosidade autêntica 183
ALGORITMO DA COCRIAÇÃO #161 – Alegria 183
ALGORITMO DA COCRIAÇÃO #162 – Entusiasmo 184
ALGORITMO DA COCRIAÇÃO #163 – Satisfação plena 185
ALGORITMO DA COCRIAÇÃO #164 – Solidariedade 186
ALGORITMO DA COCRIAÇÃO #165 – Gratidão 188
ALGORITMO DA COCRIAÇÃO #166 – Perseverança 189
ALGORITMO DA COCRIAÇÃO #167 – Felicidade 190
ALGORITMO DA COCRIAÇÃO #168 – Merecimento 191
ALGORITMO DA COCRIAÇÃO #169 – Ambição saudável 192
ALGORITMO DA COCRIAÇÃO #170 – Fé 193
ALGORITMO DA COCRIAÇÃO #171 – Paz 194
ALGORITMO DA COCRIAÇÃO #172 – Harmonia 195
ALGORITMO DA COCRIAÇÃO #173 – Criatividade 195
ALGORITMO DA COCRIAÇÃO #174 – Apreciação 196
ALGORITMO DA COCRIAÇÃO #175 – Benevolência 197

CAPÍTULO VII
ALGORITMOS DA COCRIAÇÃO DECODIFICADOS SOBRE COMPORTAMENTOS 198

ALGORITMO DA COCRIAÇÃO #176 – Ação 201
ALGORITMO DA COCRIAÇÃO #177 – Decisão 201

ALGORITMO DA COCRIAÇÃO #178 – Organização ... 202
ALGORITMO DA COCRIAÇÃO #179 – Motivar os outros ... 203
ALGORITMO DA COCRIAÇÃO #180 – Festejar o sucesso dos outros ... 203
ALGORITMO DA COCRIAÇÃO #181 – Seja honesto ... 204
ALGORITMO DA COCRIAÇÃO #182 – Honre seus pais ... 204
ALGORITMO DA COCRIAÇÃO #183 – Questionar ... 205
ALGORITMO DA COCRIAÇÃO #184 – Saber receber ... 206
ALGORITMO DA COCRIAÇÃO #185 – Controle seus pensamentos ... 206
ALGORITMO DA COCRIAÇÃO #186 – Preserve seu sonho ... 207
ALGORITMO DA COCRIAÇÃO #187 – Ajude aos outros ... 208
ALGORITMO DA COCRIAÇÃO #188 – Buscar conhecimento ... 209
ALGORITMO DA COCRIAÇÃO #189 – Abandone a zona de conforto ... 209
ALGORITMO DA COCRIAÇÃO #190 – Atue no aqui e no agora ... 210
ALGORITMO DA COCRIAÇÃO #191 – Sonho imaginativo ... 211
ALGORITMO DA COCRIAÇÃO #192 – Pensamento estratégico ... 211
ALGORITMO DA COCRIAÇÃO #193 – Antecipação de comportamentos ... 212
ALGORITMO DA COCRIAÇÃO #194 – Caridade ... 213
ALGORITMO DA COCRIAÇÃO #195 – Comemoração de resultados parciais ... 214
ALGORITMO DA COCRIAÇÃO #196 – Conexão com a natureza ... 215
ALGORITMO DA COCRIAÇÃO #197 – Conexão com o Criador ... 215
ALGORITMO DA COCRIAÇÃO #198 – Ative a percepção da abundância ... 216
ALGORITMO DA COCRIAÇÃO #199 – Contemplação da arte ... 217
ALGORITMO DA COCRIAÇÃO #200 – Cuidar da criança ferida ... 217
ALGORITMO DA COCRIAÇÃO #201 – Desapegue do controle ... 218
ALGORITMO DA COCRIAÇÃO #202 – Divirta-se ... 219
ALGORITMO DA COCRIAÇÃO #203 – Desejos ilimitados ... 220
ALGORITMO DA COCRIAÇÃO #204 – Doe dízimo ... 221
ALGORITMO DA COCRIAÇÃO #205 – Estabeleça metas ... 222
ALGORITMO DA COCRIAÇÃO #206 – Converse com seu ego ... 222
ALGORITMO DA COCRIAÇÃO #207 – Participe de um MasterMind ... 223
ALGORITMO DA COCRIAÇÃO #208 – Libere espaço ... 224
ALGORITMO DA COCRIAÇÃO #209 – Serviço amoroso ... 224
ALGORITMO DA COCRIAÇÃO #210 – Sexualidade consciente ... 225
ALGORITMO DA COCRIAÇÃO #211 – Acorde cedo ... 226
ALGORITMO DA COCRIAÇÃO #212 – Seja gentil com você ... 226
ALGORITMO DA COCRIAÇÃO #213 – Desfrute do que você tem ... 227
ALGORITMO DA COCRIAÇÃO #214 – Relativize seus problemas ... 228
ALGORITMO DA COCRIAÇÃO #215 – Ria de si mesmo ... 228
ALGORITMO DA COCRIAÇÃO #216 – Empoderamento ... 229
ALGORITMO DA COCRIAÇÃO #217 – Cuide-se ... 230
ALGORITMO DA COCRIAÇÃO #218 – Turbine seu banco de imagens ... 230

CAPÍTULO VIII
ALGORITMOS DA COCRIAÇÃO DECODIFICADOS ATRAVÉS DA ESPIRITUALIDADE SAGRADA E CONHECIMENTOS ESOTÉRICOS 232

ALGORITMO DA COCRIAÇÃO #219 – Ponto Zero 235
ALGORITMO DA COCRIAÇÃO #220 – Intuição 235
ALGORITMO DA COCRIAÇÃO #221 – Integração Universal 236
ALGORITMO DA COCRIAÇÃO #222 – Frequência original 237
ALGORITMO DA COCRIAÇÃO #223 – Propósito existencial 239
ALGORITMO DA COCRIAÇÃO #224 – O poder infinito da consciência 240
ALGORITMO DA COCRIAÇÃO #225 – Coexistência dos opostos 241
ALGORITMO DA COCRIAÇÃO #226 – Transcendência da temporalidade 242
ALGORITMO DA COCRIAÇÃO #227 – Consciência da unidade 243
ALGORITMO DA COCRIAÇÃO #228 – Percepção consciente 243
ALGORITMO DA COCRIAÇÃO #229 – Curiosidade Divina 244
ALGORITMO DA COCRIAÇÃO #230 – Unicidade 245
ALGORITMO DA COCRIAÇÃO #231 – Jejum alimentar 246
ALGORITMO DA COCRIAÇÃO #232 – Cure a si mesmo 247
ALGORITMO DA COCRIAÇÃO #233 – Centelha Divina 248
ALGORITMO DA COCRIAÇÃO #234 – A ponte da consciência 248
ALGORITMO DA COCRIAÇÃO #235 – Creia que já recebeu 249
ALGORITMO DA COCRIAÇÃO #236 – O Universo é inclusivo 249
ALGORITMO DA COCRIAÇÃO #237 – Espelhos dos Relacionamentos 250
ALGORITMO DA COCRIAÇÃO #238 – Reflexos do Momento 251
ALGORITMO DA COCRIAÇÃO #239 – Reflexos do Julgamento Instantâneo 252
ALGORITMO DA COCRIAÇÃO #240 – Reflexos do que Perdemos 253
ALGORITMO DA COCRIAÇÃO #241 – Reflexos da Noite Escura da Alma 253
ALGORITMO DA COCRIAÇÃO #242 – Reflexos do nosso maior Ato de Compaixão 254
ALGORITMO DA COCRIAÇÃO #243 – Serendipidades 255
ALGORITMO DA COCRIAÇÃO #244 – Geometria Sagrada 256
ALGORITMO DA COCRIAÇÃO #245 – Reino dos Céus 257
ALGORITMO DA COCRIAÇÃO #246 – Alquimia Mental 258
ALGORITMO DA COCRIAÇÃO #247 – Você é um fractal de Deus 259
ALGORITMO DA COCRIAÇÃO #248 – Kundalini 259
ALGORITMO DA COCRIAÇÃO #249 – Alinhamento dos chakras 260
ALGORITMO DA COCRIAÇÃO #250 – Holochakra 261

CAPÍTULO IX
ALGORITMOS DA COCRIAÇÃO DECODIFICADOS COMO TERAPIAS VIBRACIONAIS, TÉCNICAS E FERRAMENTAS DE MANIFESTAÇÃO DA REALIDADE 262

ALGORITMO DA COCRIAÇÃO #251 – Técnica Hertz® 265
ALGORITMO DA COCRIAÇÃO #252 – Meditação 266

ALGORITMO DA COCRIAÇÃO #253 – Visualização Holográfica 267
ALGORITMO DA COCRIAÇÃO #254 – Ho'oponopono 268
ALGORITMO DA COCRIAÇÃO #255 – Ho'oponopono Quântico 269
ALGORITMO DA COCRIAÇÃO #256 – EFT 269
ALGORITMO DA COCRIAÇÃO #257 – Códigos Grabovoi 270
ALGORITMO DA COCRIAÇÃO #258 – Códigos Agesta 271
ALGORITMO DA COCRIAÇÃO #259 – Afirmações Positivas 272
ALGORITMO DA COCRIAÇÃO #260 – HoloAformações® 273
ALGORITMO DA COCRIAÇÃO #261 – Comandos EU SOU 274
ALGORITMO DA COCRIAÇÃO #262 – Holofractometria Sagrada® 275
ALGORITMO DA COCRIAÇÃO #263 – Mantras 276
ALGORITMO DA COCRIAÇÃO #264 – Religação com o Todo 277
ALGORITMO DA COCRIAÇÃO #265 – Modelagem 278
ALGORITMO DA COCRIAÇÃO #266 – Senha Universal 279
ALGORITMO DA COCRIAÇÃO #267 – Incrível Mundo 279
ALGORITMO DA COCRIAÇÃO #268 – Arquétipos de Poder 280
ALGORITMO DA COCRIAÇÃO #269 – Cores 281
ALGORITMO DA COCRIAÇÃO #270 – Sons 282
ALGORITMO DA COCRIAÇÃO #271 – Pote da Gratidão 283
ALGORITMO DA COCRIAÇÃO #272 – HoloPainel 283
ALGORITMO DA COCRIAÇÃO #273 – Carta Mágica 284

CAPÍTULO X
ALGORITMOS DA COCRIAÇÃO DECODIFICADOS SOBRE EMOÇÕES, SENTIMENTOS, PENSAMENTOS E COMPORTAMENTOS QUE VOCÊ DEVE EVITAR OU ELIMINAR ... 286
ALGORITMO DA COCRIAÇÃO #274 – Vitimização 289
ALGORITMO DA COCRIAÇÃO #275 – Vergonha 290
ALGORITMO DA COCRIAÇÃO #276 – Culpa 290
ALGORITMO DA COCRIAÇÃO #277 – Apatia 291
ALGORITMO DA COCRIAÇÃO #278 – Tristeza 292
ALGORITMO DA COCRIAÇÃO #279 – Medo 293
ALGORITMO DA COCRIAÇÃO #280 – Raiva 294
ALGORITMO DA COCRIAÇÃO #281 – Ódio 295
ALGORITMO DA COCRIAÇÃO #282 – Ingratidão 296
ALGORITMO DA COCRIAÇÃO #283 – Falso perdão 296
ALGORITMO DA COCRIAÇÃO #284 – Reclamação 297
ALGORITMO DA COCRIAÇÃO #285 – Ansiedade 297
ALGORITMO DA COCRIAÇÃO #286 – Julgamento 298
ALGORITMO DA COCRIAÇÃO #287 – Negatividade 299
ALGORITMO DA COCRIAÇÃO #288 – Desespero 299
ALGORITMO DA COCRIAÇÃO #289 – Resistência 300
ALGORITMO DA COCRIAÇÃO #290 – Desejo de vingança 301

ALGORITMO DA COCRIAÇÃO #291 – Arrogância 302
ALGORITMO DA COCRIAÇÃO #292 – Avareza 303
ALGORITMO DA COCRIAÇÃO #293 – Baixa autoestima 303
ALGORITMO DA COCRIAÇÃO #294 – Ciúme 304
ALGORITMO DA COCRIAÇÃO #295 – Comodismo 305
ALGORITMO DA COCRIAÇÃO #296 – Controle 305
ALGORITMO DA COCRIAÇÃO #297 – Paciência 306
ALGORITMO DA COCRIAÇÃO #298 – Ego Espiritual 307
ALGORITMO DA COCRIAÇÃO #299 – Egoísmo 307
ALGORITMO DA COCRIAÇÃO #300 – Falta de Fé 308
ALGORITMO DA COCRIAÇÃO #301 – Fofoca 309
ALGORITMO DA COCRIAÇÃO #302 – Guardar Mágoas 310
ALGORITMO DA COCRIAÇÃO #303 – Insegurança 310
ALGORITMO DA COCRIAÇÃO #304 – Inveja 311
ALGORITMO DA COCRIAÇÃO #305 – Justificação 312
ALGORITMO DA COCRIAÇÃO #306 – Falta de amor-próprio 313
ALGORITMO DA COCRIAÇÃO #307 – Malícia 313
ALGORITMO DA COCRIAÇÃO #308 – Mau humor 314
ALGORITMO DA COCRIAÇÃO #309 – Mesquinhez 315
ALGORITMO DA COCRIAÇÃO #310 – Visão da escassez 316
ALGORITMO DA COCRIAÇÃO #311 – Preguiça 317
ALGORITMO DA COCRIAÇÃO #312 – Procrastinação 317
ALGORITMO DA COCRIAÇÃO #313 – Promiscuidade 318
ALGORITMO DA COCRIAÇÃO #314 – Rancor 319
ALGORITMO DA COCRIAÇÃO #315 – Esforço 320
ALGORITMO DA COCRIAÇÃO #316 – Ressentimento 321
ALGORITMO DA COCRIAÇÃO #317 – Metas e prazos incertos 321
ALGORITMO DA COCRIAÇÃO #318 – Afirmações mal formuladas 322
ALGORITMO DA COCRIAÇÃO #319 – Cocriação exagerada 322
ALGORITMO DA COCRIAÇÃO #320 – Condicionar sua felicidade 323
ALGORITMO DA COCRIAÇÃO #321 – Falta de planejamento 324
ALGORITMO DA COCRIAÇÃO #322 – Discurso desempoderado 325
ALGORITMO DA COCRIAÇÃO #323 – Muita teoria, pouca prática 325
ALGORITMO DA COCRIAÇÃO #324 – Orações suplicantes 326
ALGORITMO DA COCRIAÇÃO #325 – Diagnosticar as sombras dos outros 327
ALGORITMO DA COCRIAÇÃO #326 – Sonhos urgentes 328
ALGORITMO DA COCRIAÇÃO #327 – Relações extraconjugais 328
ALGORITMO DA COCRIAÇÃO #328 – Meu sonho é pecado 330
ALGORITMO DA COCRIAÇÃO #329 – Usar sua dor como desculpa 331
ALGORITMO DA COCRIAÇÃO #330 – Vícios 332
ALGORITMO DA COCRIAÇÃO #331 – Consumo de conteúdos contrários
    ao seu sonho 332

ALGORITMO DA COCRIAÇÃO #332 – Consumo de conteúdos tóxicos 333
ALGORITMO DA COCRIAÇÃO #333 – Terceirizar sua Limpeza Energética 334

CAPÍTULO XI
ALGORITMOS DA COCRIAÇÃO ESPECÍFICOS PARA RIQUEZA E PROSPERIDADE FINANCEIRA 336
ALGORITMO DA COCRIAÇÃO #334 – Frequência da Prosperidade 339
ALGORITMO DA COCRIAÇÃO #335 – Inconsciente emocional 340
ALGORITMO DA COCRIAÇÃO #336 – Não existe certo e errado 341
ALGORITMO DA COCRIAÇÃO #337 – Microssensações negativas 341
ALGORITMO DA COCRIAÇÃO #338 – Agressor × Agredido 342
ALGORITMO DA COCRIAÇÃO #339 – O outro não existe 342
ALGORITMO DA COCRIAÇÃO #340 – Frequências compatíveis 343
ALGORITMO DA COCRIAÇÃO #341 – Acesso à realidade pelo Emosentizar® 343
ALGORITMO DA COCRIAÇÃO #342 – Idioma vibracional 344
ALGORITMO DA COCRIAÇÃO #343 – Não diga "Não"! 344
ALGORITMO DA COCRIAÇÃO #344 – Gratidão 345
ALGORITMO DA COCRIAÇÃO #345 – Amar a riqueza dos outros 345
ALGORITMO DA COCRIAÇÃO #346 – Determinação cocriativa 346
ALGORITMO DA COCRIAÇÃO #347 – Diversão próspera 346
ALGORITMO DA COCRIAÇÃO #348 – Energia de Troca 347
ALGORITMO DA COCRIAÇÃO #349 – Sentimento próspero 348
ALGORITMO DA COCRIAÇÃO #350 – Energia do dinheiro 349
ALGORITMO DA COCRIAÇÃO #351 – Sua relação com o dinheiro 350
ALGORITMO DA COCRIAÇÃO #352 – Pague suas contas 351
ALGORITMO DA COCRIAÇÃO #353 – Desprendimento 352
ALGORITMO DA COCRIAÇÃO #354 – Ame o luxo 352
ALGORITMO DA COCRIAÇÃO #355 – Riqueza sem preocupação 353
ALGORITMO DA COCRIAÇÃO #356 – Crença da Solidão Financeira 353
ALGORITMO DA COCRIAÇÃO #357 – Crença da Rejeição 354
ALGORITMO DA COCRIAÇÃO #358 – Ame o que faz 355
ALGORITMO DA COCRIAÇÃO #359 – Escolha a riqueza 356
ALGORITMO DA COCRIAÇÃO #360 – Pague seus tributos 357
ALGORITMO DA COCRIAÇÃO #361 – Riqueza × Prosperidade 358
ALGORITMO DA COCRIAÇÃO #362 – Felicidade "compra" dinheiro 359
ALGORITMO DA COCRIAÇÃO #363 – Dinheiro é espiritual 360
ALGORITMO DA COCRIAÇÃO #364 – Seja grato por suas contas 360
ALGORITMO DA COCRIAÇÃO #365 – Plante para colher 361

CONCLUSÃO 362
BIBLIOGRAFIA 365

Introdução

No meu terceiro livro, *DNA Revelado das Emoções*®, eu apresentei os primeiros 24 Algoritmos da Cocriação e prometi que continuaria a apresentação de todos os 365 algoritmos no próximo livro! Como sempre honro minhas promessas, aqui estou, feliz da vida, com meu quinto livro: *Algoritmos do Universo*.

Neste livro, vamos começar recapitulando os Algoritmos da Cocriação apresentados anteriormente e seguiremos até o trecentésimo sexagésimo quinto algoritmo, decodificando todos os segredos do Universo para a cocriação consciente da realidade.

Antes de tudo, quero que você entenda o conceito de algoritmo e a razão pela qual escolhi esse termo. **Algoritmo** é um conceito da matemática e da informática que se refere a um conjunto de regras ou a uma sequência de procedimentos lógicos que tem por objetivo percorrer as etapas necessárias para executar uma tarefa ou encontrar a solução para um problema. Em palavras ainda mais simples, algoritmo é uma espécie de receita, de passo a passo ou de mapa, isto é, um conjunto de instruções para se sair de uma determinada posição e chegar a outra.

Atualmente, algoritmo também é um conceito muito falado e utilizado nas mídias sociais; se você produz conteúdo digital, com certeza já deve ter estudado sobre os famosos algoritmos do Instagram, do Facebook, do YouTube, do TikTok e de outras tantas plataformas. O conhecimento desses algoritmos é indispensável para quem deseja obter resultados específicos – seguidores, visualizações, inscrições, curtidas, vendas etc., de modo que para cada objetivo, existe um algoritmo, isto é, existe uma sequência de procedimentos a serem executados.

Quando você vê alguém fazendo muito sucesso nas redes, pode ter certeza de que não é por acaso e que também não é apenas talento combinado com um bocado de sorte: o conhecimento e a aplicação dos algoritmos da rede são a base propulsora das conquistas e vitórias daquela pessoa. Em outras palavras, sim, existe um protocolo para o sucesso!

Com base nisso, senti-me inspirada a expandir o conceito de algoritmo como fundamento do sucesso no mundo virtual das redes sociais para o sucesso no mundo material da cocriação de sonhos. Estudar como funciona o Universo e quais são os pressupostos para a cocriação da realidade é algo a que venho me dedicando nas últimas décadas e, portanto, fui decodificando e sistematizando todos os Algoritmos da Cocriação naturalmente ao longo dos anos.

Muitos desses algoritmos você já me ouviu falar nas lives, nas aulas e nos treinamentos fechados; outros talvez você já tenha estudado em algum livro; e alguns serão bingos completamente novos para você. Meu objetivo é reunir todos em uma mesma obra, resultando no protocolo mais completo do mundo para que você saiba exatamente o que deve fazer (e o que não fazer também) para cocriar os seus sonhos de maneira prática, rápida e eficaz.

Eu fiz uma varredura completa em todas as ciências e sistemas de conhecimento do Universo e decodifiquei os Algoritmos da Cocriação da realidade em todas as perspectivas. Cada área do saber possui seus próprios princípios aplicáveis para a cocriação de sonhos, mas você não vai precisar passar anos estudando milhares de livros ou investir uma fortuna para fazer vários treinamentos diferentes como eu precisei, pois estou sistematizado tudo aqui para você, incluindo os fundamentos da Frequência Vibracional®, da Física Quântica, das Neurociências, da Psicologia, da Programação Neurolinguística (PNL), das Leis Universais, de terapias holísticas, da espiritualidade e de outras doutrinas esotéricas.

Este livro, portanto, é a sistematização de todo o meu conhecimento sobre cocriação de realidade, o resultado de toda a minha busca pela compreensão dos mistérios do Universo, da mente e das emoções humanas, a qual começou quando eu ainda era adolescente, aos 16 anos, quando eu li o livro *O poder infinito da sua mente*, de Lauro Trevisan.

Os Algoritmos da Cocriação decodificados e apresentados aqui não são princípios que eu vi apenas em algum dos mais de 2 mil livros que li em minha jornada para o sucesso ou algo de que apenas ouvi falar; tudo o que você vai acessar aqui, eu experimentei pessoalmente e apliquei na minha própria vida. Afirmo com segurança que cada um desses Algoritmos da Cocriação teve e ainda tem papel na cocriação da realidade de sucesso, felicidade e plena abundância que vivencio hoje e que continua em plena expansão. Entenda que, em última instância, o que eu estou entregando para você neste livro são os 365 ingredientes da receita do meu sucesso!

Claro, a compreensão de sucesso varia de pessoa para pessoa, uma vez que todos temos objetivos diferentes. Entretanto, seja qual for o seu sonho – de engravidar a ganhar na loteria – os princípios e códigos para realização dele, isto é, os Algoritmos da Cocriação, são os mesmos. A fórmula é única e universal, mas a aplicação se expressa em qualquer uma das infinitas possibilidades que você escolher para sua vida.

É indispensável que você se comprometa verdadeiramente para que possa viver os seus sonhos e atrair de maneira ativa e permanente toda essa abundância para sua vida. Por isso, peço que vá além de uma leitura mecânica, concentre-se nos algoritmos apresentados, fazendo uma pausa após a leitura de cada item para refletir como pode aplicá-lo em sua vida; quanto mais você se dedicar para colocar em prática o que aprende e agir de acordo com o que deseja, maiores serão as chances de viver de maneira plena e próspera.

Revisão dos Algoritmos da Cocriação decodificados no *DNA Revelado das Emoções*®

ALGORITMO DA COCRIAÇÃO #1

Emosentização®

Emosentização® é um conceito criado por mim, amplamente tratado e explicado no meu treinamento exclusivo Holo Cocriação de Sonhos e Metas®, bem como apresentado nos meus três livros anteriores, em especial no primeiro, *DNA Milionário®* e no terceiro, *DNA Revelado das Emoções®*. Neles, a Emosentização integra uma das importantes fases do Método de Blindagem Emocional 1.000 Hertz®, a ferramenta exclusiva e inédita que foi apresentada para meus leitores.

A Emosentização®, que foi o meu grande bingo, é resultado dos meus intensos estudos sobre frequência das emoções humanas e consiste basicamente em promover a aceleração intencional da vibração das suas emoções para aumentar as probabilidades quânticas da cocriação do seu sonho.

A Emosentização® tem por objetivo possibilitar o alinhamento entre mente, coração e corpo através do alinhamento vibracional dos pensamentos, sentimentos e comportamentos, pressuposto fundamental para entrar em fase com a abundância do Universo e ser capaz de cocriar a realidade conscientemente.

A cocriação do seu sonho depende desse alinhamento, pois apenas em estado de alinhamento vibracional é possível provocar o colapso da Função de Onda, termo da Física Quântica que, na prática da cocriação, se refere à coincidência exata entre a vibração que você emite e a vibração do potencial do sonho no Universo, o que permite que ele se materialize nesta realidade.

Em outras palavras, para cocriar o seu sonho, você precisa estar vibrando na frequência da harmonia, do amor, da alegria e da abundância do Universo. Para acessar essa sintonia, você precisa direcionar intencionalmente suas emoções e sentimentos, alinhando também seus pensamentos e atitudes, a fim de emanar uma frequência elevada o suficiente para polarizar a energia do seu desejo em sua expressão material.

E como você vai fazer isso? Simples: usando a fórmula da Emosentização Hertz® que decodifiquei para você:

$$FV = PS + S + PL + I + E^2$$

Entenda cada um das variáveis da Fórmula Emosentização Hertz®:

- **FV = Frequência Vibracional®** – é a assinatura energética, o código de barras pelo qual o Universo "lê" você e responde com a manifestação de uma realidade equivalente à frequência que você emite. Ela é formada pelos outros elementos da Fórmula Emosentização Hertz® explicados a seguir: seus pensamentos, sentimentos, palavras, imagens e, sobretudo, suas emoções. Quanto mais elevada for a sua Frequência Vibracional®, mais elevado é o seu nível de consciência e o seu poder de cocriador para colapsar seus sonhos; quanto mais elevada for a sua Frequência Vibracional®, mais você se aproxima da sua frequência original, que é a própria frequência do Criador, a energia pura da criação.
- **PS = pensamentos** – o seu pensamento é o ponto de partida da cocriação do seu sonho, é através dele que você expressa seus desejos e desencadeia a produção dos neurotransmissores e hormônios responsáveis pelos seus sentimentos e emoções. Portanto, se você está cocriando um grande sonho, é fundamental que mantenha seu pensamento positivo e focado na realização do seu desejo, evitando cultivar dúvidas, medo e outros pensamentos negativos.
- **S = sentimentos** – seus sentimentos expressam a energia magnética do seu coração, que é 4 mil vezes mais potente que a energia elétrica dos seus pensamentos. Desse modo, seus sentimentos, essencialmente, definem a sua Frequência Vibracional® e a cocriação da sua realidade, ou seja, se você tiver um pensamento superpositivo, mas seus sentimentos forem negativos, a potência dos últimos aniquilará a vibração emitida pelos pensamentos.
- **PL = palavras** – as palavras, em especial aquelas que expressam sentimentos, possuem uma frequência, como foi demonstrado pelos experimentos de Masaru Emoto (1943-2014) com as moléculas d'água e por tantas outras pesquisas que evidenciaram o poder dos sons, mantras, decretos, cânticos, orações etc. A energia das palavras que você profere, ainda que esta não seja sua intenção, fica plasmada no seu campo eletromagnético, afetando diretamente a sua Frequência Vibracional®. É por isso que, no processo de cocriação dos seus sonhos (e na vida em geral, claro), é importante que você fique atento para apenas emitir palavras que ressoem com as frequências elevadas do Universo.
- **I = imagens** – enquanto as palavras são representações verbais e externas dos seus pensamentos e sentimentos, as imagens são as representações internas de natureza visual, simbólica e não verbal

que sua mente produz em decorrência dos seus pensamentos e sentimentos, em uma expressão do poder da sua imaginação. Nem a sua mente inconsciente, nem o Universo distinguem imaginação e realidade física – a única coisa que é levada em consideração é a vibração – isso quer dizer que cada vez que você visita seu sonho através da sua imaginação e ensaia mentalmente como seria viver a realidade que deseja, sentindo as emoções elevadas correspondentes, você interfere na elevação da sua Frequência Vibracional®, mobilizando ainda mais energia para provocar o colapso da Função de Onda necessário para a materialização do seu sonho de maneira acelerada.

- E^2 = **emoção elevada ao quadrado** – usando como referência a famosa equação de Einstein, $E = mc^2$, a emoção elevada ao quadrado na equação da Emosentização® expressa a extrema relevância das emoções no processo de cocriação da realidade. Uma vez que são elas que determinam predominantemente a vibração que você emite para o Universo, precisam ser coerentes e ressonantes com a vibração da onda que você deseja colapsar, isto é, com a frequência da realidade potencial que já existe na Matriz Holográfica® enquanto onda de energia e que você deseja materializar. O cultivo de emoções elevadas como amor, alegria, compaixão e gratidão, as quais vibram acima de 500 Hz na Escala das Emoções de David Hawkins, possibilitam uma conexão direta entre a sua mente individual e a Mente Cósmica para sintonizar, de maneira aceleradíssima, os seus mais lindos sonhos, moldando o holograma perfeito do seu desejo na Substância Amorfa do Campo das Infinitas Possibilidades.

A Emosentização® ocorre quando você intensifica e acelera a sua emoção, agitando a vibração de suas células, melhorando a qualidade dos pensamentos, enquanto se movimenta e mexe com a própria fisiologia do corpo. Quando você Emosentiza® algum objetivo, coloca seu corpo, mente e emoções em um ritmo elevado, em frequências superiores compatíveis com o nível de percepção exigido para provocar o colapso de Função de Onda universal.

Para Emosentizar® é preciso visualizar seu desejo como se fosse real, sentir a emoção intensificada dentro do peito, se associar a ela e manter o sentimento elevado o máximo de tempo possível – isto é acelerar a emoção e entrar em fase com o Universo.

Quando você reforça e acelera a emoção do seu corpo e de suas células, toda a vibração do seu campo eletromagnético é elevada, formando, assim, uma onda de superpotência em torno de si que é projetada ao Cosmos através da vibração expansiva do seu coração. Com a Emosentização®, todas as possibilidades se tornam reais e todos os seus projetos, planos e desejos viram realidade no mesmo instante, uma vez que elevou e potencializou sua vibração com a sua emoção positiva empoderadora.

ALGORITMO DA COCRIAÇÃO #2

100% de responsabilidade

Quando eu compreendi que o segredo da cocriação estava na minha própria Frequência Vibracional®, o Universo se revelou para mim pois, automaticamente, compreendi que a cocriação dos meus sonhos não dependia de ninguém além de mim mesma! Foi nesse momento em que percebi que se de fato queria modificar minha vida, eu precisava comandar minhas emoções e não permitir que elas me comandassem.

No Universo não existe meio-termo: ou você é vítima da sua realidade ou você é cocriador dela; para alcançar essa segunda opção, você precisa assumir total responsabilidade por sua vida, tanto pelo seu fracasso quanto pelo seu sucesso. Não existem algozes e vítimas, só existem causas e efeitos, de modo que a realidade desagradável que você pode estar vivendo agora não é culpa de ninguém, mas um mero efeito da Frequência Vibracional® que você andou emitindo até aqui.

A Mente de Deus está na sua mente e, por isso, você pode criar qualquer evento no plano material ao entrar em ressonância com vibrações compatíveis com os seus verdadeiros desejos. Este princípio universal revela que a materialização de todos os eventos, sejam eles positivos ou destrutivos, depende apenas de você, que é 100% responsável por tudo.

Você é responsável pelo seu sucesso ou fracasso, riqueza ou pobreza, felicidade ou tristeza, falta ou abundância; porque tudo é determinado pelo padrão das suas energias, por seu nível emocional e pela qualidade dos seus pensamentos. Tudo é motivado pela vibração que compõe seu campo eletromagnético e que é emitida ao Universo, que corresponde com eventos com o mesmo padrão da energia que você depositou no núcleo da matriz da realidade.

Cocriar significa criar em coparticipação com Deus, o Criador de Tudo o que É, ou seja, a cocriação existe quando ocorre a sinergia e o entrelaçamento quântico das ondas de energia – a sua e a do Todo, que é Universo, Vácuo Quântico ou Matriz Holográfica®, como prefiro chamar.

Por isso, você não apenas cria a realidade, mas produz em conjunto com o Criador, e em ressonância com a vibração e energia da Onda Primordial, pois você possui os mesmos poderes que Ele. Eu repito: você é 100% responsável pelos efeitos e por todos os resultados expressos em sua existência, sejam eles positivos ou prejudiciais.

Então, a realidade indesejada que você pode estar vivenciando agora nada tem a ver com seus pais, chefe, colegas de trabalho, esposa, marido ou filhos, uma vez que tudo é criado em sua mente, moldado através de suas emoções e do padrão de energia que vibra dentro e em torno de si. Dessa maneira, tudo é uma questão de percepção, do seu estado de ser e do seu poder infinito como observador da realidade, porque você observa, consciente ou inconscientemente, a realidade que deseja viver e experimentar, todos os dias.

ALGORITMO DA COCRIAÇÃO #3

Assinatura Eletromagnética®

Sua Assinatura Eletromagnética® é a expressão da sua Frequência Vibracional® tal como ela é decodificada pelo Universo, é a sua identidade na Matriz Holográfica® através da qual você sintoniza os potenciais de vibração equivalente para se materializarem na sua realidade física.

Ela é intrinsecamente conectada com o Algoritmo da responsabilidade, pois uma vez que você compreende que não é vítima de ninguém nem de nada, e que ninguém tem o poder de o prejudicar, agredir, ofender, menosprezar ou enganar, entende também que a causa de todos os seus problemas vêm de você mesmo, isto é, a causa dos seus problemas é a Assinatura Eletromagnética® de baixa vibração que você está emitindo e que está fora da frequência da realidade que você deseja conscientemente.

Se você é o próprio causador dos seus problemas, também pode se tornar o solucionador e o realizador dos seus sonhos. Como a Fórmula Emosentizar Hertz® evidencia, tudo se resume a uma questão de lógica e matemática: se você não está satisfeito com os resultados que está produzindo, precisa provocar causas diferentes, quer dizer, você precisa emitir uma nova Assinatura Eletromagnética® para sintonizar novas realidades.

Bingo! É simples assim! Mas eu passei anos sofrendo os efeitos negativos severos causados pela minha própria Frequência Vibracional® sem ter consciência disso, sendo vítima e culpando meus "atores" pela completa escassez em que vivia. Cheguei a culpar até mesmo a Deus pela minha condição, sem saber que eu era uma Holo Cocriadora® da minha realidade.

Mesmo quando não sabemos, estamos cocriando nossa realidade a cada segundo a partir da vibração que emanamos, isto é, a partir de quem somos e do que sentimos, não de nossos pensamentos, de modo que para o Universo pouco importam os nossos desejos conscientes: o único idioma que o Universo entende é a Frequência Vibracional®.

Você sempre cocria a partir de quem é, e não do que quer. Então, se você deseja cocriar o que você quer, você precisa alinhar o seu querer com o seu ser e precisa fazer isso de maneira antecipada: primeiro você emana a frequência, depois você recebe as recompensas equivalentes.

Foi exatamente isso que fiz e que estou aqui ensinando para você: para emitir uma nova Assinatura Eletromagnética® e sintonizar uma nova realidade, você precisa se tornar uma nova pessoa, reprogramando seus sentimentos, pensamentos, comportamentos, hábitos, padrões e crenças, ajustando-os à frequência do sonho que você deseja realizar.

ALGORITMO DA COCRIAÇÃO #4

Sentimento de gratidão em três níveis

O sentimento genuíno de gratidão é a mola propulsora que eleva o seu nível de consciência e a sua Frequência Vibracional® aos níveis superiores, junto a frequências de abundância, amor, alegria, harmonia e entusiasmo. Essa é a sua frequência original, que o coloca em ressonância com a frequência do Criador para cocriar todos os seus sonhos.

Adquirir o hábito de tirar o foco da escassez, daquilo que está faltando, e começar a prestar atenção e sentir gratidão pela abundância que já se tem é um dos primeiros passos e pressupostos fundamentais da reprogramação vibracional para a cocriação de sonhos. Quando aprender a perceber e sentir a abundância ao seu redor e se sentir grato por ela, você emanará a frequência certa para receber mais e mais abundância para agradecer.

A gratidão se expressa em três níveis de consciência:

1. Gratidão pelo que você é;
2. Gratidão pelo que você tem;
3. Gratidão antecipada pelo sonho que você está cocriando como se ele já fosse realidade material agora.

Na perspectiva da Física Quântica, você não está separado do seu sonho; você e ele são um só. A questão é que você não percebe isso porque seus sentidos físicos criam a ilusão da separação, mas, no momento em que você se torna capaz de transcender as informações de escassez da sua realidade física e compreende que está conectado com toda a abundância do Universo e com as infinitas possibilidades da Matriz Holográfica®, consegue sentir, vibrar e emanar gratidão, o que o faz entrar em ressonância com a frequência do seu sonho, de modo que o colapso da Função de Onda se torna inevitável.

Contudo, entenda que o ato de agradecer não implica, necessariamente, no sentimento de gratidão; essa é uma sutileza muito importante e que muita gente não tem consciência. Muitos se acham gratos sem de fato serem. Por exemplo, quando você paga uma conta no supermercado ou na lotérica e diz "obrigado" para a moça do caixa, você está verdadeiramente *sentindo* gratidão pelo serviço que ela lhe prestou ou apenas *falando* gratidão, em uma atitude automática decorrente de regras de educação ou da convenção social?

Outro exemplo: em alguns treinamentos que eu já vi por aí, é ensinado que todos os dias você deve agradecer, seja por escrito ou verbalmente. Já ouvi muitas formas de agradecer que mais parecem uma "ladainha", em que a pessoa agradece por uma lista enorme de coisas, por cada parte do corpo, cada objeto que tem em casa, cada elemento da natureza, cada pessoa da família etc. Agradecer da boca para fora, no piloto automático, não cocria sonhos; o que cocria sonhos é *sentir* gratidão, pois o fator determinante da sua Frequência Vibracional® é o seu sentimento. Então, se você agradece uma lista enorme de itens todos os dias só para "cumprir tabela", isto é, para fazer o seu exercício do dia e "mostrar serviço" para o Universo, apesar de estar tecnicamente agradecendo, você não está emanando a vibração elevada do sentimento de gratidão.

Talvez, você esteja cometendo este erro, pois o que é ensinado por aí é apenas para você agradecer por tudo o que é e possui, mas não é falado explicitamente que você precisa sentir essa gratidão vibrando em cada célula do seu corpo. Assim, a pessoa pode preencher um caderno universitário inteiro com agradecimentos, mas se ela não se permitir parar, silenciar e sentir a gratidão "correndo nas veias" de maneira genuína, infelizmente, ficará frustrada e ainda pensará que exercícios de gratidão não funcionam. A gratidão não é um processo intelectual, é um sentimento, é um estado de ser; não é algo que você pensa, fala ou escreve, é algo que você é, que você experiencia e sente.

Claro, quando você toma consciência da importância da gratidão e começa a praticar exercícios, nas primeiras vezes pode acontecer de você não sentir diferença, porém, você deve focar em não fazer a prática de maneira mecânica, persistindo até que de fato consiga enxergar mais abundância que escassez na sua vida e que consiga se sentir verdadeiramente grato pelo o que já é e já tem, bem como por aquilo que você ainda não pode experimentar na sua realidade física, mas que está a caminho.

ALGORITMO DA COCRIAÇÃO #5

Mente racional

Sua mente racional ou mente consciente é a fonte e o palco dos seus pensamentos, que são os verdadeiros pontos de partida de todas as suas cocriações. É através da sua própria racionalidade que você é capaz de avaliar as situações que está vivenciando e pensar nas possibilidades de melhorias, isto é, pensar, arquitetar, planejar, escolher, decidir, imaginar e visualizar a realização dos seus sonhos.

Claro, como você sabe, o pensamento sozinho não tem o poder de cocriar grandes sonhos, mas ele é o elemento inicial de toda cocriação, pois é através dele que você decide o que quer: tudo começa com um pensamento como *eu gostaria de ter mais dinheiro, mais amor, mais saúde, mais liberdade, mais sucesso etc.*

É através do pensamento que você vai ativar a sua imaginação para visualizar o holograma do seu sonho, instalando as imagens e as emoções correspondentes na sua mente inconsciente para que, a partir dela, a vibração possa ser transmitida para a Mente Superior.

Também é a através da sua mente racional que você coloca em prática a habilidade da auto-observação para identificação e reprogramação de crenças limitantes e para a mudança de hábitos automáticos contrários à realização do seu sonho. E ainda, é pelo seu pensamento que você ativa as faculdades executivas da sua mente para planejar suas ações e tomar as decisões mais acertadas para agir em prol da realização do seu desejo.

ALGORITMO DA COCRIAÇÃO #6

Mente atemporal

Tanto a sua mente inconsciente quanto a Mente Cósmica são atemporais, isto é, não distinguem o tempo em passado, presente e futuro da maneira linear como percebemos racionalmente a realidade tridimensional. Desse modo, tudo aquilo que você pensa, sente e direciona sua atenção, na perspectiva do Universo, está acontecendo agora, no momento presente.

Desconhecendo essa propriedade incrível da própria mente e da Mente do Universo, a pessoa que foca sua atenção em remoer e reviver dores do passado ou em especular e se angustiar com a previsão dos piores cenários futuros possíveis acaba se prejudicando e inibindo a cocriação de seus sonhos, pois o Universo não entende que você está apenas pensando sobre seu passado ou futuro; Ele entende que tudo está ocorrendo no presente.

Esses pensamentos que transitam entre as mágoas do passado e as preocupações com o futuro são experiências internas que você tem em sua mente e, como elas produzem emoções e sentimentos, são essas experiências que vão determinar a vibração emitida por sua Assinatura Eletromagnética® e cocriar a sua realidade.

Portanto, para usar a atemporalidade da mente a favor das suas cocriações, é preciso se desconectar do passado e do futuro, mantendo-se no momento presente. Quando você consegue usar a sua imaginação para pensar, visualizar e, em especial, sentir o sonho realizado agora, você carrega e potencializa sua Assinatura Eletromagnética® com as frequências elevadas da abundância, da alegria e da gratidão. O que o coloca em ressonância com a frequência do seu sonho e, consequentemente, também o deixa pronto para recebê-lo.

O tempo é uma criação humana para metrificar a ideia de mundo material convencional, mas no Campo Quântico, ele é relativo e inoperante, porque não existe distinção de nada, isto é, passado, presente e futuro são uma coisa só. Sendo assim, a projeção da sua mente e consciência cocriadora pode vasculhar qualquer região do tempo e espaço, pois ela é atemporal, tal qual a Mente do Criador só existe no agora, no momento presente.

O que quero dizer é que você pode manifestar seu futuro dourado e criar as condições ideais para viver uma existência plena neste instante, sem precisar voltar ao passado ou se preocupar com o futuro, pois o que é necessário fazer é apenas vibrar na dimensão do seu desejo, experimentar essa sensação fantástica dentro de si, visualizar, acreditar, aceitar e receber. Em troca da realização dos seus desejos, o Universo solicitará sua verdade existencial, sua vibração do momento, porque Ele é atemporal e só percebe isso. É você quem escolhe viver uma vida feliz e abundante hoje e não o tempo.

ALGORITMO DA COCRIAÇÃO #7

Cérebro verbal

Você já deve ter ouvido falar que "as palavras têm poder" e, de fato, essa frase da sabedoria popular expressa a mais pura verdade, pois o seu cérebro e a sua mente reagem aos comandos das suas palavras carregadas de emoções e sentimentos, tais como afirmações, decretos, orações, mantras e códigos vibracionais. Quanto mais intensa a carga emocional das suas palavras, mais poderosas elas são.

Como o processo de cocriação da realidade é multifacetado e envolve diversos elementos, entenda que as palavras sozinhas, desacompanhadas de sentimentos, não ativam o seu poder de cocriador. Por outro lado, quando os comandos verbais são associados à visualização do holograma do seu sonho e ao desejo ardente, à fé, à certeza, à convicção, à gratidão e à alegria por ele já ser real; você empodera suas palavras, de modo que elas se tornem ordens quânticas que vão mobilizar a energia necessária para provocar o colapso da Função de Onda.

O seu cérebro pode ser alterado com a verbalização de afirmações positivas e empoderadoras, palavras de poder, fé e certeza na cocriação da prosperidade. Você, desse modo, pode declamar a vida que deseja, recitar mantras, orações e códigos vibracionais de programação, como os Códigos Grabovoi.

É preciso fazer isso sempre com o sentimento intensificado, o desejo ardente e a visualização Holográfica de seu sonho de prosperidade já manifestado, o que, sem dúvida, alterará a programação e ajudará a transformar as crenças limitantes e os condicionamentos em efeitos potencializadores de riqueza e cocriação de abundância universal.

ALGORITMO DA COCRIAÇÃO #8

Ciclo de onda

Seu cérebro opera em várias faixas frequenciais diferentes que se alternam naturalmente em conformidade com a atividade a que você estiver se dedicando. Por exemplo, quando você está dormindo, a frequência das suas ondas cerebrais está na faixa Delta, mas, quando está acordado, consciente ou em estado de alerta, preocupado com o seu futuro e racionando para tentar prevê-lo, seu cérebro está operando na frequência Beta.

Existem também as frequências intermediárias: Alfa e Theta, que são os padrões de ciclos de ondas que se expressam quando você não está nem em estado de alerta, nem dormindo em estado de inconsciência total, e sim em um estado de relaxamento e despreocupação como, por exemplo, quando você está abduzido na leitura de um livro ou praticando uma meditação.

São estes ciclos de ondas cerebrais que permitem o relaxamento e o desligamento da mente racional em um estado de transe hipnótico o qual o desconecta da realidade externa, são com eles que você consegue se conectar com os infinitos potenciais da Matriz Holográfica® para sintonizar e cocriar seus sonhos.

Quando você, por alguns momentos, para de pensar, de analisar, de remoer o passado e de se preocupar com o futuro; e consegue acessar um estado de silêncio mental que lhe restaura a sua frequência original e coloca-o em ressonância com a Onda Primordial do Universo, ativa o seu poder de cocriador, de modo que todos os sonhos se tornam possíveis, pois você se tornou um com a Fonte.

A melhor forma de reduzir intencionalmente o seu ciclo de ondas cerebrais para entrar na frequência da Matriz Holográfica® é através da respiração consciente, da meditação e de técnicas que o conduzem a direcionar sua atenção para a realidade interna da sua imaginação e dos seus sentimentos, como, por exemplo, a Técnica Hertz®.

ALGORITMO DA COCRIAÇÃO #9

Mudança de polaridade

A elevação da sua Frequência Vibracional® pressupõe seu compromisso em se auto-observar para perceber quando tem pensamentos e sentimentos negativos para, então, se dedicar na mudança de polaridade, substituindo os padrões negativos pelas frequências positivas elevadas da alegria, do amor, da compaixão, da fé, da abundância e da gratidão. A ideia é que você assuma o comando dessa patrulha e seja capaz de intencionalmente modificar as polaridades da sua vibração.

"Mas Elainne, eu não consigo controlar meus pensamentos e sentimentos!" Realmente, talvez você não possa controlar o surgimento deles, porém, pode assumir o controle sobre quanto tempo vai permitir que sua atenção fique focada neles, ou seja, mesmo que você não controle a chegada de um pensamento negativo, tem o poder de determinar a saída desse pensamento, interrompendo o ciclo dos pensamentos que vão se derivando uns dos outros.

Já percebeu que quando tem um pensamento negativo, ele vai se multiplicando, se desdobrando em outros em um processo sem fim que, se você deixar, é capaz de perdurar horas "viajando" nos piores cenários e experimentando os piores sentimentos? Pensamentos e sentimentos de vitimização levam à culpa, que leva à tristeza, que leva ao medo, que leva à raiva e assim por diante, comprometendo gravemente sua Frequência Vibracional®.

As primeiras tentativas podem ser desafiadoras, pois sua mente se esforça para manter os padrões vigentes, mas se tiver persistência, vontade, motivação e desejo de mudar quem você é sua realidade, você acaba adquirindo o hábito automático de inverter as polaridades negativas em positivas e jamais se permitir permanecer por muito tempo cultivando a negatividade.

Em uma metáfora, esses pensamentos e sentimentos negativos são como os matinhos que crescem no jardim: se você está sempre atento para arrancá-los assim que eles aparecem, o jardim floresce; porém, se você não cuidar, eles se multiplicam e tomam conta do terreno. Da mesma maneira que você não pode impedir que os matinhos do jardim apareçam, também não pode impedir pensamentos e sentimentos negativos de aparecerem, mas você tem o poder de impedir que eles permaneçam.

Ao mudar a polaridade dos seus pensamentos e sentimentos, você gradualmente sai dos padrões autodestrutivos e desfavoráveis à cocriação, dando à sua consciência as instruções de quem você quer ser para que a vibração de cada átomo do seu ser se eleve, amplificando a frequência emitida pelo seu campo eletromagnético. Isso vai fazer com que você saia da posição de vítima e assuma a posição de cocriador consciente da sua realidade.

Se você deseja cocriar abundância e prosperidade em todas as áreas da sua vida, precisa mudar a polaridade dos seus átomos e de seu círculo vibracional. Mas o que isso significa? Significa que você deve sair do caminho autodestrutivo, evitar pensamentos negativos, emoções conflitantes e atitudes incongruentes com o seu desejo de atrair riqueza.

Portanto, é preciso mudar a polaridade com novas ações, desafios emocionais, mudanças comportamentais e até mesmo de sua fisiologia; você deve assumir as rédeas do próprio destino, aceitar que a vida que tem agora foi você quem construiu ou cocriou e, por isso, é a única pessoa responsável por todos os efeitos. Consequentemente, ao fazer isso, você sairá do papel de vítima, eliminando as sensações de culpa, falso perdão, falta de iniciativa, omissão e medo.

Desta maneira, ao mudar a polaridade dos seus sentimentos para ações coordenadas e produtivas, sua consciência consegue alterar a polaridade vibracional de seus átomos, elevar seu campo de consciência e de eletromagnetismo, colocando-o em uma faixa universal superior e compatível com suas cocriações de abundância.

ALGORITMO DA COCRIAÇÃO #10

Permissão deliberada

Seu sonho já está disponível para você enquanto onda de energia da Matriz Holográfica®, mas para que ele se realize, você precisa permitir. "Como assim, Elainne? É claro que eu permito que o Universo me dê riqueza, saúde, amor e sucesso!" Tenho certeza de que conscientemente você permite tudo isso, afinal você não estaria lendo este livro se não desejasse realizar seus sonhos!

A questão é que essa permissão precisa ser dada também no nível da sua mente inconsciente que, por estar operando nos padrões de suas eventuais crenças limitantes, pode estar anulando a permissão que você está dando conscientemente. É por isso que muitas pessoas relatam que estão "cocriando ao contrário", isto é, desejam abundância, mas continuam a experimentar uma intensificação da escassez.

Para ativar a permissão deliberada para a cocriação dos seus sonhos, é indispensável fazer uma autoanálise no sentido de "escanear" quais são as questões mentais, emocionais, energéticas e até espirituais que estão bloqueando o sucesso das suas cocriações. Nessa busca pessoal, é importante que anote seus pensamentos, sentimentos e comportamentos mais frequentes, para que você possa identificar o que o atrapalha e aplicar o meio de correção mais adequado.

Uma vez que a permissão da sua mente consciente se alinha com a permissão da sua mente inconsciente, você se conecta com a Mente Cósmica, entra no fluxo harmônico do Universo, e suas cocriações passam a acontecer com facilidade e naturalidade. O mais incrível é que esse poder já está aí dentro e, para despertá-lo, só depende de você!

ALGORITMO DA COCRIAÇÃO #11

Frequência da mudança

A natureza do Universo é essencialmente dinâmica, tudo está em constante vibração e movimentação. Por isso, para se alinhar com o fluxo do Universo, você precisa se abrir para o movimento necessário da mudança através do seu empenho em ressignificar suas experiências e alterar suas percepções, pensamentos, crenças, emoções, hábitos e tudo mais que possa estar desacelerando ou paralisando o seu poder de cocriador.

Entenda que a frequência da mudança da sua realidade externa só é ativada através da sua própria mudança interna. Portanto, quando se dispõe a mudar a si mesmo, livrando-se dos velhos padrões de vitimização, julgamento, procrastinação, culpa, mágoas, vícios e hábitos nocivos, você acessa um novo nível de consciência, liberando e expandindo a sua mente para cocriar a nova realidade que deseja. A mudança eficaz que o colocará em ressonância com a frequência do Universo é aquela que ocorre em todos os níveis do seu ser, incluindo seus pensamentos, sentimentos, emoções, fisiologia, palavras e comportamentos.

Como Joe Dispenza ensina: se deseja uma nova vida, você precisa ser uma nova pessoa. Se você não aguenta mais ser quem é e nem a realidade que está vivendo, avalie tudo em você que precisa mudar para que possa emitir uma vibração mais leve e acelerada através do seu campo eletromagnético, uma vibração marcada pela alegria, pelo entusiasmo e pela harmonia, ressonante com o ritmo do Universo e com a frequência da Mente Superior.

ALGORITMO DA COCRIAÇÃO #12

Libido

A libido, ou energia sexual, é a essência e o combustível da criação, da vida e de tudo o que existe, é ela que move a reprodução de uma simples lombriga e é também a energia que move os planetas, os sóis e as estrelas de todas as galáxias.

No plano físico da matéria, a libido é a energia responsável pela geração de uma nova vida, é a energia que promove a fecundação, a gestação e o nascimento de um novo ser a partir da relação sexual de seus pais. Já no plano mental, a libido se expressa pela criação de ideias, projetos, planos, sonhos e tudo o que a imaginação for capaz de fecundar.

Muito além da sua compreensão popular que a relaciona somente com a sexualidade, a libido, como força motriz do Universo, é a energia que nos motiva a querer mudar, a querer viver uma nova realidade e a buscar realizar todos os sonhos. Em polaridades contrárias, a falta de libido, isto é, a ausência do desejo ardente de conquistar algo, leva à apatia, à tristeza, à depressão, à melancolia, ao desespero, ao fracasso e a toda sorte de sentimentos relacionados com a estagnação e a falta, incluindo a escassez financeira.

Quando não usamos a libido de maneira eficiente, entramos em um estado de entropia caracterizado pela irritação, depressão, sentimentos como falta de realização pessoal, falta de sentido da vida, tristeza, melancolia, revolta, desespero e todos os demais sentimentos negativos, causando inclusive a falta de dinheiro.

Por isso, além de usar sua energia sexual para a procriação ou satisfação dos impulsos sexuais, é importante que você também direcione sua libido, o poder do seu desejo de realizar o seu sonho, para ser o combustível de sua motivação na busca pela transformação e execução das tarefas necessárias à materialização dos seus sonhos.

ALGORITMO DA COCRIAÇÃO #13

Rendição

A rendição está diretamente relacionada com três dos pressupostos mais fundamentais da cocriação da realidade: a aceitação, a não resistência e o ato de soltar. A rendição é o portal que você atravessa para sair da luta e do esforço para acessar o poder decorrente da harmonização com o fluxo do Universo.

A rendição consiste na mais absoluta renúncia ao controle sobre uma situação, marcada pela aceitação do que já passou e não pode ser modificado, pela fé, pela confiança e pela entrega ao Poder Superior. No momento em que você se rende a esse Poder, deixa de lado o medo de não conseguir o que deseja, assim como toda a ansiedade, permitindo assim que as coisas fluam sem oferecer resistência.

Em última instância, a rendição corresponde a humildade e a sabedoria de reconhecer que sua mente e sua percepção sensorial são extremamente limitadas, que você não é capaz de acessar as infinitas possibilidades apenas através da sua racionalidade. Render-se significa aceitar que há algo que transcende sua percepção e compreensão, permitindo que sua mente finita seja conduzida pela Mente Infinita do Criador para, assim, ser um cocriador junto com Ele.

Sendo assim, a rendição aumenta sua vibração instantaneamente, uma vez que através dela você transcende os bloqueios, sabotagens e justificativas do seu ego e se funde à Mente Cósmica, entrando no estado harmônico do fluxo da abundância universal, tornando-se apto, por ressonância vibracional, a cocriar tudo o que você desejar diretamente da Matriz Holográfica®.

ALGORITMO DA COCRIAÇÃO #14

Comunicação interior

Como veremos mais adiante, de acordo com o princípio do Emaranhamento ou Entrelaçamento Quântico, tudo no Universo está interconectado energeticamente, de modo que todo e cada átomo que existe faz parte de um só gigantesco campo eletromagnético (que, se você preferir, pode chamar de Mente de Deus) no qual as partículas se intercomunicam instantaneamente.

Esse princípio é de aplicação universal, válido para tudo que existe, portanto, é válido também para os átomos que compõem o seu corpo e o seu campo eletromagnético individual. Sendo assim, você está conectado energeticamente com o seu sonho de maneira cientificamente comprovada e só precisa estabelecer a comunicação adequada para que ele se manifeste.

Acontece que a primeira forma de comunicação entre partículas subatômicas para a qual você deve direcionar sua atenção é a comunicação que ocorre dentro de você, entre cada uma das suas células e moléculas de DNA. Tudo começa em você e a partir de você, isto é, da sua Frequência Vibracional®, por isso, você deve comunicar às suas células os sonhos que deseja realizar.

E como você faz essa comunicação? Simples: você se comunica e programa suas células, do núcleo do DNA às partículas subatômicas, usando a linguagem das emoções. Seus átomos vão entender o que você quer a partir da vibração das suas próprias emoções e sentimentos, e vão comunicar essa informação para os outros átomos que estão fora do seu corpo físico, mas dentro do mesmo campo eletromagnético infinito do Universo.

Esse é um dos principais motivos pelos quais na Fórmula Emosentização Hertz®, apresentada no Algoritmo da Cocriação #1, as emoções estão elevadas ao quadrado, pois, para comunicar seus desejos ao Universo, você precisa da aceleração das emoções de alta frequência.

Então, primeiro é necessário estabelecer uma comunicação interna por meio de ferramentas como a meditação, a visualização Holográfica e a Técnica Hertz® para, simultânea e instantaneamente, estabelecer também a comunicação externa (que entenderemos que não é bem externa, uma vez que no Universo quântico não existe "lá fora"), de maneira a sintonizar seus sonhos diretamente no emaranhamento quântico da Matriz Holográfica® acima da velocidade da luz.

ALGORITMO DA COCRIAÇÃO #15

Ideias descontínuas

Na Matriz Holográfica®, as infinitas possibilidades coexistem sobrepostas quanticamente como ondas potenciais, isso quer dizer que, para cada problema que você queira resolver ou cada sonho que você queira realizar, existem infinitas soluções e caminhos, muito além da meia dúzia de possibilidades que sua mente finita é capaz de vislumbrar.

Portanto, para cocriar a realidade que você deseja em conexão direta com a Matriz Holográfica®, é preciso abrir mão de qualquer ideia fixa ou tentativa de prever ou controlar como as circunstâncias irão se desenrolar.

Claro, você deve estabelecer conscientemente a sua intenção baseando-se no resultado que deseja cocriar, mas com fé e confiança, você deve acessar um estado de descontinuidade de ideias, ou seja, de fato entregar a sua cocriação nas "mãos" do Todo, para que Ele organize e sincronize todos os encontros e eventos necessários para que a sua intenção se apresente na sua realidade material.

Se seu ego controlador e desesperado estabelecer mentalmente um planejamento e, de maneira audaciosa, impor ao Criador como Ele deve agir para resolver seu problema, você diminui drasticamente suas probabilidades de cocriação, pois ao pensar que sabe qual é a solução certa para seu problema, você se fecha para todas as outras infinitas possibilidades.

Por outro lado, quando libera seu sonho, saindo do controle e removendo sua ansiedade, angústia, desespero, pressa ou preocupação, você se alinha com as infinitas possibilidades e permite que sua cocriação flua de maneira natural e espontânea, consentindo que o Universo o surpreenda com algo muito melhor que aquilo que imaginou.

ALGORITMO DA COCRIAÇÃO. #16

Ação assertiva

As suas ações e comportamentos também compõem o alinhamento vibracional necessário para a cocriação dos seus sonhos, juntamente com seus pensamentos e sentimentos. No universo da cocriação da realidade, não existem resultados significativos sem que você aja para que eles aconteçam, trabalhando com disciplina e dedicação.

Como a natureza do Universo é a vibração e o movimento, as cocriações também pressupõem esse deslocamento que se expressa através de ações em busca do seu sonho. É como diz o ditado popular, "Deus ajuda a quem cedo madruga", ou seja, o Universo tende a favorecer quem se alinha com o movimento, agindo em harmonia com o fluxo da criação.

Não importa quão desafiadora esteja sua situação agora, você sempre tem a escolha de, em vez de reagir com desespero, agir de maneira assertiva, positiva e inspirada para elevar sua Frequência Vibracional®, pois como os pensamentos, sentimentos e palavras, suas ações também possuem uma vibração e são capazes de mobilizar a energia de maneira acelerada para promover a manifestação da realidade que você deseja.

Além de mobilizar a energia e amplificar seu campo eletromagnético com a prática das técnicas, meditações, visualizações, afirmações etc., também é preciso que você se movimente fisicamente para realizar o seu sonho, agindo para que ele se realize, o que na maioria dos casos significa trabalhar, no sentido literal da palavra. Esses dois movimentos, o energético e o físico, devem ser acompanhados do sentimento de fé, de não resistência e do ato de soltar e confiar.

ALGORITMO DA COCRIAÇÃO #17

Conexão presente

Como já expliquei no Algoritmo da Cocriação #6 – Mente atemporal, nem a sua mente e nem a Mente Superior do Universo operam no tempo linear que conhecemos e experimentamos na realidade tridimensional, tempo este que é, por convenção, fragmentado em passado, presente e futuro.

O Universo opera somente no eterno momento presente, todas as infinitas possibilidades coexistem no Emaranhamento Quântico agora; a realidade que você deseja vivenciar só é considerada futuro na limitação tridimensional da sua mente, pois no Universo ela é real e está acontecendo paralelamente às outras infinitas possibilidades agora.

Portanto, se o seu sonho se encontra no momento presente, é no momento presente que você deve permanecer para ser capaz de emanar a vibração correspondente necessária para que ele saia do agora do Universo e se apresente no agora que você chama de futuro próximo.

Entenda que seu campo eletromagnético armazena uma determinada quantidade de energia e que, quando você direciona essa energia para reviver seu passado, suas mágoas, seus traumas e suas dores ou para se preocupar e se angustiar com o futuro, você está consumindo uma energia que poderia ser integralmente direcionada para sintonização do seu sonho no momento presente.

Para se conectar e se manter no presente, Joe Dispenza ensina que são necessárias três formas de transcendência: 1) superação do corpo (transcendência das dependências químicas das emoções limitantes); 2) superação do ambiente (não permitir que informações da sua realidade externa determinem como você pensa, sente e age); e 3) superação do tempo (transcendência das dores do passado e da ansiedade pelo futuro).

Eckhart Tolle, em uma perspectiva mais holística, também foca na conexão com o momento presente como condição para o fim do sofrimento e para a expansão da consciência.

Em suma, a conexão com o momento presente demanda que você "esqueça" quem é, sua história e seus problemas, ou seja, que pare de direcionar seu pensamento, sua atenção e sua energia para "viajar no tempo", transitando entre passado e futuro para, enfim, se conectar com as infinitas possibilidades e cocriar uma realidade totalmente nova, diferente do seu passado e diferente dos seus temores a respeito do futuro.

Entenda que eu não sou a Elainne e nem você é o João ou a Maria; eu estou Elainne e você está João ou Maria. Nós estamos encarnados nesta vida e temos um ego que nos orienta na sobrevivência e satisfação de supostas necessidades, mas em essência somos uma Centelha Divina, nossa consciência é eterna e, como toda parte integrante da Consciência do Todo, por natureza, completa e perfeita.

A cocriação acontece exatamente quando você é capaz ir além das ilusões da matéria e das percepções limitadas do seu sentido físico para acessar sua Centelha Divina no momento presente, em harmonia com o Universo. É apenas quando você desapega de quem pensa que é, silenciando o seu ego na conexão com o momento presente, que se torna capaz de se comunicar com as infinitas possibilidades e sintonizar novos potenciais.

Você precisa ir além do que pensa e aceitar o espaço não local das infinitas possibilidades. Essa mudança de percepção começa com a compreensão de que nós mesmos cocriamos a realidade quando entramos em estado de imersão harmônica com o Universo.

Para se manter no momento presente, você deve pôr em prática a auto-observação, que permitirá inibir os pensamentos que o levam para o passado ou futuro linear. É muito importante que você se dedique na reprogramação das suas crenças, na mudança de polaridade e na prática de técnicas de relaxamento e meditação.

Na prática, se você tem um problema, evite "viajar" para o passado e remoer as causas desse acontecimento, e evite ainda "viajar" para o futuro e se angustiar com os possíveis desdobramentos que podem ocorrer. Mantenha-se no momento presente – se tiver alguma ação que você possa executar para resolver o problema, execute; se não tiver nada que você possa fazer, aceite e foque em manter sua vibração elevada o suficiente para sintonizar uma solução a partir das infinitas possibilidades, a qual se apresentará na forma de sincronicidades, intuições e inspirações.

ALGORITMO DA COCRIAÇÃO #18

Cinco sentidos cocriativos

Nas sutilezas do processo de cocriação, por um lado você deve se dedicar a renunciar às informações percebidas pelos seus cincos sentidos físicos que dão a ilusão da separação e da escassez, por outro, deve ativar e aguçar seus cinco sentidos durante a prática da sua Visualização Holográfica para experimentar intensamente através da imaginação a realidade dos sonhos que está cocriando.

Como eu ensino no treinamento Neurobótica Visualização Consciente®, a ativação dos cinco sentidos físicos – visão, audição, tato, olfato e paladar –

é fundamental para que você possa ensaiar holograficamente quais são as sensações de estar na pele do seu novo eu que já vive a realização do seu sonho.

Da mesma maneira que nem a sua mente, nem a Mente Cósmica distinguem passado, presente e futuro, elas também não distinguem as experiências imaginárias das experiências fisicamente reais. Portanto, se adicionar informações dos seus cinco sentidos nas suas visualizações, você potencializará a percepção de realidade e verdade do holograma dos seus sonhos.

Basicamente, seus sentidos são uma poderosa ferramenta de cocriação e você ainda não sabia disso. Quando você potencializa e enriquece a visualização do seu sonho com as informações sensoriais, sua experiência interna produz emoções aceleradas que vão modificar sua bioquímica hormonal e elevar sua Frequência Vibracional® para o colocar em ressonância com a frequência do seu desejo.

ALGORITMO DA COCRIAÇÃO #19

Silêncio superior

O silêncio interno é o pressuposto fundamental para promover sua conexão com o momento presente e com as infinitas possibilidades da Matriz Holográfica®. O silêncio, expresso pela neutralização do fluxo de pensamentos, julgamentos, preocupações, necessidades do ego, percepção de escassez e ilusão da separação e dualidade, possibilita o acesso ao Ponto Zero, também chamado de Ponto de Deus.

Nesse sentido, o silêncio é considerado sagrado, a própria frequência dos milagres, pois em estado de silêncio você se rende ao Poder Superior, sua mente para de espernear e se acalma para ouvir a voz do Criador, para acessar a Inspiração Divina.

É no silêncio que ocorre a elevação da consciência aos níveis superiores, podendo ocorrer, inclusive, o tão almejado salto quântico da consciência que possibilita as cocriações instantâneas. Na Tradição Budista, conta-se que o momento em que Buda se iluminou foi justamente quando, cansado de procurar respostas, ele simplesmente se sentou embaixo de uma árvore e se rendeu ao silêncio.

Isso é possível porque na rendição do silêncio, naturalmente, o ciclo de ondas cerebrais é alterado para as frequências Alfa, Theta ou até mesmo para a frequência Gama, que é a frequência da mais profunda expansão da consciência. Nessas frequências, como você já aprendeu, é possível restaurar sua frequência original e entrar em fase com o Universo, alinhando sua mente consciente e inconsciente com a Mente de Deus.

Quando acessamos a Fonte da Criação através da profunda meditação e do poder do silêncio, também acessamos, verdadeiramente, as infinitas possibilidades para materializarmos qualquer sonho. Neste ponto, deixamos a dualidade ou dissociação com a Fonte e despertamos nossa consciência para acessar o portal das dimensões superiores, das vibrações mais elevadas e dos seres espirituais ascensionados.

Veja algumas maneiras de acessar o silêncio do Ponto Zero:

- Meditação: eu costumo dizer que quando você ora, fala com Deus, mas quando silencia na meditação, Deus fala com você, porque somente aquietando seu corpo e silenciando sua mente é que você elimina os ruídos que o impedem de acessar a intuição, de modo que você abre um canal de comunicação direta com o Criador;
- Respiração consciente: respirar de maneira consciente significa manipular sua respiração com alguma técnica ou apenas observar o ritmo espontâneo da entrada e saída de ar dos pulmões. Minha técnica preferida de respiração consciente é a respiração Há, um dos fundamentos do Ho'oponopono, que consiste inspirar, sustentar os pulmões cheios, exalar e sustentar os pulmões vazios em intervalos regulares de sete segundos. A respiração Há está inserida no primeiro momento da Técnica Hertz® justamente com o objetivo de silenciar a tagarelice da mente e facilitar a sua conexão com a Fonte.
- Mantra "EU SOU O EU SOU": certamente, este é um dos mantras mais poderosos que existem, pois silencia o fluxo de pensamentos, promove seu alinhamento vibracional e a reconexão com o Divino, elevando sua Frequência Vibracional® aos níveis superiores, acima de 500 Hz na Escala das Emoções.

Outras formas de silenciar a mente são:

- Praticar esportes;
- Dançar;
- Cantar;
- Ouvir música;
- Ler um livro;
- Contemplar a natureza, formas geométricas ou obras de arte;
- Trabalhos manuais;
- Pintar e colorir mandalas;
- Ajudar ao próximo.

ALGORITMO DA COCRIAÇÃO #20

Esquema da Cocriação 1.000 Hertz®

O Esquema da Cocriação 1.000 Hertz® é o algoritmo que eu decodifiquei combinando conhecimentos da Escala das Emoções, das Neurociências e da Física Quântica. Este algoritmo poderoso é amplamente explicado no meu livro *DNA Revelado das Emoções*® e fundamenta a técnica principal oferecida, que é o Método de Blindagem Emocional 1.000 Hertz®.

Todo o esquema estrutural da cocriação da realidade gira em torno da relação cíclica que existe entre seus pensamentos e sentimentos, a qual determina a potência da vibração do seu campo eletromagnético. Quando o ciclo de pensamentos e sentimentos é de natureza negativa, a frequência emitida é baixíssima; mas quando é positiva, então a frequência é alta, provocando a aceleração da manifestação dos seus sonhos.

Vamos entender como é o mecanismo desse processo: o ciclo de pensamentos e sentimentos é o movimento interno de caráter retroalimentar que faz com que você se sinta em conformidade com o que pensa e pense de acordo com o que sente. Um pensamento produz um sentimento, que produz outro pensamento equivalente, que produz mais do mesmo sentimento em uma espécie de looping de duração indefinida que gera um resultado chamado de "sua personalidade e sua realidade".

Nas Neurociências, esse ciclo é explicado pelo fato de que os pensamentos provocam descargas elétricas no cérebro, que por sua vez produzem uma proteína chamada neuropeptídeo, que sinaliza no corpo a produção e a liberação das substâncias químicas para que você sinta as emoções e sentimentos que se expressam pelas sensações correspondentes ao pensamento. Quando o corpo sente o que você está pensando, ele envia sinais ao cérebro para produzir mais pensamentos similares, que resultam em mais sentimentos, que produzem mais pensamentos e assim por diante, perpetuando um ciclo que pode perdurar por anos, décadas ou uma vida inteira.

Os ciclos de pensamentos e sentimentos definem o campo eletromagnético que rodeia seu corpo físico que, por sua vez, emite a informação da sua frequência (seu código barras energético) para a Matriz Holográfica®, que responde com a manifestação de eventos, encontros e circunstâncias de frequências equivalentes na sua realidade. Sendo assim, se você não está satisfeito com a sua realidade vigente, é preciso agir na raiz do problema:

interromper intencionalmente o ciclo de pensamentos e sentimentos que está operando em modo automático.

Para interromper o ciclo e possibilitar a mudança, o primeiro passo é pensar além do que sente, você precisa assumir o comando e tirar seu cérebro e corpo do piloto automático. A mudança só ocorre quando você se coloca em níveis acima da sua própria mente e corpo, de modo que deixe de ser o programa e se torne o programador.

A principal estratégia da mudança é auto-observação, técnica para identificar crenças, inibir e mudar a polaridade dos pensamentos, sentimentos e comportamentos que surgem de maneira automática. Assim, você assume o comando e estabelece um novo ciclo de pensamentos e sentimentos positivos que vão produzir um campo eletromagnético capaz de sintonizar a materialização dos seus sonhos.

ALGORITMO DA COCRIAÇÃO #21

Força Interior

A Força Interior é a sua capacidade de determinação, motivação e foco para a realização do seu sonho, é a força que o move a agir para se autotransformar e para transformar a sua realidade, lidando com os desafios da vida com leveza e sabedoria.

A Força Interior também fornece clareza para que você enxergue a realidade para além das ilusões e se mantenha firme no seu propósito evolutivo, traçando as melhores estratégias, avaliando o preço que tem a pagar pela realização do que deseja, fazendo escolhas conscientes e despertando a coragem necessária para executar cada meta.

Quando cultiva sua Força Interior, você sai da vitimização e da procrastinação que paralisam a materialização dos sonhos, pois você se empodera e tem a consciência de que ninguém pode promover a sua felicidade e realização, compreende que é o único responsável pelo próprio sucesso. Assim, você se sente motivado a agir no agora, sem ficar esperando pelo "momento certo" ou por "estar pronto".

Além disso, a Força Interior está associada à resiliência, que é a capacidade de suportar e atravessar os momentos desafiadores da vida, de ter flexibilidade para se adaptar às mudanças, conviver com eventuais adversidades, superá-las e aprender com elas, transmutando problemas em oportunidades de crescimento.

ALGORITMO DA COCRIAÇÃO #22

Coragem arrebatadora

A coragem, segundo o dr. David Hawkins (1927-2012), vibra em 200 Hz na Escala das Emoções. Ela representa o nível crítico do Mapa da Consciência Humana, separando as frequências negativas das positivas. Apesar de ainda não ter uma vibração muito elevada, na frequência da coragem, você começa a sair da vitimização, da tristeza e do medo, passando a ver a vida sob uma nova perspectiva na qual há vontade e motivação para buscar novas experiências.

Como polaridade contrária ao medo, a coragem permite que você não mais se sinta paralisado diante dos desafios e problemas da vida, mas encare-os com leveza, sentindo-se inclusive estimulado a buscar soluções para resolvê-los, percebendo os eventuais obstáculos no seu caminho não como ameaças, e sim oportunidades de aprendizado e crescimento.

A partir do nível da coragem, você também já se torna capaz de questionar a si mesmo, de se auto-observar e de trazer para a luz da consciência suas crenças e hábitos limitantes e nocivos; bem como experimentar um aumento significativo em sua autoestima, sua confiança, sua fé e seu sentimento de merecimento. A frequência da coragem o energiza para sair da zona de conforto e agir em prol da mudança que deseja.

Em outras palavras, a coragem é o portal pelo qual você precisa passar para alterar a polaridade da sua Frequência Vibracional® e ser impulsionado a acessar os níveis superiores de consciência capazes de colocar em ressonância com a frequência da abundância do Universo para a cocriação dos seus sonhos.

ALGORITMO DA COCRIAÇÃO #23

Pensamento bioelétrico

As descargas elétricas do seu pensamento são a faísca inicial que acende a chama do seu desejo e coloca em movimento as suas cocriações. O pensamento, quando livre dos condicionamentos das crenças limitantes de vitimização, escassez, medo ou raiva, torna-se inspirado e atinge todo o seu potencial de raciocínio, lógica, criatividade, avaliação lúcida da realidade e tomada de decisões em alinhamento com os sentimentos cocriadores de alta frequência.

É através da plena posse dessa habilidade de pensar logicamente que você se torna capaz de perceber que não existem verdades objetivas, que suas crenças são apenas as suas percepções do mundo, a sua versão da realidade, de modo que você consegue vislumbrar a abstração do Universo em suas infinitas possibilidades e também perceber a flexibilidade da matéria, que pode ser moldada através da energia movimentada pelos seus próprios pensamentos.

Quando você alinha pensamentos, sentimentos e desejos, as ativações bioeletroquímicas decorrentes dos registros das emoções elevadas em sua fisiologia acionam as Leis Universais da criação da realidade, colocando todo o Universo em movimento, conspirando em favor da realização dos seus sonhos.

Todas as sementes que você planta através de pensamentos bioelétricos germinam no solo fértil das suas emoções e florescem no plano físico da matéria para que você colha os mais lindos frutos das suas cocriações!

ALGORITMO DA COCRIAÇÃO #24

Poder Essencial

O seu Poder Essencial ou Poder Pessoal, também chamado por Napoleon Hill (1883-1970) de "magnetismo pessoal", é o poder que decorre da transmutação da sua energia sexual (a libido, como expliquei no Algoritmo da Cocriação #12) na criatividade, magnetismo e liderança, marcas dos maiores líderes e personalidades bem-sucedidas do mundo.

A energia sexual que ativa o seu poder pessoal pressupõe a combinação equilibrada dos princípios masculinos e femininos, chamados de *yang* e *yin* nas doutrinas orientais, ou de *animus* e *anima* nos ensinamentos de Carl Jung (1875-1961). Essa combinação se expressa no equilíbrio da própria expressão da vida, em harmonia com o fluxo da criação abundante do Universo.

Quanto mais se busca o equilíbrio energético e vibracional desses dois princípios fundamentais da criação, maior e mais potente se torna o seu poder para manifestar desejos em todas as áreas da vida. O seu Poder Essencial é a expressão do Poder do Criador através de você, que o permite alcançar o sucesso, a plenitude e a felicidade em ressonância com o ser perfeito e próspero que você é na sua essência original.

No equilíbrio e na harmonia, com o seu Poder Essencial ativado, tudo flui e se expande de maneira natural e sem esforço – suas cocriações simplesmente acontecem, pois você está em alinhamento com a vida, vibrando nas frequências superiores e aceleradas do Universo, canalizando a energia espontaneamente para o colapso da Função de Onda que vai provocar a manifestação das conquistas que você desejar.

Algoritmos da Cocriação decodificados da Física Quântica

ALGORITMO DA COCRIAÇÃO #25

Campo eletromagnético

Tudo no mundo é feito de átomos, e os átomos são feitos de energia, frequência, informação e vibração. Esta é, sem dúvida, uma premissa universal bem conhecida. Além disso, tudo tem um campo de força, atração, magnetismo ou emissão de energia. Logo, todos os seres, objetos ou personalidades também têm um campo eletromagnético: as estrelas, os planetas, a natureza, você, uma parede, uma formiga, o Sol, a atmosfera da Terra... enfim, todas as coisas têm um campo de energia em volta de si, e o seu sonho é um campo eletromagnético que vibra na Matriz Holográfica®.

Algumas linhas mais holísticas chamam o campo eletromagnético pessoal de aura, mas, seja qual for o termo utilizado, é importante saber que esse campo lhe protege energeticamente de vibrações inquietantes, invasores energéticos, doenças e problemas de outras ordens. Também ajuda a manter a sua saúde, disposição e vigor, equilibrando todos os corpos de manifestação de sua consciência, porém, visto que o campo tanto pode estar carregado com forças energéticas positivas quanto negativas, se a sua vibração ou a frequência for baixa, você ficará suscetível a uma série de fatores adversos.

Seu campo eletromagnético atrai e repele as vibrações de outros campos a todo momento com base na afinidade das frequências e, de maneira imparcial, magnetiza no seu corpo físico e na sua realidade externa tudo o que for compatível com a Frequência Vibracional® emitida, seja ela positiva ou negativa. O que determina se sua frequência é alta ou baixa são os níveis energéticos e a natureza vibracional dos seus pensamentos, emoções e comportamentos predominantes. São esses fatores que vão definir a qualidade da vibração do seu campo e o que vai atrair ou cocriar em sua existência, quer você tenha consciência ou não disso.

ALGORITMO DA COCRIAÇÃO #26

Matriz Holográfica® (Campo Quântico)

Matriz Holográfica® é como eu costumo me referir a um dos conceitos mais fundamentais da Física Quântica: o Campo Quântico, que possui várias outras denominações, tais como Campo Unificado, Campo Absoluto, Campo Energético, Campo das Infinitas Possibilidades, Campo de Ponto Zero, Vácuo Quântico, Fonte Energética, Não Localidade, Potencialidade Pura, Substância Amorfa, Oceano Quântico, Universo...

O conceito científico da Matriz Holográfica® corresponde ao conceito metafísico de Deus, razão pela qual ela também é denominada de Matriz Divina, Mente de Deus, Mente Cósmica, Mente Infinita, Inteligência Infinita, Consciência Infinita, Fonte Criadora, Éter Divino, Poder Superior ou simplesmente Deus ou Criador.

Estou apresentando todas essas nomenclaturas para que você consiga identificá-las quando estiver fazendo outras leituras e, sobretudo, para que entenda que, independentemente da forma em que é conceituada, todas as nomenclaturas convergem no mesmo sentido – o campo ou oceano invisível, porém autoconsciente, composto de energia, informação e inteligência infinitas em que estamos todos imersos.

Estudando o comportamento das partículas subatômicas, os cientistas se encontraram em uma situação em que tiveram de admitir a existência de uma Inteligência invisível que sustenta a energia que conecta elétrons, prótons e nêutrons para formar os átomos e, assim, formar tudo o que existe. A essa Inteligência foi dado o nome de Campo Quântico e, em última instância, mesmo que não fosse a intenção, mesmo que não admitam e que mudem o nome em pesquisas posteriores, os pesquisadores da Física Quântica comprovaram cientificamente a existência de Deus!

A compreensão do conceito de Matriz Holográfica® escapa ao alcance de nossas mentes lógicas habituadas a pensar nos limites da realidade tridimensional, pois a Matriz Holográfica® é, por natureza, inefável e não pode ser conhecida intelectualmente ou percebida com os sentidos físicos. Ela só pode ser conhecida pela experiência, pelo sentir, e o nosso contato com Ela só é possível através da consciência, uma vez que Ela é uma dimensão energética que escapa à nossa perspectiva de espaço-tempo.

Na qualidade de Oceano Infinito de informação, a Matriz Holográfica® contém em si todas as informações (frequências) e realidades de todos os espaços e todos os tempos, ou seja, o seu sonho e a realidade que você deseja vivenciar estão na Matriz Holográfica® em superposição quântica com todas as outras infinitas realidades potenciais, esperando ser solicitada mediante a emissão da frequência correspondente e, então, se apresentar no plano físico.

Aceitando a existência da Matriz Holográfica®, pode ter certeza de que você e seu sonho não estão separados; você e a riqueza, a saúde ou sucesso que deseja são um dentro da imensidão do campo eletromagnético da Matriz Holográfica® e, portanto, tudo o que você precisa fazer é se organizar para emitir a Frequência Vibracional® elevada o suficiente para sintonizar o potencial desejado.

ALGORITMO DA COCRIAÇÃO #27

Dualidade Onda-Partícula

Os cientistas constataram que o Universo e tudo o que nele existe se fundamenta em um preceito conhecido como "Princípio da Dualidade Onda-Partícula", também chamado de Princípio da Complementaridade. O que isso significa? Basicamente que tudo é feito de energia, começando pelos átomos, que são as partículas elementares da estrutura da realidade visível e invisível, ou seja, todas as coisas são feitas de átomos, os quais são feitos de energia e, portanto, se comportam conforme esse princípio.

A Dualidade Onda-Partícula se refere a um fato curioso sobre o comportamento dos elétrons: ora eles se comportam como onda de energia pura, ora como partícula, como energia densificada na matéria. E adivinha quem determina se um elétron vai se apresentar como onda ou como partícula? É você! Isso mesmo, é o poder da consciência humana que define a expressão dos átomos, de acordo com o foco, atenção e intenção que a consciência direciona ou retira de algum objeto ou situação.

Na prática, isso significa que você tanto pode desmaterializar seus problemas ao retirar sua atenção deles como pode materializar os seus sonhos ao direcionar-lhes sua atenção.

ALGORITMO DA COCRIAÇÃO #28

Experimento da Dupla Fenda

O princípio da Dualidade Onda-Partícula e o papel da consciência humana na expressão da onda ou da partícula foram comprovados pelo famoso Experimento da Dupla Fenda, realizado em 1802 pelo físico e médico britânico Thomas Young (1773-1829), que determinou a natureza quântica da realidade.

O experimento tem esse nome porque o dr. Young usou uma placa com duas fendas paralelas pelas quais foram projetados feixes de luz (fótons) até uma outra placa sólida fixada a certa distância da primeira. Depois de testar inúmeras vezes, com vários sujeitos diferentes, a conclusão foi de que quando ninguém estava observando, a luz atravessava as duas fendas e era projetada na segunda placa de maneira difusa, mas, quando tinha alguém acompanhando o experimento, a luz era projetada na forma de duas faixas paralelas correspondentes às fendas existentes na primeira placa.

O experimento mostrou que o átomo se porta, de fato, como onda informacional de energia ou como partícula, ou seja, pode ser apresentada como energia ou matéria, e ambas as situações também podem acontecer simultaneamente: o elétron pode ser onda e partícula ao mesmo tempo.

Com efeito, o que isso quer dizer e o que o experimento comprova? Primeiro, que a natureza quântica tem duas propriedades: é onda de energia ou partícula material. E a segunda análise é que, quando a energia essencial do Universo é observada por alguém, se transforma em partícula, em matéria, propriamente, de acordo com a intenção e expectativa do observador.

Na prática, isso significa que o olhar do observador, que aqui é você, com sua intenção consciente, atenção, foco e energia; é capaz de transformar energia sutil em matéria densa, dando os contornos, as características e a moldura necessária para a realidade ser criada instantaneamente.

A aplicação das conclusões do Experimento da Dupla Fenda é universal e essencial para todo o tipo de criação da realidade, sobretudo para transformar energia, pensamento e emoção, todos buscando a vibração do sonho que você deseja realizar e na matriz de qualquer situação relacionada à expressão da abundância.

Assim, se você focar o seu olhar no objeto material de desejo ou na circunstância real que incida sobre aspectos de fartura, naturalmente modelará a energia em matéria para experimentar uma existência cheia de abundância e prosperidade. Logo, tudo depende do seu olhar, desejo, fé, intenção positiva e poder criativo.

ALGORITMO DA COCRIAÇÃO #29

Observador da realidade

A realidade só toma forma e vira matéria neste plano físico quando existe o olhar do observador, como expliquei no algoritmo anterior. Sem esse olhar, tudo segue como uma Onda Primordial e essencial de energia.

O observador é você, sou eu, somos todos nós que determinamos qual informação será emitida nesta onda espacial – se será uma mensagem positiva ou negativa, construtiva ou destrutiva. E como se faz isso? Através da qualidade das emoções, pensamentos e comportamentos. E o mais incrível é que se pode fazer com total consciência, não apenas inconscientemente.

Temos o poder de decidir e definir o padrão que será lançado ao Universo para formar a realidade por meio do olhar como observador. Seu destino só depende de você, de como se comporta, pensa, sente, deseja, intui e intenciona diariamente, pois esta é a soma que vai formar uma vibração que será emitida à Onda Primordial, ao Campo Quântico, isto é, a frequência que será enviada por seu campo eletromagnético.

Sendo assim, tudo depende do que você olha, observa, gosta de fazer, de como se comporta e de qual é o padrão predominante de suas emoções cotidianas, pois essa é a essência e a vibração contínua que definirá os resultados da sua vida e formará a composição material de seus sonhos em qualquer área da sua vida.

Então, eu pergunto: de que maneira você olha para o seu sonho? Com medo, insegurança, dúvida e não merecimento? Ou com amor, generosidade, bondade, convicção e crença potencializadora de que já é seu? Como são seus comportamentos cotidianos? Você se sente feliz e grato na maior parte do tempo? O que pensa sobre alguém que já conseguiu cocriar um sonho semelhante ao seu? Qual a sua ideia sobre prosperidade? O que é ser verdadeiramente abundante para você?

É importante analisar todas estas indagações porque elas lhe darão respostas profundas e abrangentes sobre seus comportamentos, ideias, pensamentos, ações e intenções emocionais, e você poderá analisá-las a partir do olhar de um observador da realidade para ativar o princípio da abundância em sua existência.

ALGORITMO DA COCRIAÇÃO #30

Função de Onda

As partículas quânticas que compõem os potenciais da Matriz Holográfica® não são partículas propriamente ditas, quer dizer, apesar da denominação genérica, algumas partículas são apenas ondas de pura energia, sem existência física.

Função de Onda é a expressão do vocabulário da Física Quântica que se refere à probabilidade de uma determinada onda de possibilidade que se encontra em estado de pura energia – e que está recebendo a atenção de um observador – converter-se em partícula, isto é, passar do estado sutil da energia (possibilidade) para o estado denso da energia, que é a matéria sólida palpável.

Deixando de lado os conceitos complexos da Física Quântica, na prática, Função de Onda é a realidade potencial com a qual você sonha que se encontra na Matriz Holográfica® em estado de superposição quântica, ou seja, a Função de Onda é o holograma do seu sonho, que ainda não pode ser experimentado no plano físico, mas que já existe no Universo. Basicamente, seja qual for a natureza do seu sonho, seja um carro ou uma casa, seja um grande amor, o restabelecimento da sua saúde ou uma gravidez, independentemente do conteúdo, seu sonho já é uma Função de Onda no Campo Quântico.

ALGORITMO DA COCRIAÇÃO #31

Colapso da Função de Onda

Tecnicamente, o Colapso da Função de Onda consiste em uma Função de Onda que era apenas energia pura e se converteu em partícula, isto é, em matéria. Na prática, o Colapso da Função de Onda é a própria manifestação do seu desejo no plano físico.

O colapso de onda ocorre quando a energia que você manda ao Universo em forma de onda informacional e energética entra em contato e se entrelaça com a Onda Primordial, ou seja, com a sua energia essencial. Para isso acontecer, é preciso que a sua vibração seja compatível com a Vibração Universal.

Então, se você vibrar e emitir, através do seu campo eletromagnético, sentimentos de amor, compaixão, harmonia ou alegria, por exemplo, é possível que a sua onda de energia entre em ressonância e se emaranhe quanticamente com uma onda compatível com seu padrão emocional e energético. Logo, o resultado será expresso por meio de eventos, circunstâncias, encontros, fatos e oportunidades com o teor de energia equivalente à sua vibração.

Por outro lado, se o seu padrão for de culpa, medo, desassossego, intransigência, omissão, negligência, raiva, ódio, desprezo... a onda emitida por você entrará em ressonância com funções de onda de energia similares e, assim, o colapso será de situações perturbadoras em sua vida. Isto é, haverá sim o Colapso da Função de Onda, mas de uma maneira prejudicial, produzindo eventos emaranhados totalmente problemáticos.

Eu diria que esta é a essência do colapso: ondas de energia e informação – a sua e a do Universo – com vibrações parecidas se encontram, entram em ressonância, se emaranham energética e quanticamente, criando a composição física e material da realidade vivenciada. Deve-se sempre buscar a sintonia entre comportamentos, ações, ideias, emoções, pensamentos e atitudes relacionadas ou correlacionadas quanticamente.

ALGORITMO DA COCRIAÇÃO #32

Não localidade

É o conceito desenvolvido pela Física Quântica para fazer referência a todos os objetos que não possuem uma posição no espaço e no tempo da realidade tridimensional, ou seja, são os objetos quânticos que existem na dimensão da Matriz Holográfica® como onda, informação e energia pura, sendo capazes de se movimentarem em velocidades superiores à velocidade da luz (velocidades supraluminosas ou supralumínicas) justamente por não serem dotados de matéria.

A não localidade coincide, portanto, com o próprio Campo Quântico, a Matriz Holográfica®, o Universo Holográfico, a Substância Amorfa, a Matriz Divina, a energia essencial, a Mente Cósmica, o Criador de Tudo o que É.

É na não localidade que todas as realidades, universos, multiversos e eventos coexistem simultaneamente em superposição quântica. Nela, tempo, espaço e natureza física não importam, pois o que interessa é a intenção, o desejo, a vontade para cocriar sonhos e o que cada um emite de energia com foco na sua materialização.

Trata-se de uma onda única e essencial de energia, sem forma, composição ou aderência física e material. Quem dá a composição para a não localidade é o observador da realidade, isto é, você, com sua fé, pensamentos e atitudes que modelam o espaço da não localidade da forma que deseja e pretende.

Sendo assim, não há limites para sonhar ou para cocriar, pois você pode manifestar o futuro através da sua imaginação e vivenciá-lo hoje mesmo, de modo atemporal, ao promover o entrelaçamento quântico de partículas e a fusão vibrátil da onda de energia do seu sonho de prosperidade com a matriz de energia do espaço não local.

ALGORITMO DA COCRIAÇÃO #33

Infinitas possibilidades

A não localidade, Potencialidade Pura ou Matriz Holográfica® é o campo das infinitas possibilidades. Existem imensuráveis oportunidades no Universo esperando serem solicitadas pela ação do olhar do observador da realidade. Portanto, é você quem define livremente qual realidade deseja viver, cocriar e manifestar.

Isso pode acontecer de maneira consciente ou mesmo inconsciente, pois depende apenas do seu nível de consciência e capacidade de escolha, ou seja, a consciência pode mudar os eventos, criar circunstâncias e modelar qualquer possibilidade real.

Por exemplo: você pode cocriar uma realidade de riquezas, prosperidade e abundância, ilimitadamente. Basta direcionar seu olhar, calibrar o padrão da energia que emite ao Universo, a sensação que vibra dentro de você, a qualidade dos seus pensamentos e como se comporta diante do mundo, bem como dos desafios e adversidades que lhe são apresentados.

Nas infinitas possibilidades, você define o presente, o futuro e até altera a vibração do passado, ao limpar e ressignificar suas crenças limitantes, destruir seus bloqueadores e promover a expansão da sua consciência com um novo mindset de abundância, saúde, prosperidade, amor e sucesso. O campo é vasto e infinito – contém possibilidades e probabilidades incalculáveis e todas as chances e oportunidades estão a seu dispor!

Enquanto as possibilidades não são observadas, isto é, não são Funções de Onda, elas estão sem forma ou composição, uma energia pura e neutra, que você pode moldar, definir cocriações e transformar o futuro, alterando seu momento presente. Basta instalar a vibração certa e ativar seu estado de presença infinita com pensamentos elevados, emoções positivas e comportamentos coerentes.

Sua mente e seu coração precisam apresentar coerência para alterar a composição da Matriz e materializar a melhor possibilidade de todas, visto que tudo está ao seu alcance, ou seja, você precisa criar a sinergia entre suas três mentes e, assim, projetar a realidade sonhada – como se já fosse real – no campo quântico ou Matriz Holográfica®, o que acarretará a materialização imediata de seus desejos em outra área.

Lembre-se de que, se não está satisfeito com sua realidade vigente, você pode projetar o holograma que quiser e viver a possibilidade que almejar, agora mesmo, com um novo estado de espírito de realização universal.

ALGORITMO DA COCRIAÇÃO #34

Princípio da Incerteza

O Princípio da Incerteza foi deduzido pelo físico teórico alemão Werner Heisenberg (1901-1976), que recebeu o prêmio Nobel de Física em 1932. O conteúdo do princípio é bem técnico, mas logo vou explicar por que ele é importante para sua vida.

Segundo o Princípio da Incerteza de Heisenberg, não é possível determinar simultaneamente e com a mesma precisão a posição e a velocidade de um elétron, de modo que quanto mais precisão na posição, menos precisão na determinação da real velocidade e vice-versa.

Não é de se admirar que Heisenberg tenha recebido o mais importante prêmio do mundo por sua descoberta, afinal, até então, conforme as Leis da Física Clássica, acreditou-se ser possível determinar a posição e a velocidade de qualquer objeto maior que um átomo. Tenho certeza de que você até aprendeu no colégio uma fórmula para fazer esse cálculo, mas isso não vem ao caso no momento.

"Ok, Elainne, mas por que essa incerteza a respeito do comportamento dos elétrons é importante para mim e para minhas cocriações?" Este é um princípio do Algoritmo da Cocriação da realidade porque a imprevisibilidade dos elétrons confirma que nada é eterno e definitivo, que os átomos podem estar em vários lugares ao mesmo tempo.

"O que isso significa, essencialmente?" Que a realidade não existe até o olhar do observador definir o próprio desejo. Antes disso, tudo é incerto, só existem possibilidades e probabilidades quânticas, ou seja, só existe uma Onda Quântica Universal, sem forma, composição ou materialidade, de maneira que, por exemplo, não é porque você foi pobre a vida inteira que necessariamente continuará pobre pelo resto da vida.

O Universo está em constante movimento e vibração; essa incerteza quântica oferece uma certeza na sua vida, permite o poder de escolhas, infinitas possibilidades, para deliberar sobre o próprio destino e sobre a cocriação de todos os seus sonhos, independentemente da situação em que você se encontre no momento. O Princípio da Incerteza garante que seu futuro pode ser completamente diferente do seu passado!

ALGORITMO DA COCRIAÇÃO #35

Salto quântico

O salto quântico é uma das propriedades mais incríveis e fascinantes dos elétrons: quando a energia é amplificada e a frequência é alterada, um elétron simplesmente se desmaterializa de sua órbita e se materializa em outra, de maneira instantânea e sem deixar rastros, ou seja, os cientistas não conseguem identificar o caminho percorrido pelo elétron nesse trânsito entre órbitas – ele desaparece e reaparece em outro ponto da estrutura do átomo, onde possa expressar livremente sua carga energética.

Os cientistas intuem, contudo, que na verdade os elétrons dão esse salto em velocidades infinitamente superiores à velocidade da luz e, como ainda não temos equipamento tecnológico capaz de mensurar a velocidade e mapear o trajeto, por convenção, diz-se que ele se desmaterializa e se materializa novamente.

No mundo da cocriação de realidade e na perspectiva da consciência humana, ocorre o salto quântico do elétron quando a Frequência Vibracional® de uma pessoa se eleva de maneira que ocorre uma mudança instantânea no nível de consciência e, consequentemente, uma mudança na percepção e manifestação da realidade por parte dela.

Nesse caso, o processo é denominado de Salto Quântico da Consciência, o qual é marcado por cocriações instantâneas, manifestações que o senso comum chamaria de milagres.

Se você sente que precisa de um milagre em sua vida, ou melhor, de um Salto Quântico da Consciência, o único caminho é elevar sua

Frequência Vibracional® pelos sentimentos de aceitação, perdão, amor-próprio, compaixão, alegria, amor e gratidão.

ALGORITMO DA COCRIAÇÃO #36

Emaranhamento quântico

Emaranhamento ou entrelaçamento quântico, descrito por Albert Einstein (1879-1955) como "ação fantasmagórica à distância", é o conceito fundamental da Física Quântica que se refere à comunicação não local, remota, simultânea e instantânea que ocorre entre partículas subatômicas que compartilham um mesmo campo eletromagnético, independentemente da distância física que possa existir entre elas.

O emaranhamento quântico foi documentado e cientificamente demonstrado através do Teorema de Bell, elaborado nos anos 1960 pelo cientista irlandês John Bell (1928-1990). Conforme esse teorema, partículas subatômicas são capazes de intercambiar informações e afetar o comportamento umas das outras em velocidades superiores à velocidade da luz.

Em seu lindo livro *A Matriz Divina*, mesmo sem mencionar expressamente o termo, Gregg Braden descreve o fenômeno do emaranhamento quântico de maneira harmonicamente inspirada:

> *Por meio da unidade que está no interior do seu corpo, do meu e do corpo de todos os seres humanos do planeta, temos uma comunicação direta com a mesma força que cria tudo, dos átomos às estrelas e ao DNA da vida!*

Através da compreensão do emaranhamento quântico, você consegue transcender a ilusão da separação entre você e o seu sonho que ainda é uma Função de Onda na Matriz Holográfica®. Ao perceber e sentir que você e seu sonho são um só, e apesar de ainda não o ter manifestado na matéria, você elimina sentimentos de dúvida, medo, ansiedade e escassez e, consequentemente, eleva a sua Frequência Vibracional® para provocar o colapso da Função de Onda.

Saber e sentir que você está energeticamente conectado com a onda do seu sonho através do seu próprio campo eletromagnético possibilita que você não se identifique com a realidade de escassez que talvez esteja experimentando, não permitindo que ela determine como você pensa, sente e age. Em outras palavras, você não permite que as circunstâncias adversas do seu corpo ou ambiente determinem a sua Frequência Vibracional®, e você passa ser definido pelo futuro de abundância que está a caminho, sentindo antecipadamente que seu sonho já é real porque, de fato, é.

ALGORITMO DA COCRIAÇÃO #37

Princípio da simetria

O princípio da simetria evidencia a verdade de que existe uma similaridade entre as atividades das partículas subatômicas e os comportamentos da mente humana, ou seja, todas as leis e princípios que são válidos, descrevem e regem as partículas são aplicáveis à nossa mente.

Isso quer dizer que tudo o que você aprende sobre Física Quântica não é um mero conhecimento teórico e abstrato que só é útil para cientistas e pesquisadores de alto escalão; os princípios da Física Quântica são úteis – na verdade, fundamentais – para você solucionar seus problemas, alterar sua realidade e cocriar os seus sonhos.

Enquanto as leis da Física Clássica são capazes de prever acontecimentos futuros a partir das informações do passado e do presente (por exemplo, a previsão de que o Cometa Halley passa pela órbita da Terra a cada setenta e seis anos), a Física Quântica é, por natureza, imprevisível, de modo que não é possível determinar o comportamento de um elétron no futuro com base nas informações do passado ou do presente. É por essa razão que a Física Quântica é conhecida como a "física das possibilidades", pois o futuro está sempre em aberto e todas as infinitas possibilidades são possíveis de acontecer.

Aplicando o princípio da simetria, da mesma maneira que a realidade futura dos elétrons não é determinada pelo passado e tudo pode acontecer, a sua própria realidade também não é condicionada ao seu passado ou às suas circunstâncias atuais. Na prática, isso é uma garantia científica de que independentemente da situação de escassez que você vivenciou do passado ou está vivenciando no presente, você pode cocriar um futuro de plena abundância.

ALGORITMO DA COCRIAÇÃO #38

Tunelamento quântico

O princípio do tunelamento quântico, também conhecido por Efeito Túnel, é um princípio da Física Quântica muito interessante, segundo o qual uma partícula subatômica confinada em um espaço infinitamente pequeno tende a sofrer uma alteração em sua energia e frequência que a faz transpor uma barreira supostamente impossível de ser atravessada, mudando de órbita através de um salto quântico.

O fenômeno do tunelamento quântico foi pela primeira vez observado em 1927 pelo físico alemão Friedrich Hund (1896-1997), que fez experimentos nos quais, explicando de maneira simplificada, uma partícula era confinada em um espaço infinitamente minúsculo.

Devido à contenção, a vibração da partícula aumentava, fazendo com que ela se desmaterializasse do espaço confinado e se materializasse novamente, dessa vez carregada com uma energia potencializada, em outro espaço mais amplo. E advinha de onde os cientistas tiveram de admitir que essa partícula estava absorvendo energia para superar o problema do confinamento e saltar para uma órbita mais "espaçosa"? Diretamente do Campo Quântico!

Na prática, aplicando o princípio da simetria, o tunelamento quântico evidencia que no fundo do poço onde você se encontra existe um trampolim capaz de o propulsionar de volta para superfície ganhando um novo nível de energia (ou consciência). Em outras palavras, você tem à sua disposição a energia infinita do Vácuo Quântico (do Criador) para, através do tunelamento quântico, reverter qualquer realidade, por pior que ela seja.

ALGORITMO DA COCRIAÇÃO #39

Correlação quântica

A correlação quântica é um fenômeno da não localidade pelo qual campos eletromagnéticos diferentes estão correlacionados de modo que, por afinidade, são mutuamente atraídos um pelo outro com base na frequência emitida pela consciência que gera o campo.

Parece complicado, mas não é; acontece todo dia, a todo momento! Um exemplo simples da correlação quântica é a conexão que existe entre os campos eletromagnéticos de uma mãe e seu filho, que permite que, mesmo quando separados por grandes distâncias, a mãe sinta que seu filho pode estar com problemas. A correlação quântica também está presente naquelas sincronicidades sem explicação aparente: quando você pensa em um amigo querido e mais tarde, "do nada", ele liga ou manda uma mensagem para você. Basicamente, a correlação quântica é uma explicação científica daquilo que pessoas que não são cocriadoras conscientes chamam de "acaso".

Portanto, é a correlação quântica que possibilita os encontros no plano físico da matéria que unem duas pessoas (duas consciências, dois campos eletromagnéticos) que estão buscando objetivos complementares: almas gêmeas, amigos, vendedor e comprador, professor e aluno, médico e paciente, profissional e cliente, patrão e empregado, treinador e atleta e assim por diante.

Em resumo, a correlação quântica é a ciência por trás da mágica dos grandes encontros, ela garante que se quem ou o que você está procurando também estiver à sua procura, o encontro ocorrerá de forma inevitável, em decorrência da afinidade vibracional dos campos eletromagnéticos que se atraem reciprocamente.

As correlações quânticas ocorrem de maneira imparcial, de acordo com a afinidade vibracional das consciências, de modo que tanto podem ocorrer encontros benéficos, positivos, construtivos e lucrativos, como também podem acontecer encontros prejudiciais, negativos e destrutivos. O que vai determinar seus encontros, isto é, as pessoas, situações e objetos com os quais você se correlaciona quanticamente, é a sua Frequência Vibracional®, assim, em última instância, a Correlação Quântica fundamenta todas as suas cocriações, positivas ou negativas

ALGORITMO DA COCRIAÇÃO #40

Frequência Vibracional®

Sua Frequência Vibracional® determina as correlações quânticas que você faz através do seu campo eletromagnético, por isso, é ela que determina a sua realidade. A Frequência Vibracional® é a velocidade que circula no Universo, é a vibração e o ritmo que existe neste momento ou no padrão em que você se encontra – ela pode ser alta ou baixa, dependendo da maneira como você se porta diante da vida.

Caso sua vida esteja indo de vento em popa, sem dúvida alguma, você está vibrando nas alturas, em ritmos elevados, superiores, como se fosse uma onda de luz em plena expansão. Por outro lado, caso esteja passando por problemas de qualquer natureza, certamente é porque sua frequência é nula, baixa, sem expressão e precisa ser calibrada.

Há uma escala para medir a frequência das emoções humanas, que é chamada de Escala das Emoções ou Tabela Hawkins, criada pelo médico e pesquisador David Hawkins. Eu sou especialista no tema e uma das principais pesquisadoras do mundo sobre frequência das emoções humanas. Logo, asseguro-lhe que esta escala é essencial para você entender o processo de cocriação da realidade e de materialização dos seus sonhos.

O mais incrível é que a Escala das Emoções, criada com recursos desenvolvidos a partir do estudo da cinesiologia, consegue evidenciar a frequência das principais emoções humanas que são mensuradas em Hertz (Hz), variando de 20 a 1.000 Hz de potência em expressão logarítmica.

VISÃO DE DEUS	VISÃO DA VIDA	NÍVEL	FREQUÊNCIA	EMOÇÃO	PROCESSO
Eu	É	Iluminação	700 - 1000	Inefável	Consciência Pura
Todo-Ser	Perfeito	Paz	600	Êxtase	Iluminação
Alguém	Completo	Alegria	540	Serenidade	Transfiguração
Amar	Benigno	Amor	500	Reverência	Revelação
Sábio	Significado	Razão	400	Entendimento	Abstração
Misericordioso	Harmonioso	Aceitação	350	Perdão	Transcendência
Inspiração	Esperançoso	Boa Vontade	310	Otimismo	Intenção
Capaz	Neutralidade	Satisfatório	250	Confiança	Desprendimento
Permissível	Viável	Coragem	200	Afirmação	Fortalecimento
Indiferença	Exigência	Orgulho	175	Desprezo	Presunção
Vingativo	Raiva	Antagônico	150	Ódio	Agressão
Negação	Desapontamento	Desejo	125	Súplica	Escravização
Punitivo	Assustador	Medo	100	Ansiedade	Recolhimento
Desdenhoso	Trágico	Mágoa	75	Arrependimento	Desânimo
Condenação	Desesperança	Apatia	50	Abdicação	Desespero
Vingativo	Maldade	Culpa	30	Destruição	Acusação
Desprezo	Vergonha	Miserabilidade	20	Humilhação	Eliminação

Como você pode ver, quanto mais elevadas as emoções, mais alto o índice de calibração da escala. Por exemplo: se vibrar no amor, alegria, harmonia, paz e plena satisfação, sua frequência será alta, acima de 500, 700 e 800 Hz, e nesse estágio se torna compatível com a energia da criação, do Criador e do Universo, que vibra acima de 500 Hz.

Portanto, se você estiver ancorado em emoções de baixo padrão, como medo, culpa, abandono, vitimização, raiva e apatia, entrará em sintonia e vibrará muito baixo, menos do que 100 ou 50 Hertz e, assim, se transformará em um farol apagado na escuridão, não conseguindo colapsar seus desejos. Mas, se você entrar em fase com a Matriz Holográfica® através da vibração das frequências superiores, você se conectará com a energia de Deus e passará a colapsar, naturalmente, todos os eventos que deseja, pois estará em ressonância vibrátil e harmônica com o fluxo quântico universal.

ALGORITMO DA COCRIAÇÃO #41

Interferência construtiva

A interferência construtiva é o fenômeno da Física Quântica observado quando dois campos eletromagnéticos distintos se unem por afinidade, entrando em ressonância através da sincronização perfeita e harmônica das amplitudes de suas ondas individuais, as quais se fundem em uma onda maior, expandida e potencializada, que é composta pelo somatório das frequências dos campos individuais ressonantes.

Na cocriação da realidade, a interferência construtiva se apresenta quando você consegue ajustar a amplitude da Frequência Vibracional® emitida pelo seu campo eletromagnético com as frequências elevadas do Universo, de modo que quando as duas ondas se encontram e se fundem, acontece um fenômeno chamado de "fase". Portanto, "entrar em fase" significa entrar em ressonância, vibrando na mesma frequência que o Universo.

Em outras palavras, quando sua onda pessoal coincide com a Onda Primordial do Universo, ocorre a interferência construtiva, e o resultado é a amplificação infinita do seu poder de cocriador da realidade, uma vez que você entrou em fase com o Todo.

ALGORITMO DA COCRIAÇÃO #42

Efeito Zenão

O Efeito Zenão, também conhecido como Efeito Zeno, refere-se a um fenômeno bastante curioso na atividade das partículas quânticas: se um cientista permanece observando a partícula continuamente na expectativa e ansiedade para que ela manifeste alguma atividade, as probabilidades da ocorrência dessa atividade são diminuídas ou até mesmo completamente anuladas. Se houver alguma atividade, ela ocorrerá em um ritmo muito mais lento do que o que poderia ocorrer sem a observação contínua.

O Efeito Zenão foi notificado pela primeira vez através dos experimentos do cientista britânico Alan Turing (1912-1954), nos quais ele constatou exatamente esse fenômeno. Quando uma partícula tem seu movimento monitorado constantemente, ela tende a não modificar seu estado diante do olhar ansioso do observador. Em homenagem a esse pesquisador, o Efeito Zenão também é conhecido como Paradoxo de Turing.

No processo de cocriação da realidade, o Efeito Zenão provoca a desaceleração ou a completa paralisação do colapso da Função de Onda quando há expectativa ansiosa, pressa, desespero, preocupação ou dúvida. Na prática, se você estiver cocriando o seu sonho com o sentimento de que a realização dele é uma questão de vida ou morte, de que você precisa desesperadamente que ele se realize ou de que só será feliz e terá paz quando ele se realizar, você está provocando o Efeito Zenão, impedindo a realização do seu desejo.

Na presença do Efeito Zenão, em vez de cocriar, você descolapsa a Função de Onda. Traduzindo: você anula a materialização de seus desejos no Universo. E como isso acontece? Essencialmente, quando mantém, dentro de si, conflitos emocionais e comportamentais.

Por exemplo, você deseja a riqueza, mas tem medo de gastar e ficar sem dinheiro. Veja que, neste caso, há uma incoerência: sua razão ou pensamento querem riqueza, mas a sua emoção padrão tem medo. O receio anula a materialização do seu sonho.

Esse é só um exemplo, mas as emoções de baixa frequência são as vibrações notórias que anulam a produção e cocriação de qualquer sonho: medo, culpa, raiva, injúria, falta de esperança e de fé, apatia, entre outras, que são responsáveis por bloquear a expansão do seu campo quântico e, assim, eliminar a cocriação.

Isto acontece porque, quando você vibra em emoções densas, de baixo calibre vibrátil, o seu campo, a onda de energia envolta não tem força nem expressão para se integrar com a Onda Primordial do Universo ou com as frequências de alto teor. Por isso, fica aprisionado em seu próprio campo, seus sonhos não são colapsados e a cocriação não se materializa. É como se não conseguisse escalar a montanha até o cume, onde está o pote de ouro que tanto deseja.

O fato é que o processo de cocriação de sonhos pressupõe leveza, entusiasmo e confiança, bem como o mais completo desapego da consideração da realização do seu sonho como uma emergência; a realização do seu sonho deve ser vista como um bônus decorrente da elevação da sua Frequência Vibracional®, nunca como a condição última da sua felicidade. Como Joe Vitale ensina, você pode ter tudo o que quiser, desde que não precise.

A melhor forma de evitar a incidência do Efeito Zenão nas suas cocriações é trabalhando a sua capacidade de soltar seu sonho, isto é, continuar executando as ações para que ele aconteça, mas entregando sua cocriação ao Universo com fé e confiança. O processo de soltar é um dos mais importantes Algoritmos da Cocriação, cujos detalhes explicarei mais adiante!

ALGORITMO DA COCRIAÇÃO #43

Múltiplas escolhas

No Universo, as escolhas não são definitivas, mas amplamente flexíveis. Tudo pode ser alterado, modificado e plasmado para atender aos seus desejos. Saber usar o poder das escolhas inteligentes é, certamente, um dos principais algoritmos para a expansão da sua consciência interdimensional em alta frequência, necessária para cocriar todos os seus sonhos. É preciso entender que saber escolher representa inteligência emocional, evolutiva e vibracional, visto que ela determina os resultados na vida, sejam positivos ou negativos.

O físico Hugh Everett III (1930-1982), da Universidade de Princeton, denominou os multiversos como pontos de escolhas. Tal princípio remete a possibilidade da existência de universos paralelos no Vácuo Quântico (energia primordial). Na prática, isso significa que existem efeitos diferentes e novos caminhos ainda adormecidos, a partir de escolhas diferentes de um mesmo evento. Esses caminhos coexistem em universos paralelos e representam nossos pontos de preferências para cada situação quando existe um olhar multidimensional.

O mais interessante de tudo é que existem infinitas possibilidades. Esse é um dos principais fundamentos difundidos pela Física Quântica. Dentro de um universo holográfico e vibracional, nada é estático ou sólido. Ao contrário, você está imerso em um oceano de energia e inteligência infinita. Tudo é formado, portanto, por estados vibracionais de energia oscilante, por isso, tudo muda, tudo pode ser alterado, modificado e plasmado. O que difere são apenas os estados vibracionais.

O que quero mostrar para você é que, segundo a Física Quântica, tudo está em superposição de energia no Universo, ou seja, nada tem forma ou formato material antes do olhar do observador da realidade, pois quem determina a materialidade dos eventos é o observador – você, eu, cada um de nós.

Esse efeito depende da atenção, emoção, energia e pensamento que você despende sobre algum evento, situação ou objeto, visto que a soma disso vai gerar uma frequência lançada ao Todo em forma de onda de energia. Essa onda entra em colapso ou fusão quântica com outra onda de frequência similar no Vácuo Quântico, esse campo de infinitas possibilidades, para virar uma probabilidade e, posteriormente, um evento real e material no plano físico e terreno.

O fato é que você pode escolher qualquer realidade e materializá-la, se assim desejar, porque é um cocriador universal, e a sua energia, em fase com a frequência do Universo, é capaz de plasmar qualquer evento, especialmente no campo da abundância. A escolha ou as múltiplas escolhas são suas.

> ALGORITMO DA COCRIAÇÃO #44

Escolha atrasada

Não é porque algo não deu certo hoje que não vai dar certo amanhã. Talvez sua escolha não fosse a ideal no momento passado, mas você pode refazê-la neste instante presente, percebendo e experimentando o futuro sonhado agora mesmo para realinhar sua escolha, definir a nova possibilidade e ampliar a probabilidade para a cocriação do evento sonhado.

Por isso, você pode alterar o rumo do próprio destino o tempo todo ao mudar o sentido de observação e percepção da realidade, sobretudo se definir um alvo, acreditar nele, colocar foco, fé e disposição, visto que o Campo Quântico é imprevisível, maleável e pode ser alterado constantemente, dependendo da vibração que emitir ao seu núcleo, de maneira que suas escolhas atrasadas podem ganhar uma nova conotação e serem transformadas em alternativas e possibilidades para o seu momento presente, centrado na cocriação que você tanto deseja materializar em sua existência.

> ALGORITMO DA COCRIAÇÃO #45

Universo autoconsciente

Amit Goswami afirma e demonstra que o Universo é autoconsciente e que essa autoconsciência emerge da individualidade integrada de cada um de nós com o Universo, com a Mente de Deus. A autoconsciência se dá no domínio da Potencialidade Pura através do olhar individual de cada ser, que provoca, a todo instante, interferências construtivas e produtivas na rede de energia quântica do Universo.

É justamente o olhar do observador da realidade que promove flutuações físicas e materiais nesse espaço amorfo e, por isso, você tem o poder para mudar esse cobertor quântico e cósmico. Seu poder de interferência está diretamente relacionado à potência dos seus sentimentos, à força vibracional das suas emoções e ao seu desprendimento cognitivo e neural, ou seja, a força vibracional da imanência de seus pensamentos.

Você pode cocriar e colapsar qualquer realidade ao expandir o seu nível de consciência quântica, sobretudo quando direciona as lentes do seu olhar magnético e cósmico como observador da realidade a partir de emoções elevadas, ancoradas no amor, na gratidão, no perdão e na harmonia, que vibram em frequências superiores a 500 Hz.

Da mesma maneira, você tem a plena capacidade para projetar o seu futuro de sucesso quando condiciona os pensamentos positivos e aprende a soltar e delegar os seus desejos ao Universo e à livre manifestação do Todo. A escolha é sempre sua: você pode indicar a direção de sua observação quântica.

Você pode olhar para o seu desejo e comandar os sentimentos para obter verdadeiros êxitos quânticos no âmbito profissional, financeiro, pessoal, afetivo, familiar e tudo mais o que o cerca. Lembre-se de que tudo parte do invisível, do que vibra dentro de si e da sua capacidade estratégica de observação quântica da realidade.

ALGORITMO DA COCRIAÇÃO #46

Soltar

Soltar é um Algoritmo da Cocriação poderoso para a expansão definitiva da sua consciência e para ampliar o seu poder para a cocriação da realidade próspera. Quando você entrega, você recebe. Quando doa, ganha mais. Quando semeia o bem, colhe os frutos divinos do amor e abundância elementar do Universo. E tudo isso tem a ver com a Lei do Mínimo Esforço, difundida por Deepak Chopra, como também com as leis da Física.

Não adianta ficar em cima do seu desejo, olhando a toda hora para ver a sua conquista concretizada, pois quando faz isso, consequentemente provoca o chamado Efeito Zenão, como visto no Algoritmo da Cocriação #42, comprovado pelo Experimento da Dupla Fenda, no qual os cientistas ou observadores da realidade alteraram, com o olhar, atenção, energia e sentimento, o estado quântico da partícula. Ao olhar para ela no momento de travessia por uma fenda, a partícula se transformou em matéria, em um estado vibracional denso, mas, ao suspender a observação, ela se apresentou como onda. Ora onda, ora partícula, ou seja, a mesma partícula se comportou de duas maneiras diferentes!

O fato determinante da manifestação é o olhar do observador da realidade. O meu, o seu, o nosso olhar, mediando algum evento, desejo ou circunstância. Porém, quando se observa excessivamente algum objetivo, despendendo demasiada emoção e energia, como consequência, se impede a materialização desse desejo. O seu olhar, carregado da energia emocional da ansiedade, impede o decaimento atômico da partícula, que transformaria a energia e frequência em um estado vibrátil material e real.

Por que repasso essa explicação? Porque para cocriar o seu sonho, você deve seguir o caminho inverso. Em vez de cultivar a ansiedade, a pressa e a inquietação logo após mentalizar, visualizar ou imaginar o seu desejo, você deve agir para cocriá-lo, deve delegar, soltar e deixar a materialização dos fatos a cargo do Universo, de Deus, do Todo e do próprio Vácuo Quântico.

Tudo tem seu tempo para se cultivar, semear e colher. As Leis Universais operam dessa maneira, a natureza leva milhões de anos para esculpir a estalactite ornamental de uma gruta ou caverna, a passagem das águas do rio tem seu tempo preciso, a chuva cai na hora certa e o sol brilha no momento regulado por Deus.

Soltar, portanto, significa confiar e ter fé na magnitude do Todo, isto é acreditar, aceitar, permanecer na paz e em plena harmonia, em sentimentos que vibram em instâncias superiores a 600, 700 e até em 1.000 Hz de potência. Ao soltar, você compreende ainda que é filho do Criador, aceita seus poderes naturais para cocriar a realidade.

Não aflija a alma, não perturbe a mente ou estresse o coração. No Universo tudo é perfeito, harmônico e tem o tempo exato para manifestação da realidade. Isso, entretanto, não significa ficar imóvel ou inerte, sem nenhuma ação ou atitude para cocriar a própria realidade. Ao contrário disso, você deve agir, mas de modo inteligente, com sabedoria e com paciência para conquistar todos os seus desejos. Tudo, absolutamente tudo, já existe no Universo das infinitas possibilidades.

Você precisa apenas saber pedir, acreditar e acessar a sua própria essência, o Deus que habita a sua mente e o seu coração para, então, soltar a materialização do seu desejo para a providência do Universo, após criar as visualizações mentais.

Para alcançar esse estágio, você precisa eliminar a ansiedade e as dúvidas sobre o próprio merecimento do desejo lançado ao Universo. Soltar, então, significa a absoluta certeza da consciência benevolente de Deus.

Como disse o mestre Osho: "A busca ansiosa pela felicidade é o que nos torna infelizes". Então, para magnetizar a felicidade que buscamos e todas as maravilhas garantidas por Deus, precisamos, diante dessa perspectiva, permanecer em uma situação energética e emocional favorável para atrair a realidade vislumbrada.

Desta maneira, mantenha-se tranquilo mesmo diante de obstáculos ou dificuldades. Lembre-se também da frequência da alegria, do amor por si e pelas demais pessoas.

Tudo, absolutamente tudo, já existe no Universo das infinitas possibilidades.

ALGORITMO DA COCRIAÇÃO #47

Teoria do Desdobramento Quântico do Tempo

Elaborada pelo físico francês Jean-Pierre Garnier Malet, com quem tive a honra de fazer um treinamento, a Teoria do Desdobramento do Tempo comprova cientificamente que, apesar da nossa percepção de linha do tempo dividida na sequência passado-presente-futuro, na verdade o tempo não é linear, e os três tempos que conhecemos correm de maneira paralela e simultânea, diferenciando-se apenas pela velocidade em que os eventos ocorrem.

O passado se movimenta em uma velocidade muito lenta, tão devagar que temos a percepção de que ele está parado, a prova disso são as nossas memórias que, em geral, se apresentam tão estáticas quanto uma fotografia; o presente acontece na velocidade que consideramos "normal" por convenção; já o futuro ocorre em velocidades extremamente aceleradas, muito superiores à velocidade da luz e é por isso que não conseguimos "ver" o futuro.

Nesse futuro acelerado, existem infinitas possibilidades que podem ser sintonizadas ou, na expressão usada pelo dr. Malet, podem ser "atualizadas" no momento presente.

Em última instância, a Teoria do Desdobramento do Tempo evidencia e garante que se você é capaz de pensar em uma realidade diferente, uma realidade em que você vive a vida dos seus sonhos, essa realidade já existe como um futuro potencial, que apenas espera ser solicitado por você para se manifestar na realidade material do momento presente, caso você seja capaz de emitir a frequência correspondente.

ALGORITMO DA COCRIAÇÃO #48

Os pensamentos criam futuros potenciais

Na Teoria do Desdobramento do Tempo, o dr. Malet explica que os futuros potenciais são produzidos a partir dos nossos pensamentos: aqueles carregados de sentimentos de maldade, raiva, medo, tristeza, ódio e desonestidade criam futuros potenciais negativos, que se apresentam na forma de situações adversas, conflituosas e desagradáveis; já pensamentos carregados de sentimentos de benevolência, compaixão, alegria, prosperidade e paz criam futuros potenciais positivos.

Como todos nós fazemos parte do mesmo campo eletromagnético universal, os futuros que criamos através dos nossos pensamentos e sentimentos podem ser sintonizados ou atualizados não só por nós mesmos, mas por qualquer pessoa do Universo.

Os pensamentos são "coisas", são matéria em potencial que possuem uma frequência e uma vibração, o que quer dizer que não são apenas ideias que vêm e vão na sua mente, eles são emitidos pelo seu campo eletromagnético para o Universo e ficam disponíveis como futuros potenciais que podem ser acessados por qualquer outra pessoa.

Neste sentido, o dr. Malet adverte que devemos disciplinar nossos pensamentos através da benevolência. Ele expande a regra de ouro "não faça aos outros aquilo que você não gostaria que fizessem com você" para uma espécie de versão quântica da regra: "não pense dos outros aquilo que você não gostaria que pensassem de você".

Por exemplo, uma pessoa tem um pensamento de ódio como "eu quero matar minha sogra", mas é capaz de se controlar, e não leva o pensamento para ação. Contudo, esse pensamento sobre cometer um assassinato permanece como uma vibração de um futuro potencial, e pode ser sintonizado por alguém do outro lado do mundo que não seja capaz de se controlar e, efetivamente, cometa o assassinato.

Isso significa que, na realidade quântica, não basta que sejamos capazes de controlar nossas ações, também precisamos controlar nossa mente, pois se estamos todos mergulhados no mesmo oceano de energia, não só nossas ações, mas também nossos pensamentos afetam todas as pessoas uma vez que criam futuros potenciais.

ALGORITMO DA COCRIAÇÃO #49

O Duplo Quântico

Ainda de acordo com a Teoria do Desdobramento do Tempo, tudo no Universo é duplicado: tudo tem sua versão partícula e sua versão gemelar em forma de onda, o que confirma o Princípio da Dualidade Onda-Partícula que expliquei anteriormente no Algoritmo da Cocriação #27. Se tudo tem o seu duplo, cada um de nós também tem um Duplo Quântico, que denomino de Eu Holográfico.

Segundo o dr. Malet, nosso duplo vive no futuro, viajando acima da velocidade da luz, vasculhando as infinitas possibilidades e os potenciais mais adequados para serem atualizados em nosso presente.

Em uma metáfora, imagine um navio navegando pelas águas gélidas dos mares polares, esse navio tem um sonar capaz de identificar icebergs submersos a milhares de quilômetros de distância, e o comandante do navio usa essa informação para reajustar a rota a fim de impedir uma colisão. O sonar é o "duplo" do navio, a versão onda do navio, que vai na frente, vasculhando as informações para a segurança e sucesso na empreitada em sua versão partícula.

Assim é o nosso duplo: ele está lá frente, conhece as infinitas possibilidades. Seu Eu Holográfico do futuro já está vivendo, simultaneamente, infinitas versões potenciais para o seu eu físico, tanto as versões ruins em que você é pobre, infeliz, doente e fracassado, quanto nas mais maravilhosas realidades em que você é rico, feliz, saudável, amado e bem-sucedido.

A Teoria do Desdobramento do Tempo garante que você já é, tem e faz tudo o que deseja (e tudo o que não deseja também), todos os futuros já existem e estão sobrepostos na Matriz Holográfica®, e o melhor é que você tem total autonomia para escolher qual desses futuros deseja sintonizar em parceria com o seu duplo, que é você mesmo.

ALGORITMO DA COCRIAÇÃO #50

Aberturas temporais

Um último conceito da Teoria do Desdobramento do Tempo que se apresenta como um incrível Algoritmo da Cocriação da realidade é que aborda as aberturas temporais, que correspondem aos tempos que não somos capazes de perceber com nossas mentes conscientes, apenas inconscientes. É através das aberturas temporais que podemos trocar informações com nosso duplo para que ele conheça nossos anseios e seja capaz de nos ajudar a atualizar o melhor futuro disponível.

Todas as formas de silenciamento da mente consciente e redução da frequência das ondas cerebrais, sobretudo a meditação e uma "viagem" profunda na Visualização Holográfica, são formas de acessar as aberturas temporais e permitir que nosso duplo "leia" nossa mente inconsciente. Também, a prática de pensamentos benevolentes facilita o acesso às aberturas temporais.

Contudo, a principal abertura temporal ocorre no momento em que estamos 100% inconscientes, isto é, durante o sono, em um período específico chamado de sono paradoxal ou sono REM. Todas as noites, durante a abertura temporal provocada pelo sono paradoxal, nosso duplo consegue interpretar como nos sentimos e o que desejamos fazendo uma leitura da vibração das emoções gravadas na água do nosso corpo, o que lhe permite atualizar o futuro que mais corresponda com os anseios mais profundos de nossas mentes inconscientes.

Por isso, você jamais deve se permitir adormecer vibrando emoções negativas, sejam decorrentes de experiências reais, como uma briga com seu companheiro ou a preocupação com as contas que tem para pagar, sejam decorrentes de experiências fictícias, como assistir a um filme de terror ou jogar um jogo de videogame violento.

É por isso também que a prática de muitas ferramentas de cocriação da realidade, como as afirmações, os decretos e as visualizações devem ser feitas no momento imediatamente anterior ao adormecimento, de modo que a vibração das emoções decorrentes dos seus desejos fique impregnada na sua mente inconsciente e na água do seu corpo para que possam ser transmitidas para o duplo. Assim, todas as noites você tem uma linda oportunidade de sintonizar a realidade dos seus sonhos com a ajuda do seu Duplo Quântico – aproveite!

ALGORITMO DA COCRIAÇÃO #51

Teoria das Supercordas

A Teoria das Supercordas é uma espetacular teoria da Física Quântica que evoluiu a partir da chamada Teoria das Cordas, cujo objetivo é comprovar a unificação das quatros forças fundamentais da Natureza,[1] assumindo a hipótese da existência de múltiplas dimensões e universos paralelos.

A teoria tem esse nome devido a pressuposição de que tudo o que existe, toda atividade, todo movimento e todas as interações do Universo resultam da vibração e da oscilação de minúsculas cordas unidimensionais que seriam a menor unidade do átomo, medindo aproximadamente 10^{-35} m.

Teoricamente, essas pequenas cordas têm a capacidade de vibrar em infinitas maneiras diferentes, dando origem a infinitas variações de expressões das partículas fundamentais, da mesma maneira que as cordas de um violão vibram para criar infinitas melodias, explicando, em última instância, o conceito de infinitas possibilidades.

---

[1] As quatro forças fundamentais são: Força Nuclear Forte, Força Nuclear Fraca, Força Eletromagnética e Força Gravitacional.

A Teoria das Supercordas adicionou um novo princípio para a compreensão do comportamento das partículas fundamentais, o Princípio da Supersimetria, segundo o qual cada partícula possui uma partícula-irmã, em ressonância com o conceito de Duplo Quântico de Jean-Pierre, o que fundamenta a perfeição matemática, a ordem e harmonia do Universo, além de implicar a necessidade de admitir a existência de universos paralelos em dimensões supercompactadas que não podem ser vistas, mas podem ser identificadas pela vibração dessas cordas.

Na prática, relacionando à cocriação da realidade e explicando de maneira muito simplificada, a Teoria das Supercordas tem a pretensão de provar a existência de uma realidade que você não pode ver nem experimentar com os sentidos físicos, mas que existe como uma vibração e frequência, confirmando o que já sabemos a respeito do conceito fundamental de Frequência Vibracional®.

ALGORITMO DA COCRIAÇÃO #52

Multiverso

A Teoria das Cordas prevê a existência de um número gigantesco de universos paralelos – aproximadamente 10^{500}, ou seja, 10 seguido de 500 zeros, um número tão absurdamente grande que não tem nem nome para descrevê-lo, mas que pode até ser chamado de infinito.

Assim surge a Teoria do Multiverso, segundo a qual a Realidade Última consiste na sobreposição de infinitas realidades que acontecem simultaneamente no agora. Assim, existem também infinitas versões suas experimentando a vida sob infinitas perspectivas neste momento.

A ideia é que a nossa vida é uma rota com bifurcações infinitas que se apresentam a cada instante – a todo momento você decide alguma coisa, escolhe um caminho cujas consequências são percebidas nesta realidade, mas existem infinitas versões suas que escolheram infinitos outros caminhos e estão vivendo, agora, infinitas outras realidades.

E tudo isso é decorrente do processo sutil e invisível de variação na vibração das cordas que a todo momento se atraem ou se repelem para expressar uma realidade dentre as infinitas realidades possíveis.

O mais incrível é que sua consciência quântica de observador da realidade tem o poder de interferir na vibração das cordas que compõem a sua própria realidade, selecionando a frequência exata, conforme seus desejos e sonhos, e que pode ser sintonizada pela ressonância ou afinidade com sua própria Frequência Vibracional®. Todas as realidades são possíveis, e o colapso da Função de Onda só depende de você, magnífico, não é?

ALGORITMO DA COCRIAÇÃO #53

Campos Morfogenéticos

Campo Morfogenético é um conceito desenvolvido pelo biólogo e parapsicólogo inglês Rupert Sheldrake que defende que existem ordens ou estruturas energéticas invisíveis que determinam os padrões de comportamento de um grupo, como uma família ou uma empresa, por exemplo. O conceito de campos morfogenéticos, que é totalmente fundamentado nos princípios básicos da Física Quântica, é também a base a partir da qual Bert Hellinger (1925-2019) desenvolveu as Constelações Familiares e Sistêmicas.

Essencialmente, os campos morfogenéticos são campos eletromagnéticos que têm sua existência no plano mental, isto é, em outra dimensão da realidade, e afetam de maneira não local as consciências das pessoas que fazem parte de uma mesma egrégora (sistema energético), incluindo o histórico de suas ancestralidades, de modo que as informações dos sentimentos de cada membro são compartilhadas com todos os outros.

A compreensão fundamental a respeito dos campos morfogenéticos é que se você cura, harmoniza e apazigua algo em você mesmo através da aceitação, do perdão e da libertação, consequentemente eleva sua Frequência Vibracional®, e a sua cura reverbera de maneira atemporal em todo o seu campo morfogenético, afetando tanto os seus ancestrais quanto os seus descendentes. O seu equilíbrio contribui para a harmonia do sistema inteiro.

Eis mais um motivo para se dedicar a expandir sua consciência e elevar sua frequência: muito mais que promover o seu autoaperfeiçoamento moral e espiritual e se tornar capaz de sintonizar seus sonhos, quando eleva sua consciência, você arrasta as outras consciências do sistema para cima também.

ALGORITMO DA COCRIAÇÃO #54

Efeito Borboleta

Efeito Borboleta é um termo cunhado em 1963 pelo matemático e filósofo norte-americano Edward Lorenz (1917-2008) e que, tecnicamente, refere-se à dependência sensível às condições iniciais dentro da Teoria do

Caos. Segundo a teoria, hipoteticamente, o bater das asas de uma simples borboleta na China poderia afetar a realidade nas américas (qualquer semelhança com a pandemia de covid-19 não é mera coincidência!).

Existe, inclusive, um filme com esse nome – *Efeito Borboleta*[2] – que ilustra como uma simples e aparentemente alteração de rota, como um encontro que acontece segundos depois ou segundos antes, pode causar uma sequência diferente de eventos capazes de afetar o desfecho da realidade e da vida das pessoas.

Na Física Quântica, o Efeito Borboleta é evidenciado através do pressuposto da existência de um só campo eletromagnético, o infinito Oceano de Energia Primordial no qual estamos mergulhados, em que a alteração de uma partícula afeta todas as demais. Na metafísica, o Efeito Borboleta é uma ilustração perfeita da Lei Universal da Unidade Divina, que em uma perspectiva espiritual, afirma o mesmo que a Física Quântica – "somos todos um", uma só mente, a Mente de Deus.

Na prática, o Efeito Borboleta nos permite ter a consciência de que pensamentos, sentimentos e comportamentos surtem efeitos não só na vida de cada um, mas em toda a coletividade, o que dá a todos a responsabilidade de elevar a própria Frequência Vibracional® não só para cocriar os seus sonhos, mas para contribuir para a elevação da frequência do planeta inteiro!

---

[2] EFEITO borboleta. Direção: Eric Bress, J.; Mackye Gruber. EUA: FilmEngine, 2004. DVD. (120 min).

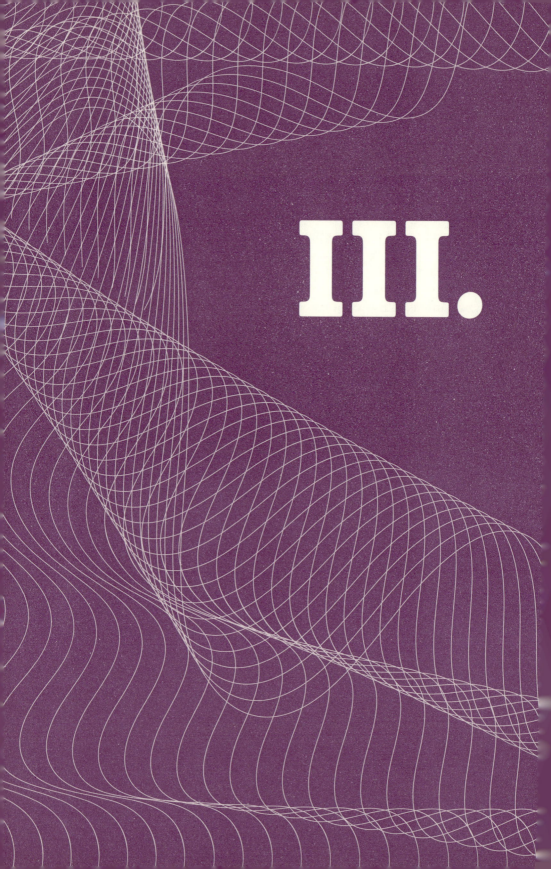

Algoritmos da Cocriação decodificados através das Neurociências, da Psicologia e da PNL

René Descartes (1596-1650), filósofo, físico e matemático francês postulou que a mente, também entendida como espírito, consciência ou energia, e a matéria eram elementos totalmente separados e independentes e que somente a matéria, que podia ser descrita pelas leis da Física, era passível de estudo científico. A mente, por sua abstração, era um assunto fadado a meras especulações metafísicas ou religiosas. Alguns séculos depois, Albert Einstein e seus contemporâneos provaram o contrário através dos princípios da Física Quântica.

Neurociências, Psicologia e programação neurolinguística (PNL) nos oferecem um magnífico conjunto de Algoritmos da Cocriação que fundamentam cientificamente os magníficos poderes da mente humana e sua relação intrínseca com a matéria, contrariando totalmente a tese cartesiana.

E é à mente que esta seção do livro se dedica, pois o acesso aos seus plenos poderes de cocriador da realidade pressupõe que você conheça as habilidades da sua mente e como ela é capaz de afetar a matéria, bem como entenda como seus pensamentos e crenças se entrelaçam com suas emoções e comportamentos para determinar a maneira como você percebe e interage com o mundo.

ALGORITMO DA COCRIAÇÃO #55

O jardim da mente

A mente humana, considerada em sua individualidade, se manifesta em dois aspectos complementares denominados de mente consciente e mente inconsciente, cada uma com suas funções específicas.

Joseph Murphy (1898-1981), em seu espetacular livro *O poder do subconsciente*, explica a relação entre mente consciente e mente inconsciente usando como metáfora a relação de um jardineiro que cultiva sementes em seu jardim: as sementes são os pensamentos que são cultivados pelo jardineiro, que é a mente consciente.

O autor explica que os pensamentos que você semeia e cultiva mais frequentemente são as sementinhas que vão brotar, germinar e crescer na mente inconsciente para dar frutos na realidade externa, de modo que se as sementes forem ruins (pensamentos negativos carregados de emoções negativas), elas gerarão situações desagradáveis, mas se forem plantadas boas sementes (pensamentos positivos carregados de emoções positivas), então a colheita será abundante na forma de uma realidade muito agradável.

Na prática, é assim: uma pessoa que cultiva frequentemente pensamentos e sentimentos negativos, como *meu dinheiro não dá para nada, alegria de pobre dura pouco, meu dinheiro voa, meu dinheiro é pouco e é muito suado, eu nasci para ser pobre, para sofrer* e similares, está semeando a semente da escassez em sua mente inconsciente e, devido à repetição, essas sementes vão florescer na forma de mais eventos e circunstâncias que confirmam a semente plantada.

Por outro lado, se a pessoa decide cultivar insistentemente pensamentos e sentimentos positivos de abundância, prosperidade, fartura, riqueza e sucesso, com repetição e persistência, essas sementinhas vão florescer e se expandir para o exterior na forma da realidade abundante intencionada.

Como diz a Bíblia, a semeadura é opcional, mas a colheita é obrigatória, e isso também é válido no jardim da mente: você é absolutamente livre para escolher os pensamentos e sentimentos que deseja cultivar na sua mente, mas a colheita, que é a manifestação da sua realidade, será sempre compulsoriamente equivalente ao que foi plantado.

ALGORITMO DA COCRIAÇÃO #56

Limpeza de crenças

No "jardim da mente" descrito por Joseph Murphy, a sementes plantadas pela mente consciente na mente inconsciente vão florescer na sua realidade externa. Contudo, para que esse processo ocorra em conformidade com suas intenções, o "solo" da mente inconsciente precisa ser limpo, pois se ele estiver tomado por ervas daninhas, nada de novo poderá germinar.

Essas ervas daninhas que deixam o solo da mente inconsciente infértil são as crenças limitantes, são as verdades que já estão instaladas lá, ocupando espaço e impedindo o acesso de novas informações. Se sua mente inconsciente armazenar crenças de escassez e fracasso, por exemplo, antes de plantar as sementes da prosperidade e do sucesso, é preciso limpar o solo, isto é, limpar essas crenças.

É por isso que quando você deseja de maneira consciente uma nova realidade, mesmo agindo e trabalhando para realizá-la, infelizmente não alcança o sucesso, pois sua mente inconsciente, contaminada pelas crenças limitantes, não acredita que é possível.

Assim, o primeiro passo para a cocriação de um sonho, para a cocriação de uma nova realidade, consiste em se dedicar a desprogramar suas crenças limitantes e programar novas crenças empoderadoras. Naturalmente, minha sugestão número um para operacionalizar a reprogramação das suas crenças e deixar você apto a semear tudo o que você desejar é a prática da Técnica Hertz®.

ALGORITMO DA COCRIAÇÃO #57

Autoimagem

Autoimagem, como o nome sugere, é a imagem que você tem de si mesmo, isto é, a maneira como, na intimidade secreta dos seus pensamentos, você se vê, o que pensa sobre si, como se sente em relação a ser quem é e como percebe suas qualidades e potencias.

O conceito de autoimagem é explorado de maneira brilhante pelo médico norte-americano dr. Maxwell Maltz (1899-1975) em seu livro *Psicocibernética*. Segundo o autor, a sua autoimagem determina os limites do seu sucesso em qualquer área da vida e, por isso, o segredo da transformação pessoal capaz de converter uma realidade de fracasso em uma realidade de sucesso está na alteração da autoimagem.

Essencialmente, a sua autoimagem corresponde às suas convicções e crenças inconscientes a respeito de si mesmo. É por isso que quando seus desejos conscientes pelo sucesso não coincidem com a sua autoimagem, ainda que você pense positivo e visualize o sucesso desejado, o mecanismo criativo da mente inconsciente não é ativado, e a autoimagem limitada prevalecerá determinando seus comportamentos e a manifestação da sua realidade.

Por outro lado, quando as crenças são reprogramadas, sua autoimagem se altera de maneira que sua mente inconsciente passa a acreditar que você merece a realização de seus desejos conscientes de sucesso, saúde, felicidade e abundância e, automaticamente, passa a trabalhar buscando formas de alcançar seus objetivos.

ALGORITMO DA COCRIAÇÃO #58

Mente Criativa

A Mente Criativa, de acordo com o dr. Maltz, corresponde ao mecanismo criativo automático que caracteriza a mente inconsciente em sua natureza teleológica, no sentido que a mente inconsciente sempre opera com uma finalidade específica, orientada para realizar uma determinada tarefa e alcançar um objetivo.

Em suma, você pensa em um resultado com sua mente consciente, e a sua mente inconsciente, quando livre de crenças limitantes, automaticamente colocará a criatividade em ação para providenciar os meios para a realização desse objetivo. É da própria natureza da sua mente inconsciente ser criativa para fornecer soluções para satisfazer os desejos da mente consciente.

Eis, portanto, a explicação neurocientífica do motivo pelo qual, no processo de cocriação de sonhos, devemos focar no resultado desejado, sem tentar prever ou controlar como as coisas vão acontecer, pois esse é o trabalho da mente inconsciente.

Se você tentar controlar racionalmente, só atrapalhará o processo, pois ansiedade, medo, dúvida e preocupação travam o mecanismo criativo. Se você confia na sua Mente Criativa e consegue sentir e agir como se seu desejo já estivesse realizado, então o mecanismo criativo entra em ação para que sua realidade externa seja uma projeção da sua realidade interna.

ALGORITMO DA COCRIAÇÃO #59

Servomecanismo

Ainda de acordo com o dr. Maltz, nossa mente inconsciente é um "servomecanismo", termo que ele tomou emprestado da Engenharia Mecânica e é descrito como um sistema automatizado que multiplica de maneira exponencial o esforço do condutor de uma máquina – por exemplo, você é capaz de parar um carro que se move a 100 km/h e que pesa uma tonelada pisando sutilmente no pedal do freio porque o sistema de freios é um servomecanismo.

De maneira análoga, nossa mente inconsciente possui um servomecanismo cujo objetivo é atingir metas com o mínimo de esforço. A vontade consciente e o pensamento racional sobre a realização de um desejo são os gatilhos que ativam a automação servomecanismo pelo qual a mente inconsciente buscará os meios para atingir os fins propostos.

Em outras palavras, o simples ato de desejar, pensar e visualizar o seu sonho realizado já é suficiente para ativar o mecanismo automático para a realização, e a única condição é que você faça o favor de não oferecer resistência, questionando o "como", sendo ansioso, apressado ou duvidando. Sem resistência, é possível que quase instantaneamente surjam novas ideias que brotam a partir de novos padrões de raciocínio.

ALGORITMO DA COCRIAÇÃO #60

Linguagem não verbal

Segundo René Descartes, a linguagem lógica e verbal é considerada a mais relevante e mais confiável forma de comunicação, sendo a linguagem mais adequada para o pensamento científico. Contudo, nossos pensamentos e desejos podem ser processados e expressados de várias maneiras diferentes da linguagem verbal, falada ou escrita, com que estamos habituados.

Existem inúmeras formas de comunicação não verbal que utilizam uma linguagem intuitiva, simbólica e não científica, as quais operam paralelamente à linguagem verbal, como por exemplo, a linguagem não verbal das imagens. Enquanto o pensamento lógico expresso pela linguagem verbal é a forma mais usada para nos comunicarmos com as outras pessoas e com a realidade externa, a linguagem não verbal das imagens é a forma pela qual nós nos comunicamos com nossa realidade interna, com nossa mente inconsciente.

De acordo com o dr. Gerald Epstein, autor do livro *Imagens que curam* e fundador da Academia da Visualização, pela qual sou formada, enquanto a realidade externa demanda a linguagem verbal, a realidade interna pressupõe a linguagem não verbal das imagens.

As imagens são a melhor linguagem com a qual você pode se comunicar com sua mente inconsciente para expressar seus desejos. Elas têm o poder de produzir emoções que são capazes de alterar seus padrões de pensamentos e sentimentos, ou seja, são capazes de reprogramar suas crenças. É por isso que a Visualização Holográfica, especialmente quando praticada dentro da Técnica Hertz®, é a ferramenta de cocriação mais poderosa que existe.

ALGORITMO DA COCRIAÇÃO #61

Realidade e imaginação

Certamente, em alguma situação da sua vida, você já deve ter se perguntado: *Isso é real ou será que estou só imaginando?*, partindo da premissa de que a realidade e imaginação são opostas entre si. De fato, na linguagem comum do dia a dia, "real" e "imaginário" são considerados antônimos.

Contudo, em uma perspectiva quântica, a realidade física e a realidade imaginária são as polaridades de uma só Realidade, que compartilham da mesma essência energética, diferindo somente com relação à presença ou ausência da massa. Nas Neurociências, realidade e imaginação também são consideradas experiências da mesma natureza, no sentido de que são capazes de gerar os mesmos efeitos fisiológicos e neurológicos, a mesma capacidade para produzir emocionais e afetar as estruturas das redes neurais.

Por serem as polaridades de uma mesma unidade, que é a realidade em si, o fisicamente real e o mentalmente real estão interligados, se comunicam entre si e estão submetidos à possibilidade de inversão de polaridade, de modo que aquilo que é físico pode voltar a ser mental (como um problema) e aquilo que é imaginário pode se tornar físico (como um sonho realizado).

Basicamente, é essa a habilidade do cocriador: transitar conscientemente entre a realidade física e a realidade imaginária, devolvendo os problemas para a polaridade onde não existe matéria e trazendo seus sonhos para a polaridade da matéria, moldando a vida conforme sua intenção, desejo e conveniência a partir da energia da sua realidade mental e emocional.

ALGORITMO DA COCRIAÇÃO #62

Imagens e emoções

As imagens que surgem na sua mente quando você está pensando em um problema ou pensando no seu grande sonho são feitas de pura energia e, quando associadas a sensações e emoções, têm a capacidade de afetar a matéria, reproduzindo o problema ou a manifestação do sonho de acordo com seu foco.

Imagens e emoções se relacionam de maneira íntima e recíproca, de modo que emoções produzem imagens, e imagens desencadeiam emoções. Você pode fazer um teste: feche os olhos e veja o amor! Sua mente vai lhe mostrar uma imagem que representa essa emoção para você, com o detalhe de não ter tempo predefinido – sua mente tanto pode lhe mostrar uma cena do seu passado, do presente ou do futuro que você está cocriando.

Se você foca na sua imagem, mesmo que ela tenha sido produzida a partir do conceito teórico de amor, vai gerar a emoção amor que, se você permitir e estender a visualização, vai tomar conta do seu corpo inteiro. Veja que fantástico: se você pensa em uma emoção, sua mente cria uma imagem; e, por outro lado, se você cria uma imagem, seu corpo produz uma emoção, de maneira que emoção e imagem se apresentam como os dois lados da mesma moeda.

Essa é uma magnífica explicação do poder da Visualização Holográfica – você cria as imagens dos seus sonhos para gatilhar as emoções elevadas correspondentes e, assim, você altera suas redes neurais, a bioquímica do corpo e, logicamente, também eleva sua Frequência Vibracional®. É assim que as visualizações funcionam: em essência, você cultiva as imagens mentais com o objetivo de que elas produzam emoções, sentimentos e sensações para afetar seu corpo físico e, claro, elevar a sua Frequência Vibracional®.

ALGORITMO DA COCRIAÇÃO #63

5 × 95

Com a novidade tecnológica da ressonância magnética funcional, os neurocientistas podem estudar o funcionamento do cérebro em tempo real e, com isso, identificar com precisão quais são as estruturas envolvidas nas mais diversas atividades da mente e do corpo.

Uma questão muito estudada com esse tipo de recurso tecnológico é o processamento mental de informações. A descoberta foi que a mente consciente executa uma forma de processamento que apresenta natureza serial, quer dizer, processamento em série, uma informação de cada vez. Enquanto isso, o processamento de informações na mente inconsciente é de natureza paralela, o que significa que ela é capaz de processar várias informações ao mesmo tempo.

A conclusão é que, devido à otimização decorrente do processamento serial, a mente inconsciente é responsável por processar muito mais informações que a mente consciente. E tem mais: o pouco que sua mente consciente é capaz de processar ainda é processado sob a "supervisão" da mente inconsciente, que toma a liberdade de "censurar" e "editar" seus pensamentos em conformidade com suas crenças e com sua autoimagem, como Freud supôs.

Basicamente, enquanto sua mente consciente está muito ocupada tentando decidir se é melhor tomar café puro ou adoçado, sua mente inconsciente está, simultaneamente, gerenciando todas as funções fisiológicas involuntárias, todos os comportamentos automáticos e todas as expressões das suas crenças, emoções e sentimentos, além de decidir por você que é melhor o café preto porque desde criança você ouve sua mãe dizer que "açúcar mata".

Com isso em mente, aquela famosa ilustração que mostra figura de um iceberg com apenas uma pontinha acima da superfície da água e uma gigantesca porção submersa é, de fato, a metáfora mais adequada para explicar a relação desproporcional existente entre o processamento de informações na mente inconsciente e na mente consciente.

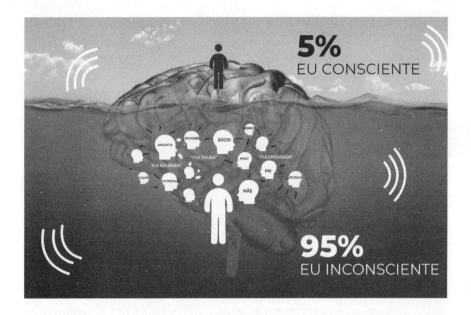

Na figura, a pequena parte emersa representa sua capacidade de raciocinar, fazer contas, ler um livro, escrever, entender o que os outros falam, usar o celular e outras habilidades práticas, enquanto a enorme parte submersa representa suas crenças, segredos, emoções, desejos reprimidos, traumas, medos, autoenganos, autossabotagens, ressentimentos, recalques etc.

Os neurocientistas estimam que essa proporção seja de 5% para o domínio da mente consciente e 95% para a mente inconsciente. Contudo, não desanime, pois esses modestos 5%, quando bem direcionados, são capazes de modificar até as porções do iceberg que estão submersas em águas de profundezas abissais. Você executa toda essa proeza quando, por exemplo, usa seus 5% de mente consciente para decidir praticar a Técnica Hertz®!

ALGORITMO DA COCRIAÇÃO #64

Inconsciente cognitivo

Sempre que você pensa sobre algo, emite uma simples opinião ou toma uma decisão, o conteúdo do seu pensamento consciente é "filtrado" pelo conteúdo da sua mente inconsciente, de modo que o cérebro executa várias operações complexas para possibilitar uma representação na mente consciente que é baseada em um "arquivo" – memória ou percepção – anteriormente armazenada na mente inconsciente.

Esse processo de expressão dos conteúdos inconscientes no consciente deu origem ao termo "inconsciente cognitivo", também chamado de "novo inconsciente", conceito que é válido, sobretudo, em relação ao processo de escolha e tomada de decisões, de maneira que se torna evidente que suas decisões são, em última instância, determinadas pelo seu conjunto limitado e limitante de crenças e percepções.

Acontece que suas escolhas e decisões criam a sua realidade e, se elas estão condicionadas a possibilidades limitadas, você não consegue criar uma nova, ainda que se conscientemente se dedique para isso. Portanto, se você deseja uma nova realidade, você precisa ter escolhas ilimitadas à sua disposição e, para isso, você precisa limpar os conteúdos limitantes da sua mente inconsciente para que ela possa determinar sua realidade com base nas possibilidades ilimitadas da Matriz Holográfica®.

ALGORITMO DA COCRIAÇÃO #65

Neuroplasticidade

A neuroplasticidade, como o nome sugere, significa que seus neurônios são plásticos, isto é, maleáveis e flexíveis, de modo que podem se organizar e reorganizar indefinidamente conforme as informações, aprendizados e experiências que você tem.

A neuroplasticidade é, certamente, a mais magnífica característica do cérebro e um dos mais importantes Algoritmos da Cocriação decodificados a partir das Neurociências, posto que ela permite o aprendizado de coisas novas. Isso significa também que é a neuroplasticidade que vai permitir que você elimine suas crenças limitantes e instale novas crenças empoderadoras. Em última instância, é a neuroplasticidade que possibilita a morte do velho eu e o nascimento do novo eu.

O melhor é que o único pressuposto para ativar a faculdade neuroplástica do seu cérebro é a sua decisão firme, seu compromisso com a mudança pelo qual você, intencionalmente, decide não ter mais os mesmos pensamentos e nem ter mais os mesmos comportamentos que vinha cultivando, substituindo-os por novas escolhas, novos pensamentos e novos comportamentos, em congruência com o novo eu que você deseja ser e com o sonho que deseja cocriar.

A neuroplasticidade demanda repetição: quando ocorre uma nova experiência, a memória dessa experiência é registrada em uma rede neural, que é uma comunidade de neurônios, então, na medida em que o novo padrão é repetido, a rede neural se fortalece, e quanto mais repetição, mais rapidamente o padrão instalado se torna o seu novo "normal".

Ainda tem mais um detalhe incrível: você não precisa ter experiências na realidade física para ativar a neuroplasticidade! Experiências imaginárias, desde que sejam carregadas emocionalmente, ativam a neuroplasticidade na mesma intensidade que uma experiência física.

Mesmo que as condições da sua realidade não estejam muito boas, se você se permitir ser abduzido pelo mundo da imaginação através da Visualização Holográfica, começará a modificar a sua realidade de dentro para fora.

Na prática, quando você ensaia holograficamente viver na pele do seu novo eu – ser, ter, fazer e, sobretudo, sentir como seu novo eu saudável, feliz, realizado, próspero, rico, abundante e bem-sucedido, você se programa neurológica e biologicamente para viver essa realidade no plano da matéria.

ALGORITMO DA COCRIAÇÃO #66

Memórias e emoções

Sempre que tem uma experiência, você produz uma emoção, a qual fica registrada no seu corpo como uma memória. Esse mecanismo funciona assim: seus sentidos enviam a informação da experiência para o seu cérebro, onde uma rede neural se organiza para armazenar essa informação na forma de uma memória, que faz com o cérebro envie para o corpo um produto químico da experiência, a emoção, e fazendo com que sua fisiologia seja ajustada ao conteúdo da memória, de modo que você sinta em conformidade com o que pensa, e vice-versa.

As memórias ficam neurologicamente registradas no cérebro enquanto as emoções ficam quimicamente registradas no corpo. Isso significa que quando intencionamos limpar uma memória de dor, um evento traumático que produziu uma crença limitante, por exemplo, o que precisamos fazer não é exatamente eliminar a memória, e sim a química da emoção que ainda circula no corpo determinando como se sente e pensa.

Não é possível eliminar a memória em si, enquanto registro biográfico ou lembrança de um acontecimento, mas é perfeitamente possível eliminar a química do estresse que essa memória de dor produz no corpo. Quando a emoção é liberada, a bioquímica se altera de maneira positiva, a dor passa e a memória se torna apenas uma lembrança, um fato da sua história, uma fonte de sabedoria.

E como se faz isso? Bem, para começar, é preciso sair da vitimização, aceitar o que aconteceu e perdoar quem deve ser perdoado. Paralelamente, através da meditação, visualização ou prática da Técnica Hertz®, você vai vislumbrar o seu novo futuro, o seu novo eu, criando novas memórias na medida em que cultiva as emoções de frequência superior.

ALGORITMO DA COCRIAÇÃO #67

Sobrevivência × criatividade

Segundo ensina Joe Dispenza, seu corpo, seu cérebro e sua mente possuem dois modos elementares de operação: o modo sobrevivência e o modo criativo, e ambos vão se alternando ao longo do dia, da semana, dos anos e da vida em geral, contudo, em geral, você sempre terá um modo predominante, que determina sua personalidade, estado de ser e, consequentemente, determina sua realidade.

O modo criativo, como o nome sugere, é a maneira como você coloca em prática seu potencial para criar coisas novas – novas ideias, novos projetos, trabalhos, relacionamentos e, até mesmo, uma nova personalidade, se assim desejar. No modo criativo, as funções de relaxamento e regeneração do sistema nervoso parassimpático estão ativadas, havendo a predominância da bioquímica do bem-estar, evidenciada por uma sensação de tranquilidade, paz, harmonia, alegria, amor e leveza para lidar com os problemas. Esse é o modo em que sua Frequência Vibracional® está naturalmente elevada, possibilitando a cocriação consciente da realidade.

Já o modo sobrevivência, também como o nome sugere, é o modo em que sua vida é uma constante luta, dando aquela famosa impressão de "ter de matar um leão por dia" para sobreviver a um mundo cheio de perigos e ameaças. No modo sobrevivência, as atividades do sistema nervoso parassimpático estão suspensas, predominando as atividades excitatórias do sistema nervoso simpático que, entre outros efeitos, faz com que você não relaxe, esteja sempre em alerta, na defensiva, sob a química dos hormônios de estresse que o deixam sempre pronto para lutar ou fugir do inimigo.

Em uma comparação com o trabalho de David Hawkins, o modo sobrevivência corresponde aos níveis de consciência inferiores a 200 Hz, os quais ele denomina de campos atratores de força, enquanto o modo criativo corresponde aos níveis de consciência superiores a 200 Hz, denominados de campos atratores de poder.

No tocante a cocriação da realidade, a predominância do modo de sobrevivência ou criativo vai determinar sua Frequência Vibracional® e sua realidade, definindo, em última instância, se você é uma vítima ou um cocriador da realidade.

ALGORITMO DA COCRIAÇÃO #68

Coerência cardíaca

A coerência cardíaca, conforme definida pelo Instituto HeartMath,[3] consiste na capacidade de regular de maneira intencional os batimentos cardíacos para que sejam rítmicos e ordenados independentemente dos estímulos e das condições do ambiente externo.

Eu participei de várias formações no HeartMath, em que eles ensinam dezenas de técnicas para acessar a coerência cardíaca. A mais elementar de todas é muito fácil: basta que você respire colocando sua atenção no seu coração, com a intenção de cultivar emoções elevadas como amor, paz, alegria e gratidão. Simples assim!

Acessando o estado de coerência cardíaca, além de regular os batimentos do seu coração, você reduz a frequência das ondas cerebrais, ativa os mecanismos regeneradores do sistema nervoso parassimpático, inibindo o estresse, promovendo o relaxamento, a diminuição no fluxo dos pensamentos aleatórios e, consequentemente, permitindo a conexão com o momento presente.

Além disso, como o coração é o ponto médio entre os chakras inferiores e superiores, quando em estado de coerência, ele unifica o fluxo energético do corpo, dissipando sentimentos de vitimização, carência ou escassez, tornando-se um verdadeiro portal para acessar os níveis de consciência mais elevados. É através do coração que nos conectamos com a Fonte, expressamos nossos sentimentos e sintonizamos os potenciais desejados na Matriz Holográfica®.

ALGORITMO DA COCRIAÇÃO #69

Expansão energética do coração

No estado de coerência cardíaca, quando propositalmente escolhemos as emoções que queremos ativar em vez de permitir que as circunstâncias do ambiente determinem como nos sentimos, o sinal energético coerente dessas emoções é enviando do coração para o cérebro, provocando a

---

[3] HeartMath Institute (HMI) é uma organização sem fins lucrativos fundada em 1991, nos Estados Unidos, e que tem por objetivo a realização de pesquisas científicas independentes sobre a inteligência do coração.

liberação da bioquímica do bem-estar, o que altera positivamente nosso estado de ser, elevando nossa Frequência Vibracional®.

É assim que nós nutrimos nosso campo eletromagnético para que ele se expanda ainda mais, o que é refletido de volta para o corpo através de uma nova bioquímica mais equilibrada e saudável, como também é projetado para o Universo, enviando um sinal coerente para facilitar a conexão com a Matriz Holográfica®.

Dessa maneira, nosso coração, em estado de coerência, atua como um dispositivo quântico de expansão de energia que produz um campo magnético próprio em volta do coração, o qual se funde ao campo eletromagnético do corpo para expandi-lo.

Essa energia decorrente da coerência foi mensurada pelos pesquisadores do HeartMath, que descobriram que o campo magnético produzido pelo coração que bate coerentemente é cerca de 4 mil vezes mais forte que o campo energético produzido pelo cérebro, de modo que o magnetismo do coração se sobrepõe ressoando em cada célula do corpo físico e irradiando a energia dos sentimentos para o Universo.

Em resumo, quando nos dedicamos a direcionar nossa atenção para o coração e para a ativação das emoções positivas através da coerência cardíaca, o novo padrão rítmico e harmônico dos batimentos amplifica exponencialmente a energia das emoções. No corpo físico, isso promove a sincronização do coração e do cérebro, afetando todos os órgãos, e favorece o restabelecimento do equilíbrio; no corpo energético, promove expansão do campo eletromagnético, elevação da Frequência Vibracional® e comunicação direta com a Matriz Holográfica®.

ALGORITMO DA COCRIAÇÃO #70

Neurônios do coração

Eu aposto que em algum momento da sua vida você já teve a sensação de que o seu coração tem "ideias próprias", no sentido de que às vezes você até quer agir de uma certa maneira, mas ele "manda" você agir diferente.

O fato é que essa sensação é bastante comum, e a explicação está na novíssima especialidade das Neurociências, a neurocardiologia, que tem por objeto de estudo a atividade dos pelos menos 40 mil neurônios contidos nos tecidos musculares que formam o coração.

Conforme as pesquisas do médico e neurocientista dr. J. Andrew Armour, que é um pesquisador associado ao Instituto HeartMath, nosso coração não só possui neurônios como também possui uma espécie de minissistema nervoso independente do cérebro, denominado de "sistema nervoso intrínseco cardíaco", ou simplesmente "coração-cérebro".

É por isso que quando o coração está em coerência, seu minissistema nervoso envia sinais para o sistema nervoso no cérebro que interagem com as estruturas emocionais e cognitivas, sendo capaz de alterar o padrão de funcionamento delas, sincronizando-as com o padrão coerente do próprio coração.

Na prática, o resultado é que você tende a parar de reagir a situações de estresse e se torna capaz de gerenciá-las com a sabedoria do coração, ou seja, as emoções e sentimentos positivos cultivados no coração têm a capacidade de afetar o processamento de informação feito pelo cérebro; o que possibilita, entre outras coisas, a criação das novas redes neurais do seu novo eu.

ALGORITMO DA COCRIAÇÃO #71

Coerência coração-mente

Conforme os princípios gerais da cocriação da realidade, já sabemos que a cocriação de sonhos depende do alinhamento vibracional, que pressupõe a congruência entre pensar, sentir e agir.

Nas Neurociências, encontramos a explicação científica para essa pressuposição: quando ativamos os pensamentos a respeito do sonho que estamos cocriando na imaginação e cultivamos as emoções elevadas correspondentes no coração, essa coerência, explicando com palavras bem simples, abre as portas da mente inconsciente e sincroniza a programação com os pensamentos sobre a nova realidade que desejamos.

Os pensamentos alinhados vibracionalmente com os sentimentos produzem um estímulo capaz de programar o sistema nervoso autônomo (expressão da mente inconsciente) através da energia das emoções. Os sentimentos sincronizam mente e corpo, permitindo a incorporação antecipada da personalidade do novo eu, fazendo com que você seja capaz de não só pensar no seu desejo realizado, mas também de senti-lo.

Naturalmente, essa coerência coração-mente que você acessa ao visualizar e sentir o seu desejo realizado através da sua imaginação permite que você coloque em prática a mais fundamental máxima da cocriação – Ser para Ter – e passe a emitir uma nova Assinatura Eletromagnética® para a Matriz Holográfica®, que é poderosa o suficiente para sintonizar o potencial desejado e provocar o colapso da Função de Onda.

ALGORITMO DA COCRIAÇÃO #72

Metacognição

A metacognição é uma faculdade exclusiva da mente humana que permite refletir sobre os próprios pensamentos, sentimentos e comportamentos, ou seja, a metacognição corresponde à capacidade de auto-observação, um magnífico Algoritmo da Cocriação que permite que você tenha consciência a respeito de quem está sendo, o que está sentindo e o que está fazendo.

A metacognição, ou auto-observação, possibilita a identificação de crenças e padrões automáticos de comportamento, expondo-os à luz da consciência para que possam ser inibidos, corrigidos e substituídos, se necessário. É através da auto-observação que, gradualmente, você pode perceber os padrões do seu velho eu que precisam ser eliminados para que possa se tornar o novo eu que está cocriando. A auto-observação é um recurso valiosíssimo para viabilizar as transformações externas a partir das transformações internas.

Quando você está cocriando um grande sonho, ou simplesmente está na busca pelo autoconhecimento e autoaperfeiçoamento moral e espiritual, a metacognição lhe permite se colocar na posição de observador de si mesmo, de modo a assumir o controle manual da sua vida e não deixar "passar batido" nenhum pensamento, sentimento, palavra ou atitude que sejam contrários à cocriação dos seus sonhos e objetivos.

Ressalto aqui que a metacognição é uma ferramenta de mudança, não de julgamento, culpa, vergonha, tristeza ou raiva. Portanto, se você perceber que pensou, sentiu, falou ou fez algo que não condiz com seu novo eu, por favor, não entre no lugar de vítima de si mesmo, se julgando e condenando, apenas observe o que aconteceu e, com gratidão pela oportunidade, acolha a situação e aja para modificá-la, sem drama, mas com firmeza e serenidade.

ALGORITMO DA COCRIAÇÃO #73

Glândula pineal

A glândula pineal, também chamada de epífise na medicina ou de terceiro olho nas doutrinas esotéricas, é uma minúscula estrutura localizada na parte central do cérebro que tem forma de pinha e mede entre 5 e 9 milímetros. Desde a antiguidade, ela é estudada e admirada, sendo considerada como o "lar da consciência", um símbolo da espiritualidade, a ponte que conecta matéria e espírito, o humano e o Divino; e, mais recentemente, também é objeto de estudo das Neurociências.

Essa pequena glândula maravilhosa possui funções fisiológicas importantíssimas para a homeostase do corpo físico, sendo responsável pela regulação do ritmo circadiano,[4] ativação e regulação da hipófise, que é a "glândula mestra", responsável por orquestrar o funcionamento das outras glândulas do corpo. Quando ativada intencionalmente durante uma prática meditativa, a glândula pineal sinaliza a hipófise para que esta libere, por exemplo, a ocitocina, neurotransmissor que inibe o estresse e promove a sensação de bem-estar.

Além dessas funções fisiológicas essenciais, a glândula pineal também possui funções metafísicas. Associada ao sexto chakra, o Chakra Frontal ou *Ajna*, ela possibilita a transcendência dos sentidos e a abertura para a canalização da inspiração e sabedoria divinas.

Em uma metáfora, a glândula pineal é como uma antena que transmite e recebe informações de outras dimensões, promovendo a conexão direta com a Matriz Holográfica®. Em estados meditativos mais profundos, ela pode, inclusive, liberar um metabólito chamado DMT, que é o princípio ativo da Ayahuasca, que promove o completo relaxamento do corpo, abertura da visão do "terceiro olho" e expansão da consciência.

Essa conexão interdimensional é possível porque, conforme as pesquisas das Neurociências combinadas com as da Física Quântica mostraram, a glândula pineal é capaz de emitir enormes e potentes campos eletromagnéticos capazes de sintonizar outros campos de frequências elevadas, possibilitando a captação de informações que são traduzidas em imagens e exibidas na "tela" da mente, proporcionando uma experiência intensa de Visualização Holográfica.

Em resumo, a ativação da glândula pineal permite que você sintonize e visualize com clareza a realidade que você deseja cocriar, experimentando, antecipadamente, através da visualização, a realidade potencial que já existe na Matriz Holográfica®, conectando o seu campo eletromagnético com o campo do potencial desejado, facilitando e acelerando a ocorrência do colapso da Função de Onda.

---

[4] Ritmo biológico de alternância entre sono e vigília determinado pela produção e liberação alternada de melatonina e serotonina, uma das funções da glândula pineal.

ALGORITMO DA COCRIAÇÃO #74

Mente expansiva

O conhecimento amplia o nível de consciência da personalidade. Você deve assumir todos esses atributos implicados a si, tomar e domar toda essa sabedoria natural à sua existência cósmica. Para acessá-los, existem infinitas possibilidades.

Toda forma de conhecimento expande a consciência, ajuda a formar novas redes de saber e, como consequência, fortalece o seu poder da cocriação, especialmente o de riqueza, prosperidade e abundância. Logo, quanto mais entendimento geral sobre a vida, sobre o saber sagrado e científico, mais expansivo será o seu despertar.

Assim, de acordo com pesquisas e testes aplicados por neurocientistas, o seu cérebro é expansivo e neuroplástico, ele jamais para de aprender, e está sempre disposto a alargar as estacas mentais, criar novas sinapses e estabelecer uma nova rede neural a partir de novas informações adquiridas, eventos percebidos e ensinamentos revigorados.

Tudo pode expandir na sua mente, toda forma de conhecimento, seja quando faz um curso sobre prosperidade, passa por um treinamento, viagem, aula assistida ou ministrada, filme, conversa com alguém empático, relacionamento, trabalho ou mesmo em um momento de diversão.

Você pode ampliar seu conhecimento, o seu nível de consciência e compreender-se cada vez mais, a todo o momento, de modo incessante e ilimitado, visto que a instrução representa toda a riqueza que carrega dentro de si. Com isso, você pode controlar o seu destino, comandar o seu futuro com maestria e arquitetar a vida dos seus sonhos, cheia de tesouros, pois você é um cocriador quântico da realidade.

ALGORITMO DA COCRIAÇÃO #75

Escolhas recorrentes

Não tem como mudar ou criar um novo caminho neural se você mantém os mesmos hábitos, a mesma postura, o mesmo pensamento e reproduz os mesmos comportamentos. Eu diria que esse é, de fato, um bloqueador da prosperidade ou de qualquer iminente desejo na sua vida.

Quando você escolhe ir sempre para o mesmo lado, comer sempre no mesmo lugar da mesa, assistir sempre aos mesmos filmes, acordar e dormir sempre do mesmo jeito, os resultados serão, evidentemente, os mesmos. De maneira similar, isso se reproduz em todas as áreas da vida: as mesmas escolhas em relação à dinheiro, saúde, alimentação, relacionamentos etc., sustentam os mesmos resultados na mesma manifestação de realidade.

Existe um princípio nas Neurociências que evidencia o padrão reproduzido pelas células nervosas e mostra que os neurônios criam eletroquímica e acendem em conjunto, ou seja, eles se ligam ao mesmo tempo, a partir de pensamentos e de emoções que indicam a mesma coisa. Então, isso produz os mesmos comportamentos repetidos, as mesmas experiências financeiras e, consequentemente, as mesmas emoções.

Na prática, isso quer dizer que o seu cérebro não cria novas sinapses, nem caminhos neurais alternativos para ativar novas crenças ou circuitos neurais de vibração elevada, compatível com a energia da abundância universal. Com essa sensação padrão e com esse comportamento semelhante, nada de novo acontece em sua vida, a roda gira e você segue na mesma frequência e no mesmo estado inalterado de ser.

Por isso, você mantém, essencialmente, o mesmo conjunto de comportamentos e reações emocionais memorizadas na mente. Seguindo as mesmas atitudes, a mesma identidade, os mesmos comportamentos e crenças inconscientes no seu programa computacional mental.

Como consequência, você obtém sempre os mesmos resultados, que deixam sua vida estagnada, e seus sonhos parecem uma realidade distante e inatingível, uma vez que não são cocriados ou modelados novos recursos internos para colapsar futuros desejos.

O ideal, então, é mudar, procurar inovar, buscar novos conhecimentos, aprendizados e fazer escolhas diferentes com frequência. Sua mente precisa expandir, suas ideias precisam ser liberadas do campo das sombras e suas escolhas ou decisões devem sempre ser ajustadas e reajustadas, se assim for necessário, para conduzir sua energia e seu padrão emocional ao alinhamento pressuposto para a realização do seu sonho.

Lembre-se de que o Universo é livre, de que os recursos e as escolhas são infinitos. Você só precisa ajustar seu destino, procurar caminhos alternativos e abrir espaço no seu "HD mental" para ativar novas conexões de prosperidade e de abundância.

É perfeitamente possível viver uma vida extraordinária. Então, aceite e crie isso na sua mente, perceba a mudança neuroplástica e eletroquímica dentro do seu cérebro e comece a experimentar um destino de ouro, de realizações fantásticas. É dessa maneira que você evitará as escolhas reproduzidas e recorrentes, criando novas versões de si mesmo em ressonância com a abundância e a prosperidade do Universo.

ALGORITMO DA COCRIAÇÃO #76

Dormir bem

Quando uma pessoa tem insônia ou não dorme direito, ela não sofre apenas consequências físicas, mas também espirituais, emocionais, mentais e energéticas, pois deixa de liberar, por exemplo, quantidades adequadas de melatonina, a substância bioquímica produzida pelo cérebro através da glândula pineal.

A glândula pineal, como expliquei antes, está ligada ao Chakra Frontal e à nossa capacidade sensitiva e perceptiva da realidade. É através da pineal que nos conectamos com a Fonte Criadora e entramos, literalmente, em fase com o Universo. Por isso, quando a pessoa não dorme direito, ela acaba se privando de acessar e se conectar com a Matriz Holográfica®, ou seja, ela não consegue entrar em ressonância com a Fonte Criadora, nem com o manancial de abundância do Universo.

Esta desconexão com a Fonte vai gerando mais e mais agonia, desespero e ansiedade. Como consequência, as cocriações intencionadas não são colapsadas, provocando ainda mais frustração, mais ansiedade, mais inibição de melatonina, mais bloqueio mental e neuroassociativo.

Com o Chakra Frontal em desequilíbrio, o fluxo vital também não acessa o corpo e o campo relacional da maneira correta, e tudo permanece obstruído, sem vida, sem energia pulsante e sem a vibração necessária para você acessar o campo quântico de prosperidade e de infinitas possibilidades.

Eu posso dizer que somos um sistema pleno e integral. Quando uma peça não funciona, toda a operação é prejudicada. Sem melatonina, o metabolismo fica mais lento, as sinapses mais atrasadas na mente, os caminhos neurais são anulados ou desativados, e você não consegue usar todo o seu potencial criativo e de visualização.

Por isso, você não consegue sentir novas emoções, estabelecer novos padrões mentais ou comportamentais, muito menos ativar as camadas desligadas da mente inconsciente para estabelecer novas conexões vibráteis alinhadas com seus desejos, tampouco consegue estimular a sua vibração fisiológica para entrar em ressonância e em fase com a Matriz Holográfica®.

O contraponto disso é simples: equilibrar as horas de sono, sair do estado de vigilância e de alerta constante, de medo, de desespero, de ansiedade e de insegurança. Você pode usar o recurso da meditação, começar a praticar exercícios ou algum esporte e, assim, passar a dominar seus pensamentos, cortando energeticamente qualquer comando pejorativo, assim como serenar suas emoções.

Foque no dia de hoje e em seu estado de presença, pois o que lhe resta é o dia de hoje, este momento, sua vida no aqui e no agora, e nada mais. Tome consciência deste poder do agora e mude sua realidade. Cuide também da alimentação, beba bastante água, tenha fé, acredite em um novo amanhecer e na paz do Criador. Você pode manifestar qualquer desejo quando harmonizar todos esses fatores emocionais, físicos e espirituais.

ALGORITMO DA COCRIAÇÃO #77

Barreira do terror

Para produzir uma realidade repleta de amor, saúde, felicidade, sucesso e todas as formas de abundância na vida, você deve, antes de tudo, desviar da chamada Barreira do Terror. Esta barreira é constituída de um conjunto de hábitos adquiridos ao longo de nossa história, combinados com uma infinidade de crenças limitantes impressas no nosso DNA, nas células e no inconsciente. Esses hábitos determinarão nosso modelo de vida.

Para você entender, a Barreira do Terror aparece quando existe envolvimento emocional através de alguma situação ancorada por novas imagens e a necessidade de tomada de decisões. Por essa razão, o inconsciente, habituado com as antigas crenças, tentará de todas as formas fazer você sentir medo e insegurança diante de novos objetivos.

Seja forte, firme e coerente. Fuja e transponha o que for preciso para manifestar a realidade que você deseja, caso contrário, há o congelamento e a paralisia imediata do átomo ou a composição de qualquer realidade no campo da superposição da matéria. Nesse ponto, o inconsciente identifica tudo o que é novo como um risco e, por isso, evita qualquer mudança ou postura diferente ao comportamento habitual adotado pela mente.

Então, quando compreende como a mente funciona e enfim entende como os paradigmas atuam, você passa a agir com plena certeza sobre qualquer situação, independentemente do falso medo ou da falsa insegurança ao novo, transferido pelo inconsciente à mente consciente. Com essa compreensão, você deverá soltar e relaxar mediante a certeza da materialização de qualquer sonho.

Para enfrentar a Barreira do Terror, pratique a autossugestão, crie o holograma do seu Eu Superior (Eu Sou) associando-o a um forte sentimento, e utilize as afirmações quânticas para acessar o Campo de Ponto Zero (Ponto de Deus). Isso vai gerar uma autossugestão ao inconsciente sobre o poder imensurável que existe dentro de você. Depois, apenas solte e permaneça em pleno sentimento de paz, gratidão e certeza para materializar a realidade pretendida.

ALGORITMO DA COCRIAÇÃO #78

Hora do milagre

Quando você está cocriando um sonho, deve passar o dia inteiro sendo cuidadoso com seus pensamentos, sentimentos, palavras e ações, praticando a auto-observação para identificar padrões negativos e corrigi-los com a afirmação da polaridade contrária, pois o processo de cocriação de sonhos demanda uma constante atenção para manter sua Frequência Vibracional® elevada, em todos os momentos do seu dia.

Contudo, existem dois momentos que são muito especiais e que você jamais deve desperdiçar: os primeiros minutos após acordar e os últimos minutos antes de adormecer. Esses dois momentos preciosos são a hora do milagre!

A explicação é neurocientífica: logo quando você acorda, seu cérebro ainda está transitando da frequência Theta para Alpha até, enfim, chegar na frequência Beta. Logo antes de adormecer, seu cérebro está fazendo o caminho inverso, passando de Beta para Alpha e, em seguida, para a Theta.

Como você já sabe, quando os ciclos de onda do seu cérebro estão reduzidos, abre-se um portal que permite o acesso à mente inconsciente, portanto, estes dois momentos são ideais para desprogramá-la e reprogramá-la com as informações relacionadas aos sonhos que você deseja realizar.

ALGORITMO DA COCRIAÇÃO #79

Avalie seus ganhos secundários

Ganhos secundários são os benefícios que você obtém por permanecer na zona de conforto e não agir para realizar seus sonhos. Ainda que sejam benefícios medíocres, eles podem incentivar uma grande autossabotagem, mantendo-o estagnado e preso a uma realidade indesejável.

Veja alguns exemplos de crenças e comportamentos que indicam o apego aos ganhos secundários:

- *Não posso aceitar esta nova oferta de emprego porque estou recebendo seguro-desemprego;*
- *Se meu negócio crescer, vou precisar trabalhar mais;*
- *Se eu emagrecer, vou perder todas as minhas roupas.*

Certa vez, quando eu ainda atendia terapia individual, conheci uma mulher que era muito apaixonada e emocionalmente dependente de seu namorado, o qual, segundo ela, não supria sua necessidade de amor e atenção. Então, essa mulher teve um diagnóstico de câncer e seu namorado mudou muito, passando a ser mais dedicado, atencioso e amoroso com ela.

É óbvio que quem está com câncer conscientemente deseja a própria cura, contudo, se a cura representar a perda do ganho secundário de cuidados e mimos por parte da família, amigos e companheiro(a), dependendo do grau do apego, os ganhos secundários serão um impedimento para a cocriação da saúde, o que em última instância pode levar à própria morte.

Esse é um caso extremo, mas o fato é que toda realidade, por pior que seja, tem seus pequenos ganhos secundários, e eles precisam ser trazidos à luz da consciência. Entenda que a cocriação do seu sonho tem um preço, e que você precisa pagar por ele – muitas vezes, o preço é a renúncia aos ganhos secundários.

ALGORITMO DA COCRIAÇÃO #80

Saindo do looping

Observe o looping que sustenta a realidade desagradável que você está vivenciando:

É devido a este looping infinito que você se sente como um hamster correndo em sua rodinha: muito esforço e pouco ou nenhum resultado. Para interromper o looping que cria e recria escassez, tristeza, medo e toda sorte de dificuldades, tudo o que você precisa fazer é tomar consciência de que está no looping e começar a inibir e corrigir os elementos do círculo.

Quando você toma consciência de uma programação automática, ela deixa de ser automática e pode ser manipulada e modificada "manualmente", conforme a conveniência e seus objetivos. Cada vez que você modifica um dos elementos do looping, você gera um efeito dominó que afeta os outros demais.

Exemplo simples: você está na fila do banco e percebe que está reclamando da demora junto a outras pessoas da fila. O que fazer? Silenciar imediatamente! Pegue seu celular, coloque seus fones e escute uma música alto astral. Fazendo isso, você interrompeu um comportamento provocando o efeito dominó de produzir uma experiência diferente, uma emoção diferente, um sentimento diferente e assim por diante. Assumir o controle da sua vida, de quem você é, do que você sente, pensa e faz é como despertar de um longo sono!

ALGORITMO DA COCRIAÇÃO #81

Neutralidade do sistema límbico

O sistema límbico, também chamado de cérebro límbico, lobo límbico ou cérebro emocional, corresponde a um conjunto de estruturas que são responsáveis pelo processamento das emoções em reações fisiológicas aos estímulos do ambiente e pela expressão dos sentimentos através de gestos e expressões faciais.

Também é no sistema límbico que ocorre a tradução de imagens em emoções e de emoções em imagens. É aqui que a "magia" da cocriação acontece: o sistema límbico é neutro e opera de maneira imparcial! Ele não "se importa" se as imagens representam uma cena da realidade física ou da realidade imaginária, reagindo emocionalmente e provocando alterações neurológicas e fisiológicas seja qual for a origem da experiência geradora das imagens.

Assim, quando você pratica a Técnica Hertz® ou uma Visualização Holográfica separadamente, vivenciando na sua imaginação o seu sonho realizado, com todos os sentimentos e todas as sensações, o sistema límbico não quer nem "saber" a procedência da experiência; ele entra em ação para alterar a química do seu corpo, ativando a produção dos hormônios de bem-estar.

Com isso, você se sente bem e tem pensamentos positivos que produzirão mais sentimentos positivos, instalando um novo ciclo de pensamentos e sentimentos que será refletido na saúde do seu corpo físico, bem como na elevação da sua Frequência Vibracional® para que você possa sintonizar a realidade potencial desejada na Matriz Holográfica®.

ALGORITMO DA COCRIAÇÃO #82

Memórias do futuro

Sua mente inconsciente, apesar de habituada a armazenar somente suas memórias "normais" do passado, também tem a capacidade de armazenar memórias do futuro. Mas como seria possível criar memórias a respeito de um evento que ainda não aconteceu, isto é, do seu sonho que, por enquanto, ainda é uma Função de Onda no Vácuo Quântico?

Muito simples! Quem disse que você precisa viver uma experiência na sua realidade física para, então, registrar uma memória da sua mente? Você também cria memórias quando tem experiências na sua realidade imaginária! Quando você visita e vivencia o futuro que você deseja através da Visualização Holográfica, sentindo as emoções decorrentes dessa experiência, você instala as redes neurais correspondentes às suas memórias do futuro!

Quando você decide visitar as memórias do futuro mais frequentemente do que as memórias do passado, as redes neurais das memórias do futuro de fortalecem, se expandem e, gradualmente, colocam as memórias do passado em segundo plano para que sejam desativadas.

Como suas memórias determinam suas crenças, suas percepções, sentimentos e comportamentos, quando você cultiva e fortalece suas memórias do futuro, inevitavelmente, começa a se tornar o novo eu que deseja ser, o novo eu que vive a vida dos seus sonhos.

ALGORITMO DA COCRIAÇÃO #83

Músicas do futuro

Você certamente vai concordar comigo – o seu passado tem uma playlist de músicas capazes de contar a sua história, não tem? Tem a música que sua mãe (ou outra pessoa) cantava para você ninar, as músicas que você ouvia na infância, a música que você dançou em uma apresentação da escola, as músicas que marcaram sua adolescência, a música do seu primeiro amor, da sua formatura, do seu casamento, a música que você cantava para ninar seu filho quando ele era bebê e assim por diante. Claro, também têm as músicas que o marcaram negativamente, como a que seu pai bêbado ouvia no volume máximo ou a música que você ouviu mil vezes quando teve sua primeira decepção amorosa.

E aposto que cada vez que você ouve uma dessas músicas, surge imediatamente um filme em sua cabeça com as cenas relacionadas, as quais despertam as mesmas emoções que você teve na altura em que o evento aconteceu, alterando instantaneamente seu estado de ser, de modo positivo ou negativo.

Onde eu quero chegar falando de músicas? Da mesma maneira que seu passado tem uma trilha sonora que dispara emoções, o seu futuro também pode ter! Adotar uma música (ou mais) para ser a trilha sonora do seu sonho realizado potencializa o poder das memórias do futuro que eu expliquei no Algoritmo da Cocriação anterior.

Mas, atenção: ao escolher a música do seu futuro, você precisa selecionar uma música que seja livre de memórias, isto é, uma música que não tenha nenhuma associação com nenhum evento do seu passado. Então, você pode ouvir sua música enquanto viaja pelo seu futuro incrível ao fazer sua Visualização Holográfica.

A música do seu futuro é um gatilho poderosíssimo para desencadear emoções superiores, fortalecer as conexões das suas memórias, alterar sua bioquímica e elevar sua Frequência Vibracional® para ficar em ressonância com a frequência do seu sonho.

ALGORITMO DA COCRIAÇÃO #84

Desapegue de ser você

Como Joe Dispenza ensina em seu livro *Quebrando o hábito de ser você mesmo*, a pessoa que você pensa ser, é apenas quem você está acostumado, é seu velho eu familiar, cheio de manias, apegado às dores do passado e à necessidade de controlar o futuro.

Se você não aguenta mais ser esse velho que vivencia uma realidade de escassez, então você precisa desapegar dele, quer dizer, o nascimento do novo eu feliz, saudável, próspero e bem-sucedido pressupõe a morte do velho eu. Para desapegar da identidade do velho eu, você precisa ir além de quem você pensa que é e além da percepção da realidade captada pelos sentidos físicos.

A sintonização de um novo eu pressupõe a rendição e a conexão com os infinitos potenciais da Matriz Holográfica®, a qual não ocorre através dos seus sentidos, e sim da sua consciência. Como sua consciência é uma instância superior ao seu ego (quem você pensa que é), será necessário esvaziar e silenciar para que consiga se fundir energeticamente à Consciência Superior.

Somente quando você decide e se dispõe a dar adeus ao velho eu, despindo-se da própria identidade para se tornar apenas uma consciência flutuando pelo Campo Quântico, é que você se torna capaz de acessar as infinitas possibilidades e escolher qual delas corresponde ao novo eu que você deseja ser, a nova vida que você deseja experimentar.

ALGORITMO DA COCRIAÇÃO #85

Efeito Lua de Mel

O *Efeito Lua de Mel* é o título de um dos livros publicados pelo biólogo norte-americano Bruce Lipton, autor de quem ainda vou falar bastante no capítulo Algoritmos da Cocriação decodificados através da Epigenética.

Lipton conceitua o Efeito Lua de Mel apontando o fato de que quando as pessoas estão apaixonadas agem de maneira muito cautelosa, tratando seu amor com o máximo carinho, respeito e atenção, filtrando tudo o que falam e fazem de modo a ser agradável. Entretanto, quando a paixão esfria, as pessoas voltam ao "normal", de modo que já não existe mais o filtro cuidadoso do respeito e da atenção e, assim, acabam, eventualmente, sendo grosserias, arrogantes e até mesmo agressivas umas com as outras, chegando ao ponto de se questionarem: *Onde está a pessoa por quem me apaixonei?"*

O autor explica que quando estamos apaixonados, saímos do piloto automático dos comportamentos inconscientes, de modo que os programas e crenças que causam comportamentos reativos têm sua execução suspensa, deixando de "rodar" temporariamente, o que permite o máximo controle das palavras e atitudes.

No processo de cocriação dos seus sonhos, se você deseja potencializar e acelerar seus resultados, irá precisar recriar esse "Efeito Lua de Mel", ficando tão profundamente apaixonado pelo futuro que você está cocriando, que se tornará apto a controlar qualquer comportamento automático que possa prejudicar sua cocriação, vivenciando um estado de paixão pelo seu objetivo que vai lhe permitir filtrar e inibir reações automáticas de medo, raiva, julgamento, reclamação e vitimização para, conscientemente, agir com gentileza, alegria, compaixão e gratidão.

ALGORITMO DA COCRIAÇÃO #86

Gatilho da fisiologia

A psicóloga Amy Cuddy, em seu livro *O poder da presença*, relata o resultado de uma pesquisa que conduziu e cuja conclusão é de que a adoção de uma postura de poder por pelo menos três minutos é capaz de alterar sua bioquímica e, assim, alterar seu estado de ser. O gatilho da fisiologia é uma ferramenta muito usada por coaches, inclusive pelo grande Tony Robbins.

As posturas de poder são gatilhos para a produção de testosterona, hormônio que aumenta o sentimento de coragem, autoconfiança e tolerância a riscos, ao mesmo tempo que inibe a produção de cortisol, o hormônio do estresse, que muitas vezes se expressa através da emoção do medo.

Além disso, exercícios que envolvem posturas e linguagem corporal têm o poder de ativar as sinapses neurais para aumentar sua capacidade de foco e atenção, ampliar sua visão, potencializar sua produtividade, fortalecer o sistema imunológico, elevar a autoestima e até mesmo promover o rejuvenescimento, sem contar o benefício energético de magnetizar e expandir seu campo eletromagnético.

As posturas de poder não se limitam às mais famosas: postura de super-homem e postura de mulher-maravilha; na verdade, gestos, expressões faciais, esticamento da coluna, abertura do peito, firmeza no tom de voz, no caminhar e outras alterações que simbolizem autoridade, poder e sucesso enviam informações sobre como você se sente para o seu cérebro.

Quando você alinha sua postura antecipadamente simulando a postura do novo eu que deseja se tornar, você realiza uma genuína reprogramação biológica para o sucesso, modificando sua bioquímica; o que é refletido na elevação da sua Frequência Vibracional®, de modo que a cocriação do seu sonho é acelerada.

Até mesmo um sorriso forçado em um momento de angústia tem o poder de inibir a produção dos hormônios do estresse e ativar a produção dos hormônios do bem-estar! Se você deseja alguma forma de abundância na sua vida, precisa ensinar ao seu corpo qual é a diferença entre a postura de um fracassado e a de uma pessoa bem-sucedida!

ALGORITMO DA COCRIAÇÃO #87

A fórmula de Joe Dispenza

Em seu magnífico livro *Como se tornar sobrenatural*, Joe Dispenza apresenta uma fórmula muito simples para converter energia em matéria, ou seja, para cocriar seus sonhos. Leva apenas dois elementos: intenção clara e emoção elevada.

A intenção clara é o elemento mental ou elétrico, é o seu pensamento a respeito do sonho, expresso de maneira clara, muito bem delineada, no sentido de que você deve estabelecer um objetivo específico, com riqueza de detalhes para projetar a realidade que você intenciona cocriar. A emoção elevada é o elemento magnético, os sentimentos cultivados a partir do seu coração quando você pensa na sua intenção clara, no sonho, afetando toda a bioquímica do seu corpo.

Intenção clara e emoções elevadas devem ser combinadas durante a meditação, com a frequência das ondas cerebrais reduzida e desenvolvida através do filme que você cria na sua mente durante a Visualização Holográfica, em conexão com o Divino.

Praticando a visualização para conectar seu desejo com suas emoções com dedicação, disciplina e consistência, você cria um novo padrão eletromagnético, isto é, você altera sua Frequência Vibracional® emitida ao Universo.

Contudo, é claro, não basta a elevação da frequência durante a prática, você vai precisar ser capaz de sustentar essa frequência durante todo dia, abstendo-se de reclamar, vitimizar e julgar por um lado e, por outro lado, adotando, antecipadamente, o estado emocional e os comportamentos do seu novo eu. Em suma, o preço que você precisa pagar para viver a vida dos seus sonhos é se tornar a pessoa que a merece!

ALGORITMO DA COCRIAÇÃO #88

Bioquímica da gratidão

O sentimento de gratidão produz não só os efeitos energéticos de elevação da sua Frequência Vibracional® e expansão do campo eletromagnético, mas também provoca reações na bioquímica do seu corpo, ajustado a produção de hormônios e neurotransmissores para que você tenha toda a sensação de bem-estar que tem quando manifesta sua mais sincera gratidão.

A química do nosso corpo possui uma inteligência espetacular, mas ao mesmo tempo simples e requintada: quando você reclama sentindo medo, raiva, nojo ou tristeza, seu corpo "entende" que você não está em uma situação muito boa, que você pode estar diante de algum perigo ou ameaça, então ele produz os hormônios do estresse, como a adrenalina e o cortisol, para garantir que você tenha forças para lutar e superar a situação.

Acontece que se você reclama constantemente, ficará sobrecarregado com altas doses desses hormônios, o que reforçará o ciclo de pensamentos e sentimentos negativos, mantendo-o sempre em estado de alerta para enfrentar o perigo. Como o consumo de energia vital é muito alto, com o tempo seu campo eletromagnético e sua saúde física restarão altamente debilitados.

Por outro lado, quando você agradece sentindo alegria, amor e paz, seu corpo "entende" que está tudo bem, que você está bem, seguro e satisfeito e, então, produz os hormônios do bem-estar e do prazer, como a dopamina e a ocitocina, que reforçam o ciclo de pensamentos e sentimentos positivos e deixam-no em um estado de relaxamento muito propício para a criatividade.

Ao contrário do que acontece com a reclamação, quando agradece constantemente, você aumenta a sua energia vital, ativa os sistemas de regeneração e cura do corpo, além de nutrir e expandir o seu campo eletromagnético, o qual se torna capaz de, por afinidade eletrônica, sintonizar os mais elevados potenciais da Matriz Holográfica®.

Assim, todas as vezes que você "escorregar" na reclamação, na vitimização e nas baixas frequências em geral, a maneira pela qual você pode se desculpar com o seu corpo e com a sua aura é cultivando o mais sincero sentimento de gratidão por tudo o que você é e tem, até que consiga perceber a recuperação do equilíbrio.

ALGORITMO DA COCRIAÇÃO #89

Coerência cerebral

No cérebro, os neurônios estão agrupados em "comunidades", que são as redes neurais que armazenam e ativam as memórias dos seus pensamentos, sentimentos e comportamentos. Em uma situação ideal, essas redes neurais operam de maneira harmônica e coordenada, possibilitando a clareza do raciocínio e a tomada de decisões acertadas.

Contudo, quando você está em estado de estresse, na frequência das emoções negativas, seu cérebro vira uma verdadeira bagunça, seu raciocínio fica turvo e acelerado, transitando entre os sofrimentos do passado e as preocupações com o futuro e, ao mesmo tempo, você se ressente sobre uma discussão que teve com alguém no dia anterior, fica nervoso com as cobranças do seu chefe, fica preocupado com as contas que tem para pagar, pensa no que vai preparar para o jantar... de modo que surge um pensamento atrás do outro que reforçam seu estresse.

Esse estado, que Joe Dispenza denomina de "incoerência cerebral", se fosse representado em uma caricatura, seus neurônios estariam brigando entre si, competindo para saber qual rede neural vai conseguir deixá-lo mais preocupado e ansioso. Quando seu cérebro está incoerente, os circuitos neurais estão operando na mais completa desordem, fazendo com que você experiencie ainda mais estresse e desequilíbrio, em total desconexão com seu poder criativo.

Em oposição, o estado que o autor chama de "coerência cerebral" consiste na harmonia das redes neurais, que permite o direcionamento lúcido dos seus pensamentos e ações, neutralizando o estresse. Você acessa a coerência cerebral quando decide voluntariamente inibir os pensamentos acelerados do estresse que o levam do passado para o futuro e escolhe se manter conectado no momento presente, resolvendo uma coisa de cada vez e aceitando o que não pode ser resolvido.

Meditar, silenciando a mente para simplesmente observar os movimentos da sua respiração já é suficiente para ancorar você no momento presente, desacelerando a frequência das ondas cerebrais e promovendo o estado de coerência que lhe permite sair do estresse para acessar a criatividade, imaginação e intuição.

ALGORITMO DA COCRIAÇÃO #90

Programe seus filhos

Este Algoritmo da Cocriação é para você que tem filhos pequenos de até 7 anos, pouco mais, pouco menos. Nessa idade, as crianças ainda não desenvolveram sua mente consciente para filtrar e avaliar racionalmente as informações recebidas, de modo que a mente inconsciente absorve como verdade tudo o que a criança ouve, vê e, sobretudo, vivencia.

Aquela frequência reduzida das ondas cerebrais Alfa e Theta que tanto nos esforçamos para alcançar por pelos menos alguns momentos durante a meditação a fim de limpar nossas crenças e reprogramar nossa mente inconsciente é o padrão natural dos bebês e das crianças pequenas, isto é, estão constantemente abertos para receber programações.

Esse processo é um fabuloso mecanismo de adaptação, pois é justamente nesse período que a mente da criança está aberta para absorver o máximo de informação possível e aprender como a vida funciona a fim de garantir sua sobrevivência e bem-estar no ambiente no qual vive.

Acontece que como não há um filtro, as crianças também internalizam as crenças limitantes de seus pais e recebem como verdade tudo o que for dito de negativo a respeito de sua personalidade e suas capacidades, pois elas não conseguem identificar que os pais a chamaram, por exemplo, de preguiçosa, medrosa, lenta ou desastrada apenas da "boca para fora", em um momento de estresse.

É assim que a autoimagem das crianças é moldada gradualmente, seja para o sucesso, seja para o fracasso. Portanto, se você tem filhos pequenos, tenha cuidado com o que fala e com os exemplos que dá, procurando se expressar de maneira positiva, empática e empoderadora de modo a programar seus filhos para liberdade, abundância e sucesso.

Mais um motivo para você se dedicar na desprogramação e reprogramação das suas próprias crenças limitantes, pois além de elevar sua Frequência Vibracional®, você será capaz de deixar uma preciosa herança para seus filhos, que crescerão inspirados e programados com novas crenças positivas.

ALGORITMO DA COCRIAÇÃO #91

Centros de energia

"Centros de energia" é a expressão adotada por Joe Dispenza para explicar cientificamente o funcionamento dos chakras, o que é conhecido há milênios no Oriente pelas medicinas holísticas tradicionais e doutrinas esotéricas. Dispenza explica que optou por usar uma nomenclatura neutra e técnica para evitar preconceitos e, assim, facilitar a compreensão da importância do sistema energético do corpo a par de qualquer viés religioso ou filosófico.

Sobreposto ao nosso corpo físico, nós temos um corpo energético que possui seus próprios órgãos sutis, que são os centros energéticos, que operam como "mini cérebros" invisíveis, dotados de consciência e inteligência própria, e são responsáveis por manter o fluxo da energia vital, comunicando-se de maneira não local com os órgãos físicos para lhes repassar as informações para que funcionem harmonicamente.

  Cada centro de energia possui uma frequência única e é responsável pela regulação de certos órgãos, tecidos, glândulas e células, sinalizando a produção adequada dos hormônios necessários à manutenção da homeostase. Portanto, qualquer desequilíbrio do sistema energético, causa um desequilíbrio do sistema físico, que se expressa através das doenças e disfunções.

  Por isso, procure manter o alinhamento dos centros de energia de modo a permitir que a energia flua livremente, é de suma importância tanto para a saúde do seu corpo físico como para a expansão do seu campo eletromagnético direcionado para a cocriação de sonhos.

  Não vou entrar em detalhes aqui, mas se você quiser saber tudo sobre ativação e alinhamento dos chakras (ou centros de energia, se você preferir), tenho um curso específico para ensinar como você pode, conscientemente, manipular essa energia poderosa, é o treinamento 22 Cosmos Chakras Estelares®. Para entrar na lista de espera e ser avisado sobre as inscrições para a próxima turma, cadastre-se em https://www.22cosmoschakras.com.br/.

ALGORITMO DA COCRIAÇÃO #92

Efeito placebo

  Certamente, você já ouviu falar sobre aquelas pesquisas científicas que os laboratórios farmacêuticos fazem para testar medicamentos em que o remédio verdadeiro é oferecido para um grupo de voluntários que têm a doença a qual o medicamento se propõe curar, o medicamento verdadeiro, e, para o outro grupo, é oferecido um "placebo", como uma pílula feita de açúcar e farinha. Em ambos os casos, os voluntários desconhecem a que grupo pertencem, de modo que não têm conhecimento se receberam o medicamento verdadeiro ou o placebo.

Os resultados desse tipo de pesquisa, que em geral não são divulgados para o público, apontam que os voluntários de ambos os grupos apresentam melhoras dos sintomas na mesma proporção, evidenciando que o grupo que recebeu o placebo reagiu fisicamente apenas porque *pensou* que estava tomando um medicamento verdadeiro que prometia cura e *acreditou* nisso.

O efeito placebo, que foi brilhantemente explicado à luz das Neurociências por Joe Dispenza em seu livro *Você é o placebo*, é uma evidência do poder da mente em comandar a matéria, o poder de mudar uma realidade simplesmente por acreditar que pode mudar. Em outras palavras, o efeito placebo evidencia e confirma que suas crenças determinam sua realidade e, portanto, que se você deseja mudar sua realidade, precisa mudar as suas crenças.

É claro que o efeito placebo não se resume a cocriação de cura e saúde, podendo ser aplicado na cocriação de qualquer sonho em qualquer área da vida, os quais vão se realizar inevitavelmente caso você tenha a crença inabalável de que já são fatos consumados na matéria!

ALGORITMO DA COCRIAÇÃO #93

Foco aberto

A técnica do foco aberto foi criada por Joe Dispenza com o objetivo de silenciar a tagarelice da sua mente, literalmente parar de pensar, desconectar-se da realidade física, removendo a sua atenção das partículas da matéria para as ondas de energia das infinitas possibilidades da Matriz Holográfica® ou do Campo do Desconhecido, como o autor prefere chamar.

A prática é muito simples, basta que você se sente, feche os olhos e, intencionalmente, coloque sua atenção na energia a sua volta, percebendo os aspectos onda, não os aspectos partícula do seu próprio corpo e de tudo a sua volta. Por exemplo, você pode focar no espaço "vazio" (energia) que surge com a retirada do seu corpo físico da cena, com a retirada da cadeira onde você está sentado, com a retirada das paredes e do próprio imóvel onde você está.

Em outras palavras, basicamente, você deve imaginar que tudo à sua desapareceu, incluindo seu próprio corpo, deixando um enorme vazio e, então, você direciona sua atenção para esse espaço vazio que, na verdade, é cheio de energia.

Quando você foca na onda, na energia ou no "vazio", automaticamente você tira seu foco da realidade material e neutraliza os pensamentos aleatórios, reduzindo sua frequência de ondas cerebrais, criando um ambiente auspicioso para acessar a criatividade no mundo da imaginação para vivenciar através da Visualização Holográfica a realidade que você deseja manifestar na matéria.

ALGORITMO DA COCRIAÇÃO #94

Repetição e insistência

Todos os pensamentos, sentimentos e comportamentos que são repetidos com insistência, sejam positivos ou negativos, são registrados no seu cérebro com a criação de uma rede neural para armazenar o "arquivo", significando que algo novo foi aprendido, e tudo o que foi aprendido pode ser solicitado e lembrado.

Não é à toa que, no período escolar, em especial na fase de alfabetização, a repetição é umas das principais ferramentas de aprendizado – você repete milhões de vezes como "desenhar" e soletrar as palavras e, gradualmente, a escrita e a leitura fluidas surgem como um comportamento automático.

Como na escola, na vida também é assim, tudo o que você repete insistentemente, no começo não parece natural, mas com o tempo se torna um padrão. Se todos os dias você pensar e sentir escassez, raiva, ansiedade ou vitimização, estará fortalecendo as redes neurais correspondentes, as quais, devido à repetição contínua, se tornam seu próprio estado de ser padrão.

Por outro lado, se você escolhe mudar seus pensamentos e sentimentos negativos para positivos, você cria novas redes neurais, as quais, por inicialmente serem ainda frágeis, vão fazer com que você se sinta "estranho" e tenha a sensação de que não é natural para você ser alegre, abundante, saudável, amado e próspero, mas se insistir, a repetição fará com que as redes neurais se fortaleçam e logo você experimentará um novo padrão de normalidade que é alcançado não só pela reprogramação da sua mente, e sim por uma completa reprogramação neurológica, bioquímica e genética que evidencia, em última instância, que a mente tem o poder de agir sobre a matéria!

ALGORITMO DA COCRIAÇÃO #95

Neurônios-espelho

Você já reparou que o bocejo de uma pessoa ativa uma espécie de reação em cadeia, fazendo com que outras pessoas próximas também bocejem? A explicação científica para isso está nos neurônios-espelho, que são grupos de neurônios muito sensíveis a estímulos externos, que fazem com que um indivíduo, curiosamente, "espelhe" o comportamento do outro, reproduzindo externa ou internamente a ação observada.

Os neurônios-espelho são um recurso vital de aprendizado de novas habilidades, em especial se empregado durante a infância – é por causa deles que seu bebezinho aprende a bater palminhas, por exemplo! Naturalmente, na vida adulta, os neurônios-espelho têm outras utilidades, mas permitem o eterno aprendizado e desenvolvimento pessoal.

Na cocriação dos seus sonhos, a ativação intencional dos neurônios-espelho lhe permite incorporar, antecipadamente, os comportamentos do seu novo eu. Por exemplo, se você está cocriando riqueza e sucesso profissional, dedique-se a conviver com pessoas ricas e bem-sucedidas ou, se não houver pessoas ricas por perto, conviva com elas virtualmente, assistindo vídeos e entrevistas, de modo que seus neurônios possam espelhar em você os aspectos fundamentais da personalidade e mentalidade da riqueza e do sucesso!

ALGORITMO DA COCRIAÇÃO #96

Hábitos do sucesso

Os hábitos são os comportamentos que repetimos de maneira rotineira e cotidiana, eles representam uma expressão adaptativa do cérebro que, com a finalidade de poupar energia, automatiza comportamentos que são repetidos com frequência, de modo que sua execução não demande reflexão nem tomada de decisão, poupando a energia para resolver situações mais peculiares, fora do padrão.

Os hábitos e comportamentos automáticos são incrivelmente úteis e funcionais – se não fosse por essa fabulosa automação de comportamentos, você precisaria, por exemplo, ler as instruções na embalagem do creme dental todas as vezes em que fosse escovar os dentes!

O problema surge somente quando os hábitos são disfuncionais, pois estão diretamente relacionados com o seu poder de cocriador da realidade, de modo que bons hábitos favorecem a cocriação de uma realidade de sucesso, e maus hábitos favorecem a cocriação de uma realidade de fracasso.

Genericamente, existem alguns hábitos fundamentais que devem ser incorporados por quem busca o sucesso:

- Meditar;
- Praticar exercícios físicos;
- Alimentar-se de maneira saudável;
- Dormir pelo menos sete horas de sono contínuo;
- Elogiar as pessoas;
- Cultivar as amizades;
- Pensar positivo;
- Praticar o bem;
- Ser grato.

ALGORITMO DA COCRIAÇÃO #97

Mudança de hábitos

Por serem comportamentos estáveis e automáticos, instalados nas memórias da mente inconsciente, o processo de mudança de hábitos é bastante desafiador, porém perfeitamente possível, desde que haja vontade, dedicação e bastante disciplina.

Eventualmente, a vida "dá um empurrão", e a mudança de hábito ocorre de maneira compulsória e imediata, por se tratar de uma questão de sobrevivência, como a pessoa que sofreu um enfarto e precisa logo mudar seus hábitos para tentar recuperar a sua saúde.

Mas também é possível e, aliás, recomendado, que você não espere uma situação de emergência acontecer para eliminar seus maus hábitos e instalar novos melhores. Da mesma maneira que um mau hábito se instalou através da repetição, a instalação de um novo hábito também pressupõe repetição consistente.

Nesse processo de mudança de hábito, também é um fator determinante dar um sentido para a mudança, isto é, associar a mudança do hábito à conquista de algum objetivo, o que gera a motivação necessária para que, gradualmente, a resistência comece a ceder. Por exemplo: a pessoa decide começar a praticar atividade física depois de décadas de sedentarismo, se ela tiver um objetivo associado para motivá-la, como emagrecer, melhorar sua circulação ou até mesmo um interesse afetivo no treinador, tudo fica mais fácil.

Além disso, a prática da Visualização Holográfica é fundamental para ensaiar através da imaginação como é ser a pessoa que tem o hábito que se deseja ter, antecipando os comportamentos para colocar a neuroplasticidade em ação para que ocorram as alterações neurológicas necessárias à incorporação do novo hábito.

ALGORITMO DA COCRIAÇÃO #98

Autossugestão

A autossugestão é o terceiro da lista dos treze princípios para o sucesso apresentada por Napoleon Hill no clássico *Quem pensa, enriquece*. O autor ensina que você deve escrever suas metas e lê-las em voz alta para si mesmo várias vezes durante o dia, especialmente logo ao acordar e antes de adormecer.

Mesmo em uma época em que a meditação ainda era vista com muito preconceito, Hill, à frente de seu tempo, recomendava prática do silêncio para neutralizar os pensamentos negativos. Ele não usava o termo "meditação" e tampouco "visualização", mas eram exatamente estes os meios que ele recomendava para se autossugestionar para o sucesso.

Hoje, como você sabe, a meditação e a visualização deixaram de ser um tabu ou algo duvidoso, e seus efeitos positivos já são cientificamente comprovados. Joe Dispenza, especialista neste estudo, confirma a suposição de Hill, apontando a autossugestão como um elemento essencial na criação do novo eu.

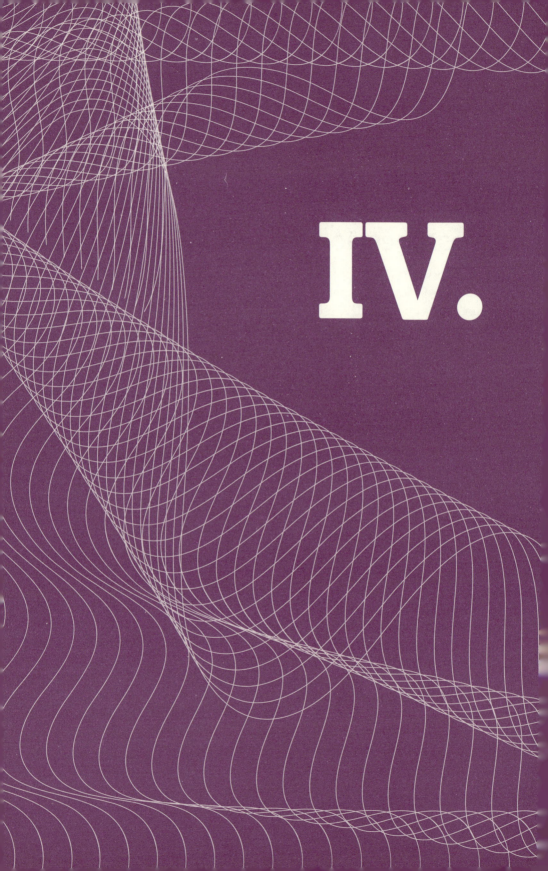

Algoritmos da Cocriação decodificados através da Epigenética

A Epigenética é o ramo mais jovem da Biologia, nascido em meados do século passado, é uma ciência que tem objeto de estudo a influência prioritária do ambiente, em detrimento da influência genética hereditária, na ativação e desativação dos genes contidos nas moléculas do DNA.

O prefixo "epi" significa "acima" ou "sobre", portanto, etimologicamente, Epigenética significa "acima da genética". Em outras palavras, é uma ciência que enche nossos corações de esperança ao tentar evidenciar e comprovar que somos capazes de desprogramar e reprogramar nossa própria expressão gênica. Assim, a Epigenética é mais uma garantia de que você é um cocriador da sua realidade.

A Epigenética partiu dos laboratórios restritos dos cientistas de alto escalão para o mundo, especialmente, através dos trabalhos de Joe Dispenza e do biólogo Bruce Lipton, autor do livro *A biologia da crença*, obra que possibilitou o acesso do público leigo aos conhecimentos preciosos das mais recentes descobertas científicas da área.

Veja o que Lipton afirma:

> *Somos os senhores de nossa biologia; administradores do programa de processamento. Temos a habilidade de editar os dados que entram em nosso biocomputador, assim como todas as palavras que são digitadas. Quando entendermos como as PIMs[5] controlam a biologia, deixaremos de ser meras vítimas de nossos genes para nos tornar senhores de nosso destino.*

Se a epigenética é a ciência que trata da desprogramação e reprogramação do DNA, nós, cocriadores, temos um interesse especial em conhecer essas informações fabulosas, e é por isso que nesta próxima sequência de Algoritmos da Cocriação, eu me dediquei inteiramente a desvendar os segredos da Epigenética e revelá-los para você. Vamos lá!

---

[5] PIM = proteína integral de membrana.

ALGORITMO DA COCRIAÇÃO #99

Superação do determinismo genético

Determinismo genético é uma teoria elaborada por Charles Darwin (1809-1882) para explicar que a maneira como nossos genes se expressam para determinar nossas condições físicas e mentais é determinada por nossa herança genética, isto é, pela informação genética que recebemos dos nossos pais, 50% da mãe e 50% do pai.

Conforme essa teoria, se uma pessoa nasce em uma família na qual muitos indivíduos, especialmente pai e mãe, apresentam, por exemplo, doenças cardíacas, diabetes, câncer ou até mesmo uma discreta calvície, esta pessoa está fadada a uma alta probabilidade de repetir o padrão genético da família.

Entretanto, a Epigenética chegou para desconstruir totalmente essa ideia, evidenciando que, mais importante que a herança genética, é o ambiente no qual as células estão inseridas, uma vez que são as substâncias químicas do ambiente celular (que é seu corpo!) que vão determinar a ativação ou desativação dos genes relacionados às doenças.

ALGORITMO DA COCRIAÇÃO #100

Você é o senhor do seu DNA

Sabe quais são essas substâncias químicas do ambiente celular que interagem com a membrana da célula para determinar a ativação ou desativação dos genes? É a química das suas emoções! Emoções negativas produzem a química do estresse, que a longo prazo ativa os genes das doenças; emoções positivas produzem a química do bem-estar, que desativa os genes das doenças e também ativa os genes da longevidade e vitalidade.

Isso significa que você possui um código genético de nascença, uma espécie de "configuração de fábrica", de modo que as informações genéticas herdadas do seus ancestrais, sobretudo do seus pais, estão impressas no seu DNA como potenciais, mas que podem se expressar fisicamente ou não ao longo da vida.

Explicando de maneira simplificada, a Epigenética garante que você é o senhor ou a senhora do seu DNA, uma vez que você pode, deliberadamente, através das suas emoções, pensamentos e crenças, determinar quais genes você deseja que se expressem e quais você deseja que permaneçam quietinhos como meros potenciais. Na prática, não é porque você tem um histórico familiar de câncer, infarto, obesidade ou calvície que você terá, necessariamente, o mesmo destino.

ALGORITMO DA COCRIAÇÃO #101

Biologia da mudança

Os genes do seu DNA são sinalizados pelas informações captadas no seu ambiente externo, o que significa que é importante que você tenha uma boa alimentação, beba bastante água, faça atividades físicas, evite consumir substâncias como nicotina e álcool, fuja da poluição das grandes cidades etc. Contudo, é mais importante ainda que você cuide dos elementos internos, que são seus pensamentos, emoções e sentimentos.

Antes da Epigenética, acreditava-se que nossa herança genética determinava nosso destino, como se nascêssemos programados para ser e viver de uma certa maneira até o fim da vida, pois os cientistas entendiam que a manifestação de doenças era predominantemente condicionada à configuração genética da pessoa.

Mas, depois da Epigenética, a compreensão é de que apenas 5% das doenças são efetivamente genéticas e que brutais 95% das doenças possuem causas epigenéticas, que estão além da genética, ou seja, são causadas por pensamentos, sentimentos e emoções negativos que são cultivados a longo prazo, determinando um ambiente hostil para as células.

Isso significa que não adianta muita coisa você ter uma alimentação vegana e orgânica se você não se dedicar a se abster de pensamentos e sentimentos negativos, mantendo-se preso às emoções relacionadas aos acontecimentos dolorosos do seu passado, sustentando um estado de estresse de longo prazo, o qual, por sua vez, é o responsável pela ativação dos genes das doenças.

Por outro lado, ainda que neste momento você esteja experimentando a manifestação de alguma doença física, se você decidir aceitar seu passado, perdoar a si mesmo e quem quer que o tenha ofendido, intencionalmente substituindo seus pensamentos e sentimentos negativos pelo cultivo de emoções superiores como gratidão, amor, alegria e paz, você provoca alterações biológicas e hormonais profundas capazes de sinalizar a desativação dos genes responsáveis pela manifestação da doença, ao mesmo tempo em que sinaliza a ativação dos genes responsáveis pela restauração e manutenção da sua saúde.

Quando você pratica a Técnica Hertz® para desprogramar suas crenças limitantes e sentimentos negativos, como eu ensino no treinamento Holo Cocriação de Sonhos e Metas®, você realiza não só uma reprogramação mental e vibracional, mas também uma reprogramação biológica, posto que a química das emoções positivas liberada durante a prática é capaz de promover mudanças epigenéticas, alterando a estrutura física do seu próprio DNA.

ALGORITMO DA COCRIAÇÃO #102

A ciência dos milagres

As mudanças epigenéticas operadas pela substituição das emoções negativas pelas positivas em geral fazem parte de um processo que ocorre de maneira gradual, demandando dedicação e tempo, afinal, se você viveu anos ou décadas nutrindo de maneira inconsciente um estado de estresse crônico, sob o efeito devastador da química das emoções negativas, é natural que demore algum tempo para reverter a situação e desfrutar das mudanças.

Entretanto, dependendo da potência da crença que uma pessoa tem a respeito de ser capaz de se curar e dependendo da intensidade do impacto emocional positivo produzido a partir de uma experiência profunda de meditação ou de Visualização Holográfica, é perfeitamente possível que ocorram mudanças epigenéticas instantâneas, expressando o que na Física Quântica se denomina de Salto Quântico ou, popularmente, milagre.

O milagre na Epigenética consiste na desativação instantânea dos genes responsáveis por uma doença, disfunção ou limitação, e na ativação simultânea dos genes responsáveis pela homeostase, que é o equilíbrio saudável do corpo. É assim que, por exemplo, um tumor maligno é capaz de, literalmente, se desintegrar em um piscar de olhos.

Joe Dispenza, grande especialista em Neurociências e Epigenética, exibe orgulhoso os resultados fantásticos dos workshops que promove pelo mundo, nos quais, através das técnicas de meditação e ensaio holográfico que ele conduz, cadeirantes saem andando, cegos enxergando e pessoas que entraram puxando um cilindro de oxigênio saem respirando normalmente, entre outros casos milagrosos relatados por ele em seus livros e entrevistas.

Por aqui, eu também testemunho com alegria muitos milagres relatados pelos meus alunos praticantes da Técnica Hertz®, como, por exemplo, o caso de Maria Heliane, Juliana Menezes e Yealin Lin.

MARIA HELIANE

Maria Heliane sempre se colocou em lugar de vítima, culpava tudo e todos por sua vida não andar como esperado – até que foi diagnosticada com câncer de mama. Portando essa doença, Maria se aproveitou da situação para seguir sendo vítima, pois todas as pessoas que se aproximavam dela sentiam pena por sua condição, e isso, de certa forma, satisfazia seu ego.

Maria Heliane se sentia tão bem com essa situação que não tinha vontade de estar curada, pois achava que as pessoas a amavam por estar com câncer. Deixou até de tomar remédios e de fazer quimioterapia para chegar à morte, começando a se mutilar.

Até que um dia, após discutir com a irmã pelo telefone, saiu de casa chorando e encontrou uma pessoa desconhecida na rua que perguntou o porquê de Maria estar chorando. Ela então contou sua história e essa pessoa, mesmo sem conhecer Maria, indicou um vídeo da Elainne Ourives para ela. Desde então Maria começou a praticar a técnica Hertz.

Maria passou por uma reavaliação do câncer em Barretos, fazendo todos os exames e, para sua alegria e surpresa, ela estava curada!

"Comecei a compreender que tudo aquilo pelo que eu passei, tinha que aprender a perdoar, era falta de amor. Comecei a limpar isso, essa foi uma cocriação. Sou grata pela Elainne por me trazer de volta à realidade. Não encontro palavras para agradecer a ela e a sua equipe. A Maria de antes não sorria, brigava, gritava, xingava, era ignorante. Hoje eu sou uma pessoa feliz com muita gratidão por tudo que tenho."

JULIANA MENEZES

Juliana trabalhava em um salão de beleza como cabeleireira. O salão começou a crescer e os donos, que não eram do ramo, não tinham mais interesse no empreendimento. Assim, fizeram uma oferta para Juliana, na qual ela compraria o salão por 40 mil reais ou ficaria desempregada.

Certo dia, conversando com uma cliente, Juliana falou do impasse que estava enfrentando, sobre como tinha somente a metade do dinheiro. No fim do atendimento, essa cliente disse que lhe emprestaria a outra metade do dinheiro comprar o salão e que ela poderia pagar em serviços do salão de beleza; propôs ainda emprestar mais dinheiro para que ela investisse no salão tornando-a sua sócia. Foram no total 40 mil reais cocriados!

"Trabalhei escassez, medo e gratidão. Tive que trabalhar alguns pilares, quando fiz o processo do HoloCine e Power Mind, trabalhei o lado profissional, financeiro, emocional e sentimental. Tive muitas experiências com a técnica Hertz, ela me ensinou a praticar a gratidão por tudo, coisa que antes eu não fazia. Eu me achava merecedora, mas não era grata."

YEALIN LIN

Aos 36 anos, o sonho de Yealin Lin era ser mãe. Devido a problemas de saúde, procurou um médico especialista em fertilização *in vitro* e descobriu que, além da idade avançada, tinha baixa reserva de ovário, o que impedia ainda mais o sonho de se tornar realidade. Ela iniciou, então, um tratamento no qual foram injetados hormônios para tentar crescer o maior número de óvulos, mas conseguiu somente um embrião, que não obteve sucesso.

Yealin perdeu totalmente a fé nessa época, porém decidiu fazer cirurgia de endometriose, tentando engravidar novamente, mas sem êxito.

Em 1º de outubro de 2019, Yealin Lin deu início ao Holo 7, fazendo a técnica Hertz todos os dias, pela manhã e noite, além das técnicas bônus. No dia seguinte, Yealin foi ao médico, verificou que havia dois óvulos e decidiu fazer a fertilização.

Lin seguia fazendo as técnicas Hertz diariamente. Quando voltou ao médico, realizou a inseminação, com todos os acompanhamentos. Yealin continuou acreditando que seria possível, limpando as crenças de não merecimento e medos por meio da técnica Hertz.

"Eu estava muito tranquila porque a técnica Hertz me deixou calma, em um estado de confiança. É tudo da forma como tem que ser, deixei nas mãos do Universo."

Ao notar uma anormalidade em seu ciclo, Yealin decidiu fazer um teste de farmácia que resultou positivo! Assim como Lin havia cocriado por meio das técnicas, hemograma e ultrassonografia comprovaram a gravidez.

"Eu visualizei todas as etapas da gestação do meu bebê saudável, graças à Elainne e a todas as técnicas que ela ensinou. Aprendi que sou merecedora, que sou 100% responsável pela minha vida e não pela vida dos outros. Trabalhei ansiedade, culpa, não merecimento e soltar que o que é meu já é meu. Eu chamo de Holo Baby, porque ele é a minha maior cocriação até hoje! No fim das contas, não fiz a inseminação e naquele ciclo que engravidei, foi de modo natural. Foi uma providência Divina!"

Quem consegue esses resultados milagrosos impressionantes, em regra, relata que não sabe como fez ou que não fez nada, que apenas conseguiu acessar um estado de presença no mais profundo silêncio, rendição e permissão, no sentido que apenas retirou a resistência, deixando de ser um obstáculo em seu próprio caminho, confiando na Inteligência Infinita do Criador.

ALGORITMO DA COCRIAÇÃO #103

Infinitas possibilidades dos genes

As infinitas possibilidades de realidades que existem na Matriz Holográfica®, conforme descritas pela Física Quântica, também existem dentro de cada molécula do seu DNA, como infinitas possibilidades de combinação e expressão dos seus genes. Você contém em si genes com potenciais para tudo o que imaginar: juventude, inteligência, beleza, vitalidade, corpo perfeito, nobreza de caráter, bom humor, prosperidade, abundância, sucesso etc.

A ativação dos genes está diretamente relacionada com a produção de proteínas, de modo que as proteínas produzidas pelos seus genes são uma expressão da sua própria vida, da sua saúde e da sua realidade.

Veja que interessante: os cientistas descobriram que o nosso corpo produz pelo menos 140 mil proteínas diferentes. Eles deduziram, então, que se são os genes que produzem as proteínas, logo devem existir 140 mil genes diferentes. Os cientistas se deram ao trabalho de contar os genes, mas descobriram que os seres humanos possuem apenas 23.688 genes diferentes, número que não fazia sentido em relação à quantidade de proteínas criadas. Os cientistas então continuaram a pesquisar e descobriram que cada um desses genes pode se combinar e se expressar em 3 mil maneiras diferentes.

Em uma metáfora, seus genes são como luzinhas de Natal que piscam, ligando e desligando em várias expressões diferentes. Só que, no caso dos genes, são milhões de possibilidades. Considere seus genes como um imenso catálogo de infinitos potenciais, os quais podem se expressar em infinitas combinações e variações e, conforme a Epigenética, você tem o poder de selecionar as expressões que você desejar. Incrível, não é?

ALGORITMO DA COCRIAÇÃO #104

Seleção de genes

Sua configuração genética "de fábrica" é o seu ponto de partida na vida – biologicamente, você nasce com milhões de possibilidades que podem se manifestar ou não. Uma pessoa que vive no piloto automático inconsciente, limitada por suas crenças, pensamentos, sentimentos, emoções e comportamentos negativos, está fadada a expressar seus piores genes; mas você, que é um cocriador consciente da sua realidade, pode escolher os genes que deseja ativar.

Em suma, a Epigenética fundamenta através da Biologia a importância da elevação do seu nível de consciência, como é explicado por David Hawkins em termos de frequência e energia, bem como comprova cientificamente a validade das Leis Universais, que condicionam uma vida repleta de saúde, sucesso e realizações à busca pelo aprimoramento moral e espiritual.

Isso significa que a busca pela desprogramação de crenças e elevação da sua Frequência Vibracional® não afeta apenas a informação que você emana para o Universo, mas também a informação que circula internamente no seu corpo.

O ambiente interno do seu corpo corresponde ao ambiente externo das suas células, das moléculas de DNA contidas no núcleo das células e dos genes contidos nas moléculas de DNA, de maneira que a química do seu corpo, gerada a partir das suas emoções predominantes, determina a informação do ambiente dos seus genes, os quais reagem em conformidade.

Desse modo, todas as vezes em que você escolhe fazer uma gestão consciente das suas emoções, saindo intencionalmente da vibração energética e bioquímica das emoções negativas e cultivando as emoções positivas, você não só eleva sua Frequência Vibracional®, mas também está, em última instância, escolhendo desativar os genes desfavoráveis e ativar seus melhores genes.

Em resumo, seu destino genético não é determinado pela herança biológica que você recebeu dos seus pais, mas pela natureza dos seus pensamentos, sentimentos e emoções.

ALGORITMO DA COCRIAÇÃO #105

Sua personalidade determina sua biologia

Sua personalidade, entendida como o conjunto formado pelos seus pensamentos, sentimentos e comportamentos habituais, seu estado de ser, determina não somente a sua Frequência Vibracional®, mas também afeta diretamente seus circuitos neurais, sua biologia e sua expressão gênica.

A mesma personalidade cultivada a longo prazo faz com que você perceba a realidade sempre a partir do mesmo nível de consciência, reagindo às situações com as mesmas emoções. Em suma, seu ambiente externo não muda, porque você não muda internamente; e, por isso, o ambiente dos genes também não muda, deixando-os na mesma programação, produzindo as mesmas proteínas.

Vivendo sob os hormônios do estresse crônico, sustentamos a química das mesmas emoções, ativando sempre os mesmos genes específicos. Quando nada de novo acontece, quando não há novas informações para os genes evoluírem suas formas de expressões, o resultado é um processo de entropia pelo qual o corpo físico começa a se degenerar.

Daí você pensa: *Como eu posso mudar e sair do estresse, se minha realidade é constantemente cheia de motivos para preocupação, ansiedade, medo, tristeza e raiva?* Pois é, na lógica da causalidade da Física Clássica, até faria sentido você ficar esperando que as circunstâncias externas se tornem favoráveis o suficiente para, então, você se sentir bem internamente. Contudo, nós cocriadores, não trabalhamos com a Física Clássica nem com a lógica cartesiana; trabalhamos com a Física Quântica.

As mudanças epigenéticas pressupõem ainda o famoso "Ser para Ter", quer dizer, se você deseja sinalizar novos genes para manifestar uma realidade de saúde, vitalidade, alegria, prosperidade, sucesso e abundância, você precisa, antecipadamente, alterar a sua personalidade, cultivando novas emoções.

ALGORITMO DA COCRIAÇÃO #106

Ativação do "DNA lixo"

Até poucas décadas atrás, os cientistas afirmavam que usamos apenas 1,5% do nosso DNA, e que os 98,5% restantes eram "DNA lixo". Que ousadia achar que a natureza poderia admitir tamanho desperdício! Esses 98,5% de "DNA lixo" são, na verdade, as suas infinitas possibilidades, uma imensa coleção de potenciais a serem explorados através da sinalização dos seus genes das mais diferentes maneiras. Em outras palavras, aquilo que pensaram que era lixo é, na verdade, um baú de tesouros infinitos!

Você tem o poder de escolher ser definido pelos genes ou de definir como deseja que seus genes se expressem, assumindo autonomia sobre sua saúde e sua vida. Veja como é magnífico: está tudo em ressonância com os princípios fundamentais da cocriação da realidade, pois até mesmo sua configuração genética pressupõe 100% de responsabilidade, mudança de padrões mentais e emocionais, decisão e atitude!

Quando você acredita na possibilidade de ser uma nova pessoa e toma a decisão firme de sinalizar seus genes de novas maneiras através de novas emoções, independentemente das informações captadas pelos seus sentidos a respeito de uma realidade externa desagradável, você se torna o seu próprio engenheiro genético da sua vida.

Como ter novas emoções positivas para sinalizar seus genes de novas maneiras se sua realidade está caótica? Muito simples: através da sua poderosa imaginação! Seus genes "não se importam" se as emoções são decorrentes de experiências vividas na realidade física ou se são vividas na realidade imaginária; a única coisa que importa são as substâncias químicas produzidas a partir das emoções.

A ferramenta essencial para a operação das mudanças epigenéticas e ativação dos potenciais infinitos do "DNA lixo", ou melhor, do "DNA tesouro", é a meditação combinada com a Visualização Holográfica, que pode ser, inclusive, praticada dentro da própria Técnica Hertz® no momento em que eu lhe conduzo a afirmar sua mudança e a entrar na pele do seu Novo Eu.

Quando você muda suas emoções, elevando sua Frequência Vibracional®, inevitavelmente, a química das suas emoções superiores vai sinalizar seus genes para que eles produzam as proteínas adequadas para a manifestação da realidade futura escolhida nas infinitas possibilidades do seu próprio DNA.

ALGORITMO DA COCRIAÇÃO #107

Regulação ascendente e descendente

Regulação ascendente e regulação descendente são os termos técnicos do vocabulário da Biologia que se refere ao "botão liga e desliga" dos genes, isto é, sua ativação de desativação, respectivamente. Esse mecanismo funciona assim: diante de um estímulo no ambiente externo, produzimos uma resposta no ambiente interno, que é uma emoção, a qual vai ativar (regulação ascendente) certos genes e/ou desativar outros (regulação descendente). Mesmo que você nunca tenha ouvido falar, esses dois processos estão em constante operação no seu corpo, orquestrando a expressão dos genes na sua biologia.

Da mesma maneira que temos infinitas possibilidades no Universo, também as temos em nosso DNA e, obviamente, não vamos experimentar todas elas em uma única vida, mas elas estão "lá", disponíveis para serem sintonizadas ou ativadas. Isso significa que uma pessoa pode ter, por exemplo, o gene da predisposição para desenvolver câncer, porém, isso não é um problema, desde que não passe pela regulação ascendente, ou seja, o gene pode permanecer inativo, latente, nunca chegando a se expressar no corpo físico, tal qual uma onda eletromagnética no Universo.

É até motivo de certa perplexidade o fato de que as Leis que regem o Universo são também válidas para a microrrealidade das nossas moléculas de DNA, não é? Através do ajuste da frequência das suas emoções, você tanto é capaz de sintonizar um potencial desejado na Matriz Holográfica® como é capaz de ativar os genes desejados no seu DNA. Este é o seu poder infinito de cocriador – suas próprias emoções!

Portanto, do mesmo modo que ao elevar suas emoções, cultivando a gratidão, o amor, a alegria, a paz, a compaixão e a generosidade, você se torna capaz de colapsar as funções de onda dos mais incríveis potenciais do Universo, você pode comandar a ativação da regulação ascendente e descendente dos seus genes.

Quando reprograma suas emoções, você interfere intencionalmente nessa dinâmica regulatória, de modo que genes que estavam "acostumados" com a química dos hormônios do estresse produzidos pela vibração das emoções inferiores, quando recebem a nova sinalização decorrente da nova química do bem-estar gerada pelas emoções superiores, se expressarão de uma maneira diferente e positiva, favorável à sua saúde, vitalidade e equilíbrio.

ALGORITMO DA COCRIAÇÃO #108

A inteligência da membrana celular

Enquanto para a ciência genética convencional, o "cérebro" da célula é seu núcleo, para a Epigenética, o "cérebro" é a membrana celular que reveste a superfície da célula, intermediando o contato com o ambiente externo no qual está inserida e que, relembrando, é o ambiente interno do seu próprio corpo (e a bioquímica que nele predomina).

Basicamente, a membrana celular é o dispositivo inteligente da célula, que comanda o mecanismo de captação de informação do ambiente para enviá-la ao núcleo e sinalizar os genes, responsáveis por produzir as proteínas que vão determinar a biologia e fisiologia, o comportamento do corpo.

Isso significa que, ao contrário do que pensavam os geneticistas convencionais, os genes não determinam o comportamento da célula, é ao contrário: a célula que determina o comportamento dos genes, sinalizando quais genes são ativados e quais são desativados em conformidades com as informações do ambiente que, lembrando mais um vez, é o corpo.

Você contém em si genes com potenciais para tudo o que imaginar: juventude, inteligência, beleza, vitalidade, corpo perfeito, nobreza de caráter, bom humor, prosperidade, abundância, sucesso etc.

Na prática, sua saúde, sua vida e seu destino não dependem da sua herança genética, mas da sua própria autorresponsabilidade e consciência em relação às emoções que você permite predominar em seu corpo. Quer dizer, você é cocriador da sua realidade; você já sabia disso com base na Física Quântica, nas Neurociências e na frequência das emoções, e agora a Epigenética confirma que você é cocriador inclusive da sua própria biologia.

ALGORITMO DA COCRIAÇÃO #109

Programação da membrana celular

Em seu fantástico livro *A biologia da crença*, Bruce Lipton usa a metáfora de um chip de computador para explicar como as membranas das suas células podem ser programadas de acordo com suas intenções e desejos. Um chip eletrônico só contém a informação de um programa porque existe um programador externo, que no caso é o profissional que trabalha na fábrica de chips. O programador escolhe, deliberadamente, quais são as informações e funcionalidades que deseja inserir no chip, que só depois de pronto, executará as funções programadas.

No caso da sua membrana celular também existe um programador externo, que é seu próprio organismo, e o "coquetel" bioquímico que nele predomina. A membrana celular faz uma espécie de "upload" das informações do seu corpo, carregando-as no núcleo da célula, onde fica a molécula do DNA e os genes, que vão responder às informações atualizadas.

É assim que suas emoções, pensamentos e sentimentos programam cada uma de suas células, fazendo com que elas se comportem em conformidade com quem você é, ativando ou desativando, através dos mecanismos de regulação ascendente e descendente, por exemplo, os genes do corpo magro ou da gordura localizada, da depressão ou da disposição, da morbidade ou da vitalidade.

Reforçando: sua personalidade determina a programação das suas células, expressando sua realidade biológica, fisiológica e psicológica, o que, em última instância, está diretamente relacionado com a expressão da sua realidade externa e com sua capacidade de sintonizar novos potenciais na Matriz Holográfica®.

ALGORITMO DA COCRIAÇÃO #110

Farmácia 24h

De acordo com a Epigenética, seu corpo é uma farmácia que trabalha vinte e quatro horas para produzir uma enorme variedade de substâncias químicas para manter a saúde e o equilíbrio do organismo. Seu corpo tem a capacidade de produzir toda sorte de medicina: analgésicos, antibióticos, anti-inflamatórios, antidepressivos, ansiolíticos, soníferos, estimulantes e até mesmo substâncias de expansão da consciência como o DMT, que é o princípio ativo da Ayahuasca.

Sabe qual é a moeda com a qual você "adquire" esses medicamentos? Suas Emoções! Como já expliquei, suas emoções determinam o ambiente das células, cujas informações são captadas pelas membranas e transmitidas ao núcleo, onde os genes são sinalizados para produzir as proteínas adequadas que serão metabolizadas nas substâncias necessárias à homeostase, de modo que o seu corpo se adapte biologicamente em conformidade com suas emoções predominantes.

Sendo assim, no momento em que suas emoções positivas predominarem sobre as negativas, vibrando mais intensamente e fazendo com que o seu estado de ser seja determinado pela alegria, gratidão, prosperidade, confiança e amor, seu corpo responderá com a produção das substâncias certas para a cura, regeneração e manutenção da saúde e bem-estar de maneira plena e harmônica.

ALGORITMO DA COCRIAÇÃO #111

Comunicação não local das células

Como expliquei nos Algoritmos da Cocriação decodificados a partir da Física Quântica, o Universo é um grande oceano de energia – não existem espaços vazios entre os objetos da realidade física que somos capazes de enxergar; aquilo que não podemos perceber é pura energia invisível.

Albert Einstein dedicou toda vida a comprovar sua intuição de que o Universo é uma unidade energética dinâmica, chegando à sua mais famosa fórmula, $E=mc^2$, que evidencia a intrínseca relação entre energia e matéria, em oposição à tese cartesiana ainda vigente na época, que afirmava que esses dois elementos eram independentes.

A Física Quântica evidenciou que o Universo é um imenso campo eletromagnético formado pelos campos eletromagnéticos de tudo o que está contido nele, de modo que todos os campos estão entrelaçados em um contínuo intercâmbio de informações, como foi evidenciado através da comprovação do fenômeno do Emaranhamento Quântico.

Naturalmente, se tudo no Universo é composto por átomos, e os átomos são compostos por energia, as nossas células também o são. A Epigenética, fundamentada na Física Quântica, comprovou que existe uma comunicação não local entre nossas células, o que significa que o nosso corpo físico é partícula e matéria, mas também é um pequeno universo de energia e informação, no qual há trilhões de células que operam interconectadas na não localidade, isto é, nosso emaranhamento quântico "particular".

Nesse emaranhamento quântico do seu organismo, uma pequena falha de comunicação em alguma parte afeta todo o sistema e, da mesma maneira, uma informação positiva também afeta positivamente o funcionamento integral do organismo. Contudo, o modelo biomédico vigente, em uma percepção cartesiana mecanicista e local, insiste em querer tratar apenas sintomas, atuando de modo isolado em uma determinada parte do corpo, ignorando a interdependência das "peças" que compõem o sistema.

A compreensão holística da saúde fundamentada na Física Quântica e defendida pela Epigenética evidencia que o equilíbrio do corpo físico pode ser alcançado muito mais eficazmente através da mobilização não local da energia. Pensamentos e crenças (energia da mente) e sentimentos (energia das emoções) afetam o corpo (matéria), alterando o ambiente das células e a resposta dos genes, processo conhecido como efeito placebo, como foi explicado no Algoritmo da Cocriação #92.

ALGORITMO DA COCRIAÇÃO #112

Sinais poderosos

De acordo com Bruce Lipton, a medicina convencional baseada no modelo biomédico atua no nível da matéria tentando mudar matéria, que é o nível da força, conforme explicado por David Hawkins. Contudo, a Epigenética comprova que a sutileza da comunicação não local da energia é capaz de afetar a matéria de maneira mais fácil, mais rápida e mais eficiente.

A sinalização energética dos genes é muitíssimo mais poderosa porque as frequências eletromagnéticas emitidas pelos seus pensamentos e sentimentos são infinitamente mais eficazes na transmissão instantânea de informações sobre o ambiente do que os próprios sinais químicos produzidos pelos hormônios e neurotransmissores. Isso significa que as experiências internas que você tem através da sua imaginação com a prática da Técnica Hertz® e da Visualização Holográfica emitem uma frequência mais eficiente, que é comunicada ao seu DNA, chegando antes mesmo das informações bioquímicas.

Nós aprendemos e fomos condicionados, desde a infância, a usarmos a linguagem física da escrita, da fala e dos gestos para nos comunicarmos com clareza e, assim, muitas e muitas pessoas passam uma vida inteira sem saber que é possível se comunicar através dos poderosos sinais emitidos pelos campos de energia, os quais, segundo Bruce Lipton são pelo menos cem vezes mais eficientes e infinitamente mais rápidos que os sinais químicos ou físicos.

Como a Natureza não "gosta" de desperdícios de tempo e tampouco de energia, essa forma de comunicação através dos poderosos sinais energéticos é a que é de maneira predominante usada pelo nosso corpo, nós tendo ou não consciência disso. Mas, agora que você tem consciência sobre mais esse incrível Algoritmo da Cocriação, pode escolher se comunicar energeticamente com suas células e seus genes para comandar a instruções que desejar através das frequências eletromagnéticas emitida pelos seus pensamentos e sentimentos.

ALGORITMO DA COCRIAÇÃO #113

Epigenética na gestação

A Epigenética afirma que o processo de programação dos genes na alteração da "configuração original de fábrica" já se inicia na gestação, quando a pessoa ainda é um feto no ventre materno e recebe as informações sobre as crenças, emoções e percepção de realidade de sua própria mãe, tanto fisicamente, através da placenta, quanto quanticamente, de maneira não local.

Essa comunicação atua como um mecanismo evolutivo de adaptação através do qual o feto pode tomar conhecimento, antecipadamente, a respeito da hostilidade ou hospitalidade do ambiente externo que lhe espera, de modo a potencializar suas chances de sobrevivência fora do útero.

O feto – e a placenta também – tem seu próprio campo eletromagnético, mas por estar dentro do útero de sua mãe, seu campo se funde ao campo dela, compartilhando, portanto, as mesmas informações, de modo que a qualidade de vida intrauterina, a formação e o desenvolvimento do bebê, bem como as expectativas extrauterinas são profundamente afetadas pelas emoções da mãe.

Eu bem sei disso, pois vivenciei um momento de emoções muito conturbadas durante a gestação do meu filho Arthur, que acessou todas as informações da vitimização, rejeição, medo, tristeza, raiva e escassez que eu vibrava naquele momento, culminando no seu nascimento com um grave problema de saúde, cuja cura, como vocês sabem, eu mesma cocriei!

Naquela altura, logicamente, eu não tinha a consciência que tenho hoje, e aprendi da forma mais dolorosa possível a importância de gerenciar minhas emoções. Espero que você não precise repetir meu comportamento para aprender. Se, por acaso, você estiver grávida ou planejando engravidar neste momento, espero que consiga ter a consciência de que você é a engenheira genética do seu bebê, que você pode oferecer um ambiente intrauterino muito saudável e programar os genes do bebê para a saúde, o sucesso e o pleno desempenho em todas as áreas da vida.

ALGORITMO DA COCRIAÇÃO #114

Epigenética na infância

Após o nascimento, a criança continua sendo intensamente programada até por volta dos 7 anos, período em que sua mente inconsciente está completamente "aberta" e receptiva às informações recebidas, sobretudo, quando vinda dos pais e de outros adultos de referência, como expliquei no Algoritmo da Cocriação #90 – Programe seus filhos.

No período entre a vida intrauterina e os 7 anos, a criança é pura plasticidade, seus genes, sua biologia, seus pensamentos, crenças e emoções são totalmente moldáveis, seja para garantir, na vida adulta, a expressão do seu máximo potencial, ou para bloqueá-lo completamente.

Portanto, se você tem um bebezinho ou uma criança pequenina, pode ser o engenheiro epigenético e o cocriador de um futuro brilhante para essa criança.

Quando você se dispõe a investir em um treinamento como o Holo Cocriação de Sonhos e Metas®, ao reprogramar suas crenças e moldar seu futuro, você está não somente cocriando seus próprios sonhos, mas garantindo que seus filhos não repitam os seus erros e não reproduzam seus padrões.

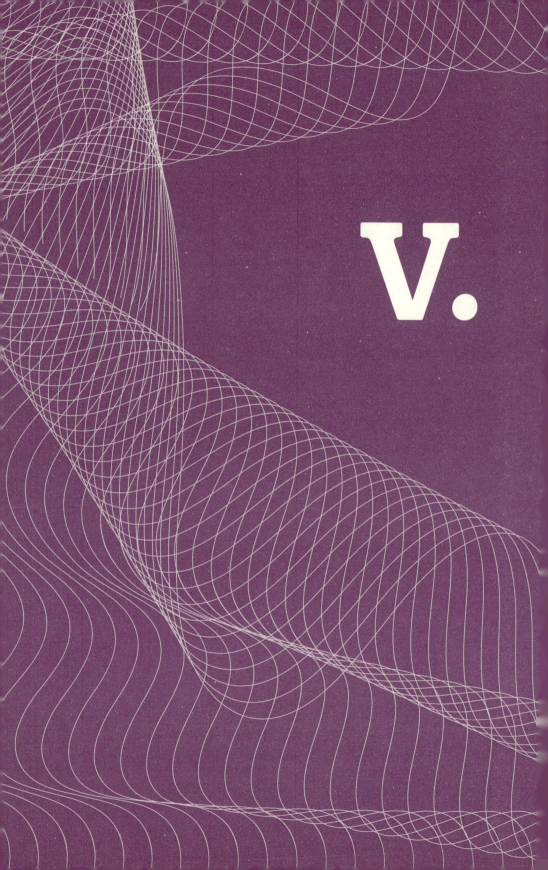

Algoritmos da Cocriação decodificados dos Princípios Gerais da Cocriação

ALGORITMO DA COCRIAÇÃO #115

Eletromagnetismo

A Força Eletromagnética é uma das quatro forças fundamentais que regem o Universo e a Natureza, é responsável pela ligação dos átomos e moléculas que formam a matéria, ou seja, a força universal que fundamenta o processo de cocriação da realidade através do colapso da Função de Onda, quando usamos nossa consciência para interferir nas partículas subatômicas de modo a manifestar a energia do plano mental na densidade do plano material.

O eletromagnetismo permite a compreensão do eterno movimento vibratório do Universo decorrente da própria vibração dos átomos que formam tudo o que existe, das galáxias mais distantes ao seu corpo e realidade. Tudo no Universo vibra, e o que diferencia um elemento de outro é a frequência dessa vibração, como mostra o "espectro eletromagnético", que é uma espécie de "régua" que contém o intervalo de todas as frequências eletromagnéticas.

No espectro eletromagnético, as frequências que somos capazes de captar com nossos sentidos físicos consiste em uma parte infinitesimalmente pequena denominada "espectro da luz visível", que corresponde a insignificantes um décimo de bilionésimo das informações que nos cercam, proporção que se apresenta como um excelente motivo para reconhecermos a limitação da nossa percepção da realidade e aceitarmos a existência das infinitas possibilidades.

ALGORITMO DA COCRIAÇÃO #116

Tudo é vibração

> *"Se quiser encontrar os Segredos do Universo, pense em termos de Energia, Frequência e Vibração."*
> **NIKOLA TESLA (1856-1943)**

Como acabei de explicar no Algoritmo da Cocriação anterior – Eletromagnetismo – tudo no Universo é vibração, tudo é energia e tudo se expressa através de frequências variadas que se diferenciam de acordo com seus ciclos de onda, que são mensurados em Hertz (Hz).

Conforme o Princípio da Vibração que rege o Universo, as emoções, os sentimentos, pensamentos, sons, objetos, seres e tudo que existe possuindo forma e movimento, com densidade material ou não, possui um espectro vibracional.

Conhecendo o espectro eletromagnético das vibrações, você compreende que energia e matéria são polaridades de uma mesma unidade e, portanto, podem se converter uma na outra em decorrência de uma alteração na vibração.

É por isso que quando você altera sua própria vibração com a elevação da sua consciência, consegue mobilizar a energia necessária para alterar a vibração dos átomos dos seus pensamentos e sentimentos (que correspondem à Função de Onda do seu desejo da Matriz Holográfica®), fazendo com que eles passem a vibrar dentro do espectro de luz visível, que você reconhece como sua realidade.

ALGORITMO DA COCRIAÇÃO #117

Princípio da Ressonância

Cientificamente, conforme a Física explica, a ressonância é um fenômeno que ocorre entre dois sistemas vibratórios de frequências similares, e um dos sistemas afeta o outro, fazendo com que responda produzindo frequências maiores de vibração, o que é denominado de "frequência ressonante". Explicando de maneira mais simples, a ressonância ocorre quando as ondas dos dois sistemas se encontram e unem suas energias em uma única onda de frequência e amplitude superiores às originais.

Na prática, quer você tenha consciência disso ou não, a sua realidade é continuamente manifestada através da ressonância entre as frequências que você emite e as frequências similares do Vácuo Quântico. O Princípio da Ressonância, quando direcionado intencionalmente, é um dos pilares da cocriação consciente da realidade, responsável pela manifestação de encontros, eventos, situações, circunstâncias e objetos na sua vida, na sua realidade.

Para direcionar o Princípio da Ressonância a seu favor e cocriar a realidade que deseja, existem dois passos fundamentais: primeiro, você precisa estabelecer uma ressonância interna, alinhando pensamentos, sentimentos, palavras e comportamentos, de modo a amplificar a sua energia; depois, você foca a ressonância externa para sintonizar as frequências correspondentes à configuração de realidade que você deseja, cocriando casa, carro, saúde, dinheiro, alma gêmea, viagens etc.

Na Física Quântica, a ressonância é responsável pelo colapso da Função de Onda, fenômeno em que a sua onda pessoal, que é sua Assinatura Eletromagnética®, entra em ressonância (que é o mesmo que "entrar em fase") com a onda da realidade potencial desejada na Matriz Holográfica®.

É por esse motivo que é importante que você, primeiro, se dedique à sua ressonância interna, pois apenas quando a frequência que vibra dentro de você for elevada o suficiente para entrar em fase com a frequência do seu grande sonho, é que ele, naturalmente, se manifestará na sua realidade externa.

ALGORITMO DA COCRIAÇÃO #118

Ser para Ter

Se alguém me pedisse para resumir todos os Algoritmos da Cocriação em apenas três palavras, eu diria "Ser para Ter". Essas três palavrinhas pequenas e simples expressam a mais importante verdade sobre a cocriação da realidade: primeiro você é, depois você tem, ou seja, primeiro você precisa ser a frequência do seu sonho para, então, tê-lo materializado.

A prova de que esta regra opera como uma Lei Universal imutável e infalível é a realidade que você *tem* agora, após passar anos *sendo* uma pessoa que não se ama de verdade, que vitimiza, julga, reclama, justifica, guarda mágoas e ressentimentos. Mas agora você sabe como o Universo funciona e pode reverter a realidade que cocriou de maneira inconsciente nos últimos anos, simplesmente modificando quem você é, ou melhor, modificando a frequência que você emana.

O "Ser para Ter" também evidencia toda a maravilha dos conceitos de livre-arbítrio e autorresponsabilidade, uma vez que a frequência que você emana é uma escolha 100% sua. Você tem total autonomia para decidir quem quer ser e qual informação deseja emitir para o Universo.

E o melhor é que você pode ser antes de ter, ainda que sua realidade vigente não lhe ofereça condições materiais adequadas para você ser antecipadamente o que você deseja ter, pois, uma vez que nem sua mente e tampouco o Universo distinguem realidade e imaginação ou passado, presente e futuro, você pode usar o recurso da Visualização Holográfica para experimentar e incorporar os novos pensamentos, sentimentos e comportamentos de quem você deseja ser.

ALGORITMO DA COCRIAÇÃO #119

Aceite o sucesso

Você deve aceitar a premissa máxima do Criador de que não há como desvencilhar o sucesso da sua vida, visto que você nasceu bem-sucedido, programado para prosperar, crescer, expandir e viver uma vida milionária e plenamente feliz em todas as áreas.

Todos esses atributos são inerentes à sua essência divina, e aceitar o sucesso é uma atitude de alta frequência que promove a expansão da consciência, pois ao assumir o seu papel sublime na criação a partir da vibração da aceitação, cuja frequência é de 350 Hz na Escala das Emoções, você sobe o primeiro degrau potencial e consistente na sua escalada energética rumo à reconexão com o Todo, uma vez que na aceitação você já ultrapassou as esferas vibracionais inferiores e está prestes a iniciar a sua jornada quântica no caminho da razão, do amor, da alegria, da paz, da iluminação e da consciência final.

Nesse estágio, você aceita seu poder natural como cocriador e assume 100% a responsabilidade sobre todos os episódios que o rodeiam. Com isso, dá o passo inicial para o salto quântico em direção a vida dos seus sonhos, uma nova vida, marcada por acontecimentos maravilhosos, envoltos de abundância, harmonia, sucesso e alegrias ilimitadas em todos os departamentos.

Não precisa resistir nem forçar nada na vida, pois tudo nela flui e depende apenas da sua dedicação, e não do seu esforço. Excesso de esforço representa resistência, contração física, mental e vibracional, o que significa uma grave infração às Leis Divinas e Universais.

Por que falo isso? Porque desejo que você amplie a sua percepção consciente sobre a dinâmica da realidade e do Universo. Por exemplo, acompanhe o crescimento das flores – elas não forçam nada, não criam expectativas, não planejam de maneira meticulosa, nem prospectam o futuro. Simplesmente são como são. Crescem, florescem, expandem e embelezam a natureza com sua exuberância divina; têm seu papel no mundo e o cumprem com rigor e total tranquilidade.

Entretanto, a consciência humana, aparentemente, é mais complexa, ou seja, você talvez tenha maior discernimento evolutivo do que uma planta ou uma flor. E digo "talvez" porque isso pode não ser totalmente certo. No entanto, você tem livre-arbítrio, sua consciência é pensante, tem raciocínio apurado e o poder fabuloso, segundo os princípios da Física Quântica e da cocriação da realidade, para manifestar a realidade, vida, planos e sonhos que desejar.

ALGORITMO DA COCRIAÇÃO #120

Conhecimento infinito

Existem tesouros incríveis inseridos no interior da mente e no inconsciente. Recursos esplêndidos, capazes de produzir abundância infinita em todos os setores.

Você dispõe de todo o amor, generosidade, felicidade, alegria e sabedoria ilimitada do Universo, pois tudo isso é inerente às suas capacidades naturais que advêm do Criador de Tudo o que É, fruto onisciente da Presença Divina registrada no núcleo do seu DNA e imersa na Energia Primordial contida em cada célula e molécula espalhada pela malha orgânica do seu ser.

Esse é um fato comprovado pela Física Quântica e pelas Leis Universais: a mesma energia da criação e do Vácuo Quântico está incutida na sua consciência e em cada neurônio elétrico do seu cérebro. Você é apenas a extensão energética da Consciência Maior e Superior, mas não adianta eu apenas falar ou escrever essas linhas. Para completa compreensão, você precisa assumir esse conhecimento sagrado, aceitar sua influência incondicional e passar a agir como portador desses poderes extraordinários.

ALGORITMO DA COCRIAÇÃO #121

Poder total

O poder a que me refiro é o poder da cocriação mental, da emoção magnetizadora do coração e de sua inata capacidade para promover o colapso da Função de Onda no Universo, isto é, o poder de entrar em fase com a Mente de Deus através de sua Frequência Vibracional® elevada e produzir a interferência construtiva na fibra energética da Substância Amorfa para causar os efeitos materiais que deseja, fabricando sua própria realidade.

Tudo isso é possível através da sua consciência cocriadora e do poder eletromagnético do seu campo quântico ao estabelecer um padrão vibracional superior, ancorado em sentimentos de alto nível vibracional, pois o conhecimento significa riqueza, prosperidade e abundância.

ALGORITMO DA COCRIAÇÃO #122

Conhecimento desperto

Perceba que o conhecimento pode ser atribuído ao seu nível de consciência, ou seja, quanto maior o despertar, maior o volume de conhecimento adquirido na estrada da vida. Essencialmente, o conhecimento é o discernimento que você possui sobre os poderes naturais que existem e vibram dentro do seu ser multidimensional.

Logo, é preciso compreender a associação entre conhecimento e consciência, fundamental para aproveitar todos os recursos incríveis que existem dentro de si, em prol de uma vida fabulosa, plena e totalmente satisfeita em todos os sentidos – financeiro, pessoal, afetivo e profissional.

ALGORITMO DA COCRIAÇÃO #123

Semeie e compartilhe

"Dê e receba", "plante e colha", "ação e reação". O Universo reflete a energia das suas ações como um espelho eletromagnético: quando você compartilha algo positivo, seja conhecimento, um bem material, ideias, dinheiro, felicidade, amor, gratidão, o seu tempo... naturalmente entrará nessa frequência, através de "n" eventos que se manifestarão em sua vida.

As Leis Universais e os princípios da Física Quântica evidenciam a importância da atitude de compartilhar com os outros o que se tem de bom e belo, ou seja, o gesto lindo da doação universal, generosidade e amor incondicional sobre tudo e todas as coisas – compartilhar – é a própria frequência da abundância, afinal quem dá muito é porque tem muito, seja o que for.

Assim, eu me arrisco a dizer que só é realmente próspero e abundante quem sabe dividir o que tem e ajudar as outras pessoas a conquistar e realizar seus desejos, pois somente assim é possível vibrar na abundância e se alinhar com a generosidade infinita do Criador.

Como eu mencionei, quando se ajuda alguém com verdadeira disposição, a vibração emanada ao Universo é de amor, compaixão, aceitação, gratidão e, sobretudo, alegria e abundância, ou seja, tudo o que você precisa para prosperar é uma verdadeira receita vibracional com todos os ingredientes necessários para acessar a Fonte Criadora e materializar todos os seus desejos de abundância.

Você já deve saber que essas emoções vibram alto, em escalas superiores a 500 e 600 Hz, por isso, o colocam na posição ideal para entrar em fase com o Universo e colapsar a Função de Onda a partir da Matriz Holográfica®.

ALGORITMO DA COCRIAÇÃO #124

Consciência da Prosperidade

Sua consciência de prosperidade não depende de dinheiro. Seu fluxo de dinheiro é que depende da sua consciência de prosperidade. Quanto mais você imaginar, mais terá em sua vida.

LOUISE L. HAY (1926-2017),
EM *VOCÊ PODE CURAR SUA VIDA*

A prosperidade não se resume à riqueza, dinheiro ou bens materiais, ela é um nível de consciência, um estado de ser, uma filosofia de vida. É fundamental que você aprenda a desenvolver sua Consciência da Prosperidade para manifestar a vida de seus sonhos de abundância em suas mais variadas formas de expressão.

Por que falo isso? Se você não tiver essa consciência, corre sério risco de além de não cocriar o que deseja, perder o que já tem. E isso não é uma ameaça ou terrorismo, também não é algo certo e determinado, mas é uma probabilidade, ou melhor, uma grande probabilidade quântica, pois sem Consciência de Prosperidade, você não compreende as Leis Universais nem os princípios da cocriação que regem a abundância.

O poder para manifestar a prosperidade é da própria consciência, que está no controle e no comando de todas as ações no Universo, ou seja, quem estabelece o sentido da verdadeira prosperidade é a própria consciência – você, eu, cada um de nós.

Louise Hay explica no livro *Você pode curar sua vida* que existe um oceano infinito e inesgotável de riquezas no Universo que nunca seca ou cessa e está integrado a todas as pessoas. E sabe onde fica a sua fonte? Dentro de você! Cada pessoa é uma fonte própria de armazenamento e incipiente de abundância infinita. Nas palavras da autora, "lembre-se de que seu recipiente é sua consciência e que ele sempre pode ser trocado por um maior".

Compreender esse fato é o primeiro movimento para identificar o que pode ser definido como consciência de prosperidade, isto é, compreender que você *tem*, ou melhor, você *é* uma fonte inesgotável de recursos ao seu dispor, e a sua consciência é o próprio recipiente desses recursos ilimitados. Sabendo disso, já não existe mais lugar em sua vida para preocupações excessivas, medos, sentimentos de falta, rejeição ou abandono, o que é crucial para manter sua Frequência Vibracional® elevada, uma vez que sentimentos como esses, de menos valia e baixa autoestima, vibram abaixo de 200 Hz na Escala das Emoções e impedem completamente a fluidez da prosperidade.

Bob Proctor, no livro *Você nasceu rico*, sugere que o despertar da consciência de prosperidade acontece quando há a compreensão sobre o poder dos pensamentos na vida interior de cada pessoa. De acordo com o autor, ao dominar esse poder, você terá acesso a um oceano infinito de riquezas, criado exclusivamente por você mesmo.

Quando você compreende que o Universo é vasto e farto e que tudo depende de você, como cocriador da realidade, naturalmente, você amplia sua consciência de prosperidade no mundo, desperta para o fato de que se o Universo é abundante, você também é abundante, de modo que não precisa mais temer pelo futuro, viver envolto em ansiedade, falta de esperança sobre os desafios da vida ou permanecer no estado letárgico da apatia, que é desacelerado e estático, sem nenhuma ação para prosperar.

ALGORITMO DA COCRIAÇÃO #125

Alinhamento das três mentes

Se você deseja expandir sua consciência para a cocriação holográfica da realidade próspera e feliz dos seus sonhos, não pode haver divergências vibracionais entre as suas três mentes – consciente, inconsciente e Superior, tudo deve estar alinhado e em perfeita harmonia em sua vida.

Na prática, isso significa que o seu desejo (sentimento), o seu pensamento (mente consciente) e a sua relação com a Fonte (Mente Superior) devem operar em sincronia, como uma roda de engrenagens perfeitas. Basicamente, o Alinhamento Vibracional pressupõe pensar, sentir e agir em congruência com o seu desejo de abundância e expansão consciente no Universo Holográfico.

O processo informacional da cocriação do seu sonho começa na mente consciente através do seu pensamento, que é a razão, a sua mente lógica, também chamada de "mente intermediária" por estar localizada entre as outras duas mentes – inconsciente e Superior. Essa mente racional ou consciente é o berço da informação inicial do seu cérebro e da sua consciência, é ela que, através dos seus pensamentos representados por imagens, é responsável por criar o holograma do seu desejo no Universo, seja casa, carro, viagem, robusta conta bancária, emagrecimento ou mesmo o encontro com a alma gêmea.

Logo após sua criação, essa informação é interpretada e decodificada por sua mente inconsciente, que traduz a emoção do seu desejo, conecta-se e mantém a comunicação com a Mente Superior, o Vácuo Quântico, Deus, a Matriz Holográfica®, sendo o canal principal de comunicação com o Todo, pois tudo que nela vibra é repercutido para o Universo, que é a Mente Superior, a terceira mente.

Enfim, o Universo ou Mente Superior vai responder e atender apenas o que seja congruente entre o consciente e o inconsciente, ou seja, aquilo que foi pensado e desejado em perfeito alinhamento.

Por exemplo, você pensou e desejou um carro da marca BMW, essa informação chegou com força ao seu inconsciente e capturou uma emoção referente a esse holograma. E essa emoção, com todos os seus contornos e detalhes precisos discriminados por você, possui uma energia positiva, de fé, aceitação, harmonia, amor e realização. O que acontece? Você estabeleceu o alinhamento e a harmonia quântica e vibracional entre essas duas mentes – a consciente e a inconsciente. A partir disso, uma frequência elevada, ancorada nesses sentimentos superiores, em vibrações de 600 ou 700 Hz, chega ao núcleo do Universo, ao Vácuo Quântico.

A Mente Superior, o Todo ou Deus, recebe essa frequência e a reflete como um espelho gigantesco à Matriz Holográfica® de mesma proporção vibracional do seu carro, acelerando o processo de cocriação da realidade próspera, e passa a transformar as ondas de infinitas possibilidades que estão em estado de superposição quântica em matéria real no mundo físico.

Em resumo, a informação sobre o seu desejo, criada na mente consciente a partir da tradução dos seus pensamentos em imagens (holograma), é recebida por sua mente inconsciente que, por sua, vez interpreta a vibração dos sentimentos relacionados ao holograma do seu desejo, e só então a informação é emitida para a Mente Cósmica. Caso seja uma vibração pautada em sentimentos elevados, como amor, alegria, fé, gratidão, aceitação e harmonia, ela entra em fase com Mente Superior, e a materialização do desejo é autorizada.

ALGORITMO DA COCRIAÇÃO #126

O fracasso é a semente do sucesso

Em cada fracasso existe a semente do sucesso que evidencia o mecanismo do aperfeiçoamento do Universo e da sua consciência. Os malogros da vida são os dentes da engrenagem da criação, que, a cada passo, nos conduzem para mais perto de nossas metas.

Na realidade, não existe o que chamamos de fracasso, todos os eventos e situações que expressam uma realidade diferente da que planejamos são "feedbacks" do Universo que apontam os ajustes necessários que precisam ser feitos, pois nossos erros são oportunidades para aprendermos a fazer o que é certo e, assim, expandirmos nossa consciência.

ALGORITMO DA COCRIAÇÃO #127

O Vão da Cocriação

Existe um mecanismo preciso, através do qual, todos os desejos podem ser manifestados. Ele funciona em quatro etapas:

- **Primeira:** Você entra no espaço que existe entre dois pensamentos. Esse vão é a janela, o *void*, o corredor, o vórtex transformacional, através do qual a mente individual se comunica com a Mente Cósmica, começando por suas células.

- **Segunda:** Nesse espaço vazio, afirme sua intenção de atingir uma meta preestabelecida com a maior clareza possível.
- **Terceira:** Desligue-se completamente de seu objetivo, porque apegar-se a um objeto desejado ou judat-lo faz com que você saia do vão. Você deve soltar seu sonho ao Universo e deixar a sua vibração interior se expandir de maneira natural.
- **Quarta:** Deixe o Universo cuidar dos detalhes para a realização do desejo. Lembre-se de que a meta está entregue ao Vão da Cocriação, que é o próprio Vácuo Quântico. É a partir dessa entrega do seu desejo ao Vão da Cocriação, à Matriz Holográfica®, que surge a potencialidade de organizar e orquestrar tudo o que for necessário para produzir qualquer resultado.

Você deve se recordar de alguma ocasião em que quis muito se lembrar de um nome, mas não conseguiu, apesar de todos os esforços. Entretanto, assim que você esqueceu, que você liberou seu esforço e desapegou do objetivo desejado, o nome surgiu em sua mente como em um passe de mágica. O que aconteceu? Enquanto você lutava consigo para lembrar-se do nome, sua mente estava alerta, turbulenta. Então, por cansaço ou frustração, você acabou desistindo da luta, e a sua mente foi se acalmando. Sem perceber, você deslizou para o Vão da Cocriação e se lembrou, quase sem querer, do nome que buscava na sua memória.

Da mesma maneira que esse mecanismo funciona para que você encontre nomes perdidos na sua memória ou objetos perdidos na sua casa, ele também funciona para a realização de desejos infinitamente mais grandiosos que esses.

ALGORITMO DA COCRIAÇÃO #128

Palavra tem poder

Tudo que você fala, pronuncia, pensa, sente, verbaliza, oraliza, grita, conversa, comunica, interage, xinga, resmunga, lamenta, ofende, murmura, anuncia, justifica, pragueja ou referencia com a sua boca, através da fala, gera uma frequência, uma vibração e uma emoção. Sua fala produz ondas de energia que vão interferir tanto na química do seu corpo físico como no seu campo eletromagnético.

O problema é que o modo como você fala, presta atenção, ouve ou se porta está rodando na sua mente desde a infância. Tudo ficou gravado na sua mente inconsciente, todas as crenças e percepções sobre a realidade estão ali, no lado oculto, muitas vezes, sem você sequer saber.

Por isso, é preciso colocar em prática o hábito da auto-observação para que você perceba quando expressa palavras ou frases desempoderadoras, que carregam informação e frequência contrárias à cocriação do seu sonho. É preciso reconfigurar a sua programação verbal de modo a promover o alinhamento vibracional das suas palavras com os seus pensamentos, sentimentos e comportamentos.

Seja na frente do espelho, conversando com você mesmo ou com outras pessoas, fique atento para cuidar das suas palavras, daquilo que pronuncia e do que deseja oralizar.

Frases prontas e automáticas como "a vida é dura", "alegria de pobre dura pouco" ou "dinheiro voa" precisam ser eliminadas do seu repertório. Não expresse mais esse vocabulário, por favor. Faça isso por você, apague essas palavras da mente, substitua-as por outras que sejam positivas e, se for o caso, adquira novos jargões empoderadores e repita-os incansavelmente para si mesmo e para todos!

Treine e condicione sua mente para uma fala seletiva de modo a expressar o que há de melhor na existência e na potencialidade humana. Envolva-se emocionalmente com a energia das frases de poder, com pensamentos e ações de prosperidade. Isso vai gerar novos conceitos e novos padrões mentais que o ajudarão a vibrar na sintonia da abundância.

ALGORITMO DA COCRIAÇÃO #129

Energia da mudança

Para elevar sua Frequência Vibracional® e acessar um novo estado de ser, um novo padrão vibratório capaz de sintonizar e colapsar seus sonhos, você precisa não só estar aberto para a mudança, mas juda-la intencionalmente.

Mudar representa regeneração, resiliência, ressignificação, evolução e expansão. Para ativar a energia da mudança, você deverá se abrir para uma mudança de consciência e de mindset. Isso vale para velhas crenças, pensamentos, emoções ou qualquer bloqueador mental ou emocional oposto à manifestação dos seus sonhos no momento presente.

Então, você deve se livrar de velhos padrões nocivos de derrotismos, pensamentos negativos, emoções prejudiciais à sua existência, à expansão da sua mente e contrários à sua capacidade infinita de cocriação universal. É preciso remover as camadas em volta de si, liberar a mente para um novo horizonte de possibilidades infinitas e de confirmações fantásticas.

É preciso ressignificar crenças, limpar memórias antigas do inconsciente, mudar a forma de respirar harmonicamente e de desejar o bem para as pessoas, passar a meditar, a manter estados de alta concentração, ampliar o senso de visualização criativa quanto ao futuro desejado e de perceber o Novo Eu, que transcende o tempo e o espaço, se manifestar dentro de sua Centelha Divina.

Tudo precisa mudar para você alterar a vibração em volta do seu campo quântico – sua mente, emoção e fisiologia precisam mudar a frequência, colocando mais disposição, alegria e entusiasmo em tudo o que se mover a fazer. Você precisa tornar mais leve o padrão da sua energia, acelerar seu metabolismo físico e mental para imantar, dentro e fora de você, uma vibração mais suave e sutil, compatível com a dimensão holográfica dos sonhos, com a frequência da Mente Superior e Cósmica.

O processo de mudança é permeado por novas atitudes mentais e emocionais que vão refletir em todo o seu sistema e na expressão dos resultados de sua vida. Veja algumas atitudes que promovem a mudança:

- Abra mão de julgar, criticar e justificar;
- Liberte-se da preocupação e da ansiedade;
- Evite remoer as lembranças do passado;
- Libere os sentimentos de culpa, medo, tristeza ou ódio;
- Saia da zona de conforto;
- Pratique atividades físicas regularmente;
- Adote uma alimentação mais saudável;
- Beba mais água.

Todas essas mudanças internas e externas vão gerar a Energia da Mudança que você precisa para manifestar sua nova versão, seu novo eu, como alguém próspero, rico, saudável, amado, bem-sucedido e apto para receber um novo fluxo de Energia Cósmica.

ALGORITMO DA COCRIAÇÃO #130

Individuação Superior

Na psicanálise, a individuação corresponde à integração das mentes consciente e inconsciente quando o indivíduo abandona o ego e transcende seus bloqueios e crenças para se tornar um único ser, completo, inteiro, íntegro e pleno em unidade com sua Consciência Maior.

No processo de cocriação da realidade, ao promover a integração das três mentes (inconsciente, consciente e Superior), você se funde ao Todo, promovendo o seu alinhamento quântico e vibracional. Com isso, tudo se torna possível, pois você entra em fase com Deus, tornando-se um cocriador universal capaz de navegar pelo oceano da criação e de surfar em ondas de infinitas possibilidades. Tudo, então, pode ser cocriado, instantaneamente, em sua vida. Basta você pensar, desejar, intencionar e depois soltar.

ALGORITMO DA COCRIAÇÃO #131

Sentimentos

Vou contar um segredo universal para você agora: não é o pensamento que cria a realidade ou produz a abundância, mas o sentimento. Isso mesmo! São os nossos sentimentos e emoções os responsáveis pelo colapso de Função de Onda.

Nosso coração é muito mais poderoso no campo do Universo para transformar a energia solta das partículas atômicas em realidade material e visível em nosso mundo. O coração, ao sentir uma forte emoção, emana um campo eletromagnético 5 mil vezes mais potente ao campo da mente. Incrível, lindo e fantástico!!!

O sentimento, portanto, atrai, magnetiza e forma as imagens materiais de abundância no Universo. Para você compreender melhor, o pensamento gera sentimento, e o sentimento gera energia que, por sua vez, materializa as coisas na vida de cada um de nós.

É por isso que quando a pessoa permanece imantada a sentimentos de baixa frequência como medo, culpa ou raiva, situados em uma zona vibratória menor do que 200 Hz na Escala das Emoções, ela segue distante da frequência do Universo e, consequentemente, daquilo que tanto almeja, seja a casa dos sonhos, o carro que deseja, o encontro com a alma gêmea, a abundância e a prosperidade em todos os sentidos da vida da cocriação da realidade – tudo parte do campo vibrátil do coração e dos sentimentos que nele são cultivados.

Quando sentimos verdadeiramente essa conexão suprema, emanamos energia, elevamos nosso estado vibracional e alteramos o padrão de energia para se sintonizar às esferas mais elevadas de frequência, onde os sonhos são cristalizados.

ALGORITMO DA COCRIAÇÃO #132

Conhecimento interno

Basta olhar para dentro de si e perceber que o conhecimento quer vir para o consciente, contudo, o comportamento diário revela as nossas crenças profundas, as quais impedem a situação interior de se expressar.

Por exemplo, quando uma pessoa não usou seu tempo para estudar e agora está desempregada, a que conclusão se chega? Será que quando ela sentia o impulso de estudar e o reprimia, não percebia que estava fugindo do seu inconsciente que queria ajudá-la? Será que não dá para perceber internamente o sentimento daquilo que se deve fazer? Será que não dá para perceber a rejeição ao estudo e ao trabalho, ou seja, à ajuda do inconsciente?

A dinâmica psicológica é uma só para todos os seres do Universo, pois todos têm o impulso inato de crescer e evoluir. A fuga disso é que causa todos os problemas. A filosofia de vida mostra o futuro claramente: a realidade é um livro aberto, qualquer um pode ler. Todo ser humano tem bilhões de neurônios. Ninguém é privilegiado, todos têm um cérebro maravilhoso. Uma ferramenta poderosa que cria a realidade pessoal ou coletiva de prosperidade.

Nós escolhemos o que fazer com todo esse poder. Além disso, nós escolhemos colocar informações nele ou não. Escolhemos ler ou não, escolhemos estudar, escolhemos trabalhar, escolhemos como gastar o nosso tempo. As consequências são inevitáveis, mas sempre é possível recomeçar. Sempre, querido leitor!

É o sistema de crenças que cria uma realidade. Então, usar um sistema de crenças diferente para analisar ou tentar entender o outro não funciona. Por essa razão, é muitíssimo importante expandir o próprio conhecimento interno. Todos os atributos da consciência estão dentro de você. Isso vale para você manifestar os próprios recursos e riquezas inerentes à sua existência; todas as soluções estão à disposição internamente. Basta parar e pensar, deixar a intuição trazer a solução.

ALGORITMO DA COCRIAÇÃO #133

Atenção

A atenção é uma faculdade mental fabulosa que lhe permite escolher deliberadamente se concentrar naquilo que lhe interessa e é favorável à realização dos seus objetivos e, ao mesmo tempo, ignorar aquilo que não lhe interessa e que pode prejudicar a realização dos seus sonhos.

Quando focada repetidamente em um determinado objeto ou ideia, a atenção também permite a criação de novas memórias, as quais ficam registradas na sua mente inconsciente e vão pautar seus pensamentos, sentimentos e comportamentos. Quer dizer, quanto mais atenção você dá para o seu sonho, ainda que seja apenas através da sua imaginação, mais você impregna sua mente inconsciente com a informação do seu desejo.

Conforme a Física Quântica, sabemos também que a energia flui para onde você direciona a sua atenção – é a energia mobilizada através do foco da atenção que provoca os colapsos de Função de Onda que formam a matéria da sua realidade física.

O melhor de tudo é que a atenção opera em mão dupla: por um lado, ao direcionar sua atenção ao seu desejo, você mobiliza a energia para a materialização dele; por outro, ao remover sua atenção daquilo que você não deseja, parando de reclamar, por exemplo, você não nutre energeticamente a situação, de modo que, pouco a pouco, ocorre uma desmaterialização dos seus problemas e circunstâncias negativas.

ALGORITMO DA COCRIAÇÃO #134

Foco

Na PNL existe uma ferramenta muito conhecida chamada Roda da Vida, que é um círculo normalmente dividido em doze partes, cada uma delas se referindo a um pilar da vida, como finanças, saúde, família, amor, diversão, espiritualidade etc. Trata-se de um exercício de autoconhecimento muito interessante, pois permite avaliar seu grau de satisfação em cada pilar, projetar seus sonhos para melhorá-los e planejar suas ações.

Naturalmente, é normal que você tenha vários sonhos em várias categorias ou esferas da sua vida, inclusive é muito recomendado que você tenha uma lista completa de todos os seus sonhos, desejos, objetivos e metas.

Você pode desejar, ao mesmo tempo, ficar milionária, morar em uma cobertura com vista para o mar, emagrecer 10 quilos, encontrar sua alma gêmea, curar-se de um problema na coluna, viajar pela Europa, fazer um retiro espiritual no Havaí, colocar seus filhos em um colégio melhor, fazer uma plástica nos seios, parar de fumar... e muito mais!

As infinitas possibilidades estão à sua disposição, e você pode ser, ter e fazer tudo o que desejar! Contudo, é importante que, após fazer sua lista de desejos, você os coloque em ordem de prioridade para que possa focar em um pilar de cada vez ou, melhor ainda, em um sonho de cada vez.

Como você já sabe, é a energia gerada a partir da sua consciência que provoca o colapso da Função de Onda, isto é, a energia dos seus pensamentos e sentimentos molda a matéria e determina sua realidade. Se você direciona sua energia para várias funções de onda ao mesmo tempo, ela se dissipa; mas se você foca individualmente em cada uma das funções de onda que você deseja colapsar, a sua energia se concentra como um raio laser.

Não é que seja impossível cocriar vários sonhos de vários pilares diferentes ao mesmo tempo, mas é improvável. Quando você escolhe focar 100% da sua atenção em um único objetivo ou, pelo menos, em um único pilar, você aumenta suas probabilidades de obter resultados mais significativos, precisos e rápidos.

Se você conhece minha história, sabe que foi exatamente assim que eu construí a vida dos meus sonhos, focando em uma coisa de cada vez: primeiro, minha prioridade era a cura do meu filho Arthur, depois, me tornei milionária, me ancorei no mercado como uma treinadora de sucesso, expandi minhas empresas, cocriei minha alma gêmea e o corpo dos meus sonhos.

ALGORITMO DA COCRIAÇÃO #135

Intenção

A intenção é uma magnífica faculdade mental que permite o direcionamento deliberado de todos os recursos e habilidades da mente consciente para executar as ações necessárias para alcançar um resultado específico. Sua intenção é a expressão da vontade da sua mente, que o motiva a agir para materializar uma ideia ou um desejo.

Sua intenção é intrinsecamente associada aos sentimentos relacionados aos seus desejos, sendo, portanto, um fator relevante para a determinação da sua Frequência Vibracional®. Sua intenção agrega valor aos seus pensamentos e atitudes, transmitindo ao Universo a informação precisa a respeito dos sentimentos que predominam da sua vibração.

Por exemplo, economizar dinheiro em uma poupança, em princípio, é uma atitude neutra, o que vai agregar valor e determinar a informação emitida para o Universo é a sua intenção. Se sua intenção ao juntar dinheiro for se prevenir para alguma necessidade emergencial como, por exemplo, ficar doente ou desempregado, então você carrega sua atitude com as frequências do medo e da escassez. Por outro lado, se sua intenção for fazer uma incrível viagem de férias com sua família ou trocar de carro, você carrega seu comportamento com a vibração da alegria, da abundância e da prosperidade.

A vibração que você emana a partir das suas intenções vai cocriar na sua realidade eventos e circunstâncias que confirmarão a sua intenção. Por isso, é sempre muito importante que você verifique, avalie e, se necessário, corrija as intenções que subjazem aos seus desejos, pensamentos, sentimentos e comportamentos para que possa ajustá-las à cocriação dos seus sonhos, não de problemas.

ALGORITMO DA COCRIAÇÃO #136

Comprometimento

Todo mundo tem muitos sonhos, mas disposição para decidir se comprometer 100% com a realização deles é para poucos. Saiba que o Universo "gosta" de comprometimento, de decisões firmes e inabaláveis, por isso, além dos pressupostos da elevação da Frequência Vibracional® e do alinhamento energético das três mentes, a realização do seu sonho depende também do grau de comprometimento.

O comprometimento é medido pela sua disposição em priorizar seus sonhos, em agir deliberadamente para concretizá-los, mesmo que isso signifique o prejuízo de pequenos ganhos e prazeres secundários como, por exemplo, comer chocolates e pizzas, no caso de quem está comprometido com o sonho de conquistar o corpo ideal.

Estar comprometido com o seu sonho pressupõe total foco e dedicação em canalizar e sustentar a energia mental e emocional necessária para moldar a matéria, combinado com o planejamento e a execução das ações demandadas. Havendo comprometimento, infalivelmente, o Universo responderá à sua persistência, disciplina e determinação, pois Ele sempre recompensa de maneira generosa aqueles que se dedicam de corpo e alma à realização de um objetivo.

ALGORITMO DA COCRIAÇÃO #137

Objetivo específico

Quando você vai a um restaurante, você não pede ao garçom para simplesmente lhe trazer "comida", não é? Você pede, por exemplo, um "filé bem passado, com legumes cozidos no vapor, mas sem coentro". Quando você é específico, garante que seu pedido será entregue em conformidade com o que imaginou e desejou.

Na cocriação de sonhos, o processo é exatamente o mesmo: você precisa ser tão íntimo com o seu desejo a ponto de ser capaz de expressá-lo em seus mais minúsculos detalhes. Lembra que a Matriz Holográfica® contém infinitas possibilidades? Infinitas possibilidades são muitas opções! Então, você precisa definir qual dessas infinitas opções deseja para que seja capaz de sintonizar especificamente o potencial correspondente.

Na prática, funciona assim: vamos supor que você expresse para o Universo o desejo de cocriar um carro ou de ganhar na loteria. Se não for específico, pode ser que cocrie um Fiat Uno 94 ou que ganhe R$2,50 em um bilhete premiado. Se isso é suficiente para você, está tudo certo! Mas se não eram exatamente essas as suas intenções, então precisa caprichar na especificação dos detalhes na próxima vez. No caso da cocriação de um carro, você deve definir qual é o carro, a marca, o modelo, o ano, a cor, os itens opcionais etc. E, claro, você deve experimentar cada um desses detalhes através da sua imaginação com a prática da Visualização Holográfica.

ALGORITMO DA COCRIAÇÃO #138

Objetivos possíveis

Todos os sonhos e objetivos são possibilidades, ondas, realidades potenciais que estão sobrepostas nas infinitas possibilidades da Matriz Holográfica®. Em princípio, quando sintonizadas adequadamente, qualquer uma dessas possibilidades podem se materializar como realidade física, contudo, tem uma condição lógica: é preciso um "aparelho" físico compatível para viabilizar a manifestação material do potencial desejado.

Esse aparelho físico é você mesmo. A compatibilidade se refere à necessidade de você e seu ambiente serem fisicamente capazes de receber a expressão material da Função de Onda selecionada.

Por exemplo, um homem de 1,65 metros de altura não é um aparelho físico compatível para a cocriação do sonho de jogar como pivô titular em um time de basquete da NBA; uma mulher de 1,5 metros não é um aparelho compatível para a cocriação do sonho de ser uma modelo de passarela na alta costura; uma pessoa que não tem uma conta no Instagram não tem o aparelho físico para cocriar um milhão de seguidores, e assim por diante.

Portanto, ao estabelecer seu objetivo, é importante que verifique se você é capaz de fornecer as condições físicas para que ele se realize, pois, ainda que o desejo demande um longo prazo, ele precisa ser viável. Para isso, verifique se alguém, partindo das mesmas condições iniciais de que você está partindo e fazendo as mesmas coisas que você está disposto a fazer, já conseguiu cocriar algo semelhante – se sim, você também consegue!

ALGORITMO DA COCRIAÇÃO #139

Algo melhor

Como expliquei no Algoritmo da Cocriação #137 – Objetivo específico, é importantíssimo que você defina seus objetivos de maneira muito bem detalhada. Desse Algoritmo deriva um outro igualmente importante: você deve considerar a possibilidade de que sua mente finita não consegue conhecer ou sequer vislumbrar todas as infinitas possibilidades que estão à sua disposição.

É fundamental que você defina seu objetivo de maneira clara, precisa e específica; é com esse holograma que você vai "trabalhar". Contudo, convém sempre fazer a ressalva de que você está aberto para receber algo ainda melhor do que aquilo que você pode imaginar.

Você pode até não conseguir pensar no que poderia ser melhor que a cocriação do sonho nos moldes nos quais você o arquitetou, mas certamente existe um potencial ainda melhor, por isso, como Joe Dispenza ensina, você precisa "confiar no Desconhecido" e deixar em aberto a possibilidade de o Universo surpreendê-lo.

Assim, quando estiver fazendo suas afirmações, decretos, orações, visualizações, expresse claramente o seu sonho de maneira específica com toda a riqueza de detalhes que puder imaginar, mas lembre-se de ancorar no Universo que você deseja "isso ou algo melhor"!

ALGORITMO DA COCRIAÇÃO #140

Propósito além do ego

Todas as vezes em que lhe surgir o desejo por ser, ter ou fazer algo novo, convém que você faça uma reflexão para verificar se o desejo realmente vem do seu coração, da sua alma e da sua consciência ou se é um mero capricho do ego, uma reação pautada na vibração do orgulho para provar algo para alguém.

Os sonhos cujos propósitos estão além do ego são aqueles que você consegue identificar um benefício para o aumento da sua felicidade, para o bem-estar geral e, sobretudo, para a expansão da sua consciência, em alinhamento com seu propósito existencial, como será explicado mais adiante no Algoritmo da Cocriação #223. Os sonhos que transcendem os desejos do ego são aqueles genuinamente seus, ou seja, não são desejos que têm por objetivo afrontar, contrariar, desmentir, prejudicar ou agredir alguém.

Além disso, para o sonho cujo propósito está além do ego, a sua realização, além de representar um benefício para você mesmo, também é capaz de beneficiar a coletividade em geral. Aliás, intencionar o benefício colateral de terceiros em decorrência da cocriação do seu sonho é sempre boa ideia e potencializa as suas probabilidades de manifestação.

Por exemplo, se você está cocriando um carro novo, além de pensar no seu próprio bem-estar e satisfação, intencione e considere que o fato de você comprar um carro novo é uma forma de circulação de riqueza que beneficia a economia bem como toda a cadeia de produção envolvida – o operário metalúrgico, o mecânico, o designer, o transportador, o vendedor etc.

ALGORITMO DA COCRIAÇÃO #141

É normal ser abundante

Reflita sobre o que você pensa e sente quando vê uma pessoa extremamente abundante – abundante de riqueza, agindo de maneira que você julgaria até como extravagante; abundante de saúde, vitalidade e beleza, exibindo um corpo perfeito; abundante de amor e felicidade, saltitando por aí com sua alma gêmea e uma linda família.

Observe qual é sua reação. Será que, lá no fundo, você considera a abundância como algo incrível, uma exceção à regra, um ponto fora da curva, uma questão de sorte, uma raridade, algo que não é para todo mundo, quase uma aberração?

Se alguma parte de você expressar perplexidade ou qualquer sentimento que indique que a abundância é algo incomum e anormal, você precisa se treinar para perceber que todas as formas de abundância são absolutamente normais, naturais e que estão disponíveis para todos, posto que a abundância corresponde à própria natureza do Universo.

Treine sua mente e vivencie com cada molécula do seu DNA a verdade que a abundância não é uma exceção reservada aos sortudos, e sim a regra do Universo. Quando você se torna capaz de apreciar a abundância dos outros sem o sentimento de perplexidade, mas com a compreensão de que a abundância é algo natural e que também está disponível para ser sintonizada por você, transcendendo sua resistência, entrando na consciência do merecimento, abrindo as portas para que a abundância do Criador também se manifeste na sua vida através do seu poder de cocriador!

ALGORITMO DA COCRIAÇÃO #142

Ofereça o que deseja receber

"Elainne, como assim oferecer o que eu desejo receber? Afinal, se eu desejo receber, é porque não tenho!" Quem disse que esse Algoritmo está se referindo a elementos materiais? Acostume-se: tudo no mundo da cocriação diz respeito a vibrações, frequências e informações!

Entenda que o Universo não trabalha "fiado", portanto, tudo o que você deseja receber na matéria, precisa primeiro emanar a frequência correspondente no nível sutil da energia. Em outras palavras, você precisa ser a fonte que emana aquilo que deseja receber – <u>você emana a onda, você recebe a partícula</u>.

Quer dizer, no Universo, pensamentos como q*uando eu for rico, vou me sentir próspero, quando eu me curar, vou me sentir saudável* ou *quando eu emagrecer, vou me amar* não fazem o menor sentindo e correspondem, na verdade, a uma inversão da ordem natural do processo de cocriação da realidade.

Se você deseja riqueza, precisa emanar prosperidade; se você deseja cura, precisa emanar saúde; se deseja emagrecer, precisa emanar amor-próprio. Não tem outro jeito, pois o Universo sempre responde no futuro com base na sua vibração do momento presente.

ALGORITMO DA COCRIAÇÃO #143

Congruência

Tem gente que se orgulha de "dançar conforme a música" seguindo a ideia de que "trato bem, quem me trata bem; trato mal, quem me trata mal". Apesar de disfarçado de sabedoria popular, esse tipo de comportamento expressa uma imensa incongruência e vulnerabilidade às circunstâncias da realidade externa.

Quem pensa assim está abrindo mão da autorresponsabilidade, pois limita seu comportamento a uma mera reação ao comportamento dos outros, agindo na contramão do próprio progresso da elevação de sua Frequência Vibracional®.

Se você só é bom e gentil em troca da gentileza alheia, mas diante de ofensas reage com negatividade, em última instância, está condicionando ao estado de ser frágil e dependente do outro, ficando muito mais propenso a entrar em estado de vitimização, julgamento, medo e raiva.

Se é um cocriador da realidade, você está no comando, você determina quem é e como trata as pessoas, independentemente de como elas o tratam. Lembrando também que a vibração do Criador e o ensinamentos dos grandes avatares é o amor incondicional, não o amor condicional.

ALGORITMO DA COCRIAÇÃO #144

Você não precisa ser inteligente

Para cocriar seus sonhos, você não precisa ter o QI de Einstein, nem sequer ter sido um ótimo aluno no colégio, ser intelectualmente inteligente ou ter um alto nível de escolaridade. O Criador jamais seria injusto a ponto de reservar o poder de cocriar aos inteligentes ou àqueles que foram privilegiados com a educação formal.

Com certeza, você conhece ou talvez até seja uma dessas pessoas extremamente inteligentes, cultas, com excelentes habilidades linguísticas e matemáticas, cheias de diplomas e títulos, mas que vivem na mais completa escassez financeira, depressão e solidão.

Quando se trata de cocriação, é muito mais importante você simplesmente ser capaz de sentir alegria e amor do que ter um diploma de doutorado em Física Quântica. A "magia" da cocriação está muito além das habilidades racionais e intelectuais e da capacidade de compreensão teórica do Universo e da vida.

Claro, é importante que você estude, que esteja aberto para o aprendizado, pois isso também é um elemento relevante na expansão da sua consciência. Contudo, a cocriação de sonhos está muito além do mundo dos conceitos acadêmicos, científicos ou metafísicos; a cocriação não depende do que você *sabe* sobre abundância, e sim da sua capacidade de *sentir* e experienciar abundância, saúde, alegria e amor!

ALGORITMO DA COCRIAÇÃO #145

Se alguém conseguiu, você também consegue

Todas as vezes em que você estiver desanimado, achando que a cocriação não funciona para você, entrando na vibração da reclamação e da vitimização, tome a decisão firme de não permitir que sua frequência seja reduzida só porque ainda não pode ver evidências físicas da realização dos seus sonhos.

Um antídoto para sair dessa frequência negativa é dedicar alguns minutos para "passear" nas minhas redes sociais e ouvir ou ler relatos dos meus seguidores e alunos cocriadores de sonhos. Ao fazer isso, você se inspira, se motiva, renova sua fé e internaliza a verdade de que as Leis do Universo e da cocriação da realidade são válidas para todos, se alguém conseguiu, você também pode!

Caso, além de apenas ouvir esses relatos, você for capaz também de interagir com eles, deixando sua curtida e comentário de parabéns, compartilhando, assim, a alegria pelo sucesso do outro, você potencializa ainda mais suas probabilidades de conseguir algo semelhante, uma vez que emitirá para o Universo a informação de que aprecia tais cocriações.

ALGORITMO DA COCRIAÇÃO #146

Você está sempre certo!

Definitivamente, "Você está sempre certo" não é uma frase que se aplica no dia a dia dos relacionamentos e das situações da vida, mas quando se trata de vibração emitida ao Universo, é inevitável, "você está sempre certo", pois o Universo sempre confirma a maneira como você se sente.

Você sente que pode ser traído a qualquer momento? Que pode ser assaltado se andar pela rua sozinho? Que vai adoecer? Que vai ser pobre durante o resto da vida? Que vai fracassar? Como você está sempre certo, vai sintonizar os eventos correspondentes aos seus temores!

Mas e se você sentir que merece toda a abundância do Universo? Que sua cura é só uma questão de tempo? Que é digno da fidelidade e honestidade das pessoas? Da mesma maneira, você está sempre certo e vai sintonizar as circunstâncias confirmadoras das suas melhores expectativas.

Tudo aquilo sobre o que você tem certeza e sente que é verdade entra em ressonância com a realidade potencial invisível da Matriz Holográfica® de maneira inevitável, provocando o colapso da Função de Onda que manifestará na sua realidade física o equivalente material das suas crenças e sentimentos, confirmando que você está sempre certo.

ALGORITMO DA COCRIAÇÃO #147

Sonhos sem medidas

O Universo, ou o Criador, se você preferir, não mensura nem avalia o tamanho ou a grandeza dos seus sonhos. Para o Universo, cuja natureza é abundância, harmonia e perfeição infinita, não existe diferença entre cocriar a cura de um resfriado e a cura de um câncer metastático; entre cocriar 1 real e 1 bilhão de reais; entre cocriar uma torradeira em uma rifa e 300 milhões de reais na mega-sena; entre um apartamento de 50 m^2 e uma mansão de 5.000 m^2.

Quem determina se seu sonho é grande ou pequeno, fácil ou difícil, possível ou impossível é você! Isso mesmo! Ou você acha que Deus vai ter pensamentos como *nossa, 1 bilhão é demais, este valor está fora do meu alcance*? Claro que não, quem tem esse tipo de pensamento é a nossa mente finita e cheia de crenças limitantes que opera na ilusão da separação e da escassez de recursos.

Como você já sabe, o Universo apenas interpreta sua frequência – se sua frequência for de abundância, você vai cocriar abundância, independentemente do conteúdo. O sonho que você avalia como grande e difícil é apenas mais um potencial qualquer no imenso "catálogo" do Emaranhamento Quânticos das infinitas possibilidades.

Portanto, se você for capaz de transcender as avalições limitadoras realizadas pela sua mente racional e acessar um estado de 100% de fé e certeza de que ele não só possível como também é fácil de se realizar, assim será. Se você ignorar as estatísticas, evidências e probabilidades, simplesmente acreditando e agradecendo antecipadamente, a onda do seu campo eletromagnético entra em fase com a onda da realidade que você deseja, culminando na manifestação material do seu sonho.

Quem determina
se seu sonho
é grande
ou pequeno,
fácil ou difícil,
possível ou
impossível
é você!

ALGORITMO DA COCRIAÇÃO #148

Manutenção da frequência

Você considera que elevar a sua Frequência Vibracional® é o seu grande desafio na busca pela cocriação dos seus sonhos? Pois eu preciso contar que, na verdade, seu principal desafio não é elevar sua frequência, mas mantê-la elevada nos níveis superiores.

Se você acha que não tem tempo para elevar sua frequência com meditação, visualização, exercícios de gratidão e prática da Técnica Hertz®, precisa saber que a cocriação do seu sonho demanda todo o seu tempo, não apenas uma horinha de práticas – a cocriação dos seus sonhos depende da vibração emitida antes, durante e depois das técnicas, ou seja, basicamente durante todas as horas em que você estiver acordado.

Elevar a sua frequência apenas por algum momento, na verdade, é algo muito fácil. Basta que, por exemplo, você silencie a mente e reduza sua frequência de ondas cerebrais por alguns minutos ou simplesmente se renda ao poder das gargalhadas provocadas por um bom filme de comédia.

A questão é que as técnicas têm a função de limpar seu campo, instalar uma nova programação e ativar um novo nível de consciência, contudo, a continuidade da frequência elevada depende das suas escolhas fora do momento das práticas.

Isso significa que você, infelizmente, não vai cocriar seus sonhos caso se dedique apenas uma horinha pela manhã para meditar e entrar na frequência do amor, da alegria e da gratidão, e passe o restante do seu dia se vitimizando, reclamando, reagindo, justificando e julgando. A cocriação dos seus sonhos depende da sua decisão firme de manter a frequência ativada.

ALGORITMO DA COCRIAÇÃO #149

Imaginação

A imaginação é o mais incrível superpoder da mente humana – tudo, absolutamente tudo, o que a humanidade construiu até hoje, foi a imaginação que tornou possível, uma vez que todo projeto, antes de se concretizar na matéria, foi apenas uma ideia ou um sonho na imaginação de alguém.

A imaginação é o meio pelo qual transmutamos a energia dos pensamentos, ideias e sonhos em matéria, seja na forma de objetos ou na forma de eventos e circunstâncias. A todo momento, você usa o poder da sua imaginação de modo inconsciente para cocriar a sua realidade, por exemplo, cada vez que sai de casa e imagina que o trânsito estará um "inferno", você movimenta a energia para criar essa realidade, que somada à energia das outras milhares de pessoas que pensaram o mesmo, acaba, de fato, produzindo essa realidade.

Então, no meio do engarrafamento, você pensa, orgulhoso da sua esperteza: E*u sabia, bem que eu disse que o trânsito estaria desse jeito*! Mas a verdade é que não sabia coisa nenhuma, você sintonizou esse potencial através da frequência que emitiu pelo seu campo eletromagnético e colapsou a Função de Onda. Entenda que todas as vezes que pensa *eu sabia que isso não ia dar certo!*, você é responsável pelo *"isso"* que não deu certo.

Por outro lado, o uso consciente do poder da imaginação permite que você "vire o disco" e passe a pensar e sentir *eu sabia que ia dar tudo certo* diante dos seus sonhos realizados, sintonizados através da energia poderosa dos seus pensamentos e palavras combinados com seus sentimentos.

ALGORITMO DA COCRIAÇÃO #150

Razão

A razão é a principal característica que diferencia os humanos dos outros animais, sendo uma habilidade mental de extrema utilidade, que nos permite pensar, raciocinar, compreender, calcular, comparar e avaliar ideias e situações de maneira lógica. Diferentemente dos outros animais, que agem apenas por instinto, nós podemos controlar os nossos e agir com base na razão.

A razão também se apresenta como a habilidade mental complementar da imaginação, pois ela é responsável pela adequada avaliação a respeito das melhores decisões, escolhas e comportamentos para executar as ideias que temos através da imaginação.

Embora a razão seja uma habilidade fantástica que deve ser cultivada com o aprendizado de novas maneiras de raciocinar e perceber a realidade, é fundamental que você tenha em mente que ela é uma mera "ferramenta de trabalho" e que, portanto, você não pode se limitar jamais ao cultivo das suas habilidades intelectuais em detrimento da busca pelo aperfeiçoamento moral, expansão da consciência e elevação da Frequência Vibracional®.

David Hawkins, que se deu ao trabalho de calibrar os grandes gênios da humanidade, chegou à conclusão de que homens de mentes incríveis, dotados de uma razão espetacular, como Isaac Newton, René Descartes, Sigmund Freud e Albert Einstein calibram em 499 Hz, ou seja atingiram o nível máximo da razão, mas não conseguiram se elevar à frequência do amor (500 Hz) e da alegria (540 Hz).

Neste sentido, entenda que a razão é uma habilidade de enorme utilidade, entretanto, sua função última deve ser ter humildade de reconhecer sua própria limitação e silenciar para se permitir ser transcendida. Para ser bem utilizada e aproveitada em seu máximo, a razão não pode estar a serviço do ego, precisa estar a serviço da sua intuição, do amor e do Bem Maior.

ALGORITMO DA COCRIAÇÃO #151

Cérebro próspero

O seu cérebro e a sua mente são intrinsecamente conectados com o Universo, a Mente Cósmica, a Matriz Holográfica® da Criação. Cada um dos seus neurônios contém a energia primordial da vida e está conectado com a Inteligência Infinita do Criador; a sua mente está na Mente do Criador, por isso, em essência, ela é próspera, abundante e feliz, totalmente apta a produzir as melhores ideias e projetos, que são os meios pelos quais você pode materializar essa prosperidade e experimentar fisicamente os recursos ilimitados do Universo.

Em seu magnífico livro *Você nasceu rico*, Bob Proctor explica que estamos todos interconectados à vibração abundante essencial do Universo e, por isso, quando você tem um pensamento, a vibração dos seus neurônios envia ondas eletromagnéticas para o Universo, que dependendo da natureza do pensamento, entrarão em ressonância com o fluxo universal da abundância da Mente Cósmica.

A maneira mais eficiente de promover a conexão do seu cérebro com a Fonte Universal de riquezas é praticando o silêncio interior, na quietude da sua mente e da sua alma, buscando o Ponto Zero (Algoritmo da Cocriação #219).

No silêncio do Ponto Zero, com sua frequência de ondas cerebrais reduzidas, você acessa o núcleo da Matriz Holográfica®, conectando seu cérebro com a Mente Superior e permitindo que o Criador organize a sua existência para que você entre em fase com Ele e com a Energia Primordial da Vida.

É assim que tudo se torna possível, você abre as portas quânticas para sintonizar e acessar qualquer realidade que desejar. Em alinhamento com a abundância ilimitada do Criador, você restabelece sua frequência original de luz e se torna um cocriador poderoso com acesso irrestrito à fonte inesgotável de riqueza, saúde, sabedoria, felicidade, prosperidade e sucesso do Universo.

ALGORITMO DA COCRIAÇÃO #152

Mindset da abundância

O mindset da abundância consiste no conjunto de pensamentos e comportamentos típicos de pessoas abundantes, prósperas, ricas, felizes e bem-sucedidas, cuja polaridade contrária é o mindset da escassez, ou seja, conjunto de pensamentos e comportamentos típicos das pessoas pobres, infelizes e fracassadas.

Nitidamente, existe um padrão de mindset que separa ricos e pobres, bem-sucedidos e fracassados, portanto, se você deseja cocriar alguma forma de abundância, seja material ou não, você precisa incorporar o mindset da abundância e eliminar quaisquer expressões do mindset da escassez.

T. Harv Eker, autor do best-seller *Os segredos da mente milionária*, afirma com convicção que a presença de um mindset de abundância é a principal condição para uma pessoa prosperar na vida, uma vez que seus resultados são determinados por ações que, por sua vez, são determinadas pelos seus pensamentos e sentimentos.

Veja algumas diferenças na tabela abaixo:

MINDSET DE ABUNDÂNCIA	MINDSET DE ESCASSEZ
Admiração e apreciação em relação a pessoas muito ricas e bem-sucedidas.	Ressentimento, raiva ou julgamento em relação a pessoas muito ricas e bem-sucedidas.
Alegra-se genuinamente com o sucesso dos outros, como se fosse seu.	É difícil ser verdadeira e genuinamente feliz pelo sucesso dos outros.
Você só enxerga relações em que ambas as partes ganham.	O ganho de outra pessoa corresponde a uma perda para você e vice-versa.
Você acredita que existem recursos ilimitados no Universo.	Você acha que não há recursos suficientes para todos.
Cuidado com os interesses e necessidades dos outros.	Indiferença em relação aos interesses e necessidades dos outros.
Generosidade.	Egoísmo.

ALGORITMO DA COCRIAÇÃO #153

"Nevilize" seus objetivos

"Nevilizar" é uma expressão criada por Joe Vitale em referência ao professor espiritual Neville Goddard (1905-1972), que ensinava que quando desejamos cocriar algo, devemos focar no resultado final, visualizando e assumindo o sentimento de que o desejo já está realizado agora.

Vitale ensina que, para "nevilizar" seus objetivos, basta que você se recolha em silêncio por alguns momentos e, de olhos fechados, comece a visualizar o seu desejo realizado nos mínimos detalhes, focando, especialmente, em sentir as emoções positivas decorrentes da sua experiência holográfica e permitindo que o sentimento de vitória, alegria e gratidão circule por todo o seu ser enquanto você experimenta o sabor do sucesso.

No caso específico da "nevilização" de objetivos relacionados a dinheiro, o autor adverte que você tenha cuidado para não incluir na sua visualização a maneira pela qual prevê que o dinheiro chegará, deixando as possibilidades em aberto para as infinitas maneiras, visualizando, portanto, apenas o resultado final, que é você desfrutando da sua fortuna.

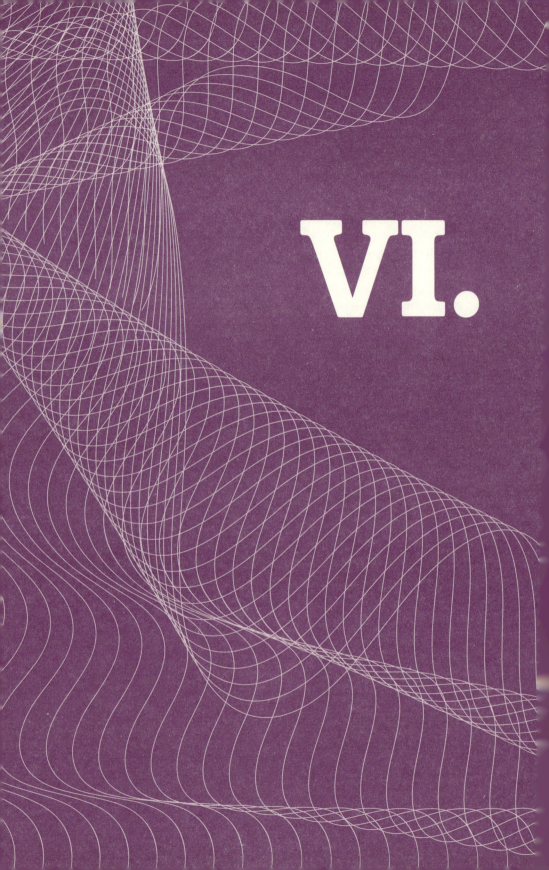

Algoritmos da Cocriação decodificados através do estudo das emoções e dos sentimentos

Esta seção de Algoritmos da Cocriação é dedicada à explicação das principais emoções e sentimentos que você deve cultivar para elevar sua Frequência Vibracional® de modo a entrar em ressonância com a Matriz Holográfica® para a cocriação dos seus sonhos.

Se você deseja se aprofundar no estudo das emoções humanas e sua importância na cocriação da realidade, recomendo fortemente que você leia meu livro que trata sobre o assunto, *DNA Revelado das Emoções*®.

ALGORITMO DA COCRIAÇÃO #154

Amor

Talvez você não tenha ainda a dimensão do poder do amor para a cocriação da realidade e materialização da abundância, mas eu considero esse Algoritmo da Cocriação o maior segredo e a atitude mais importante para você conseguir manifestar a vida que tanto deseja.

Para cocriar qualquer realidade e manifestar prosperidade em harmonia com a Energia Primordial (Deus), você deve, antes de tudo, entrar na frequência do Universo que, de acordo com o Mapa da Consciência Humana de David Hawkins, vibra acima de 500 Hz, em sintonia com as vibrações do amor e da alegria. Por isso, quando você emana amor e alegria, tudo parece fluir de maneira mais suave e tranquila em todas as áreas da vida.

Vibrar amor-próprio e amor ao próximo significa, na prática, acessar o campo natural do Universo para criar e magnetizar situações positivas, como a casa dos sonhos, o carro desejado ou o sucesso profissional. Nessa frequência, você pode materializar todos os sonhos e os desejos mais intensos da alma.

Diante disso, posso afirmar uma coisa: para você conquistar uma vida abundante e bem-sucedida em todos os sentidos, não basta entender o conceito das infinitas possibilidades ou compreender a Escala de Hawkins; é preciso muito mais, é preciso mudar de atitude e de postura diante da vida. E essa mudança começa, passa e transita pela frequência e energia do amor.

Na literatura que aborda a Lei da Atração, o filósofo Charles Haanel (1866-1949), em seu livro *A chave mestra*, fala do amor incondicional e o considera como a maior das emoções para a transformação do mundo: "É a combinação de pensamento e amor que forma a irresistível força da Lei da Atração". Para esse grande pensador, "não há no Universo poder maior do que o poder do amor".

E ele continua com extrema sabedoria: "O sentimento de amor é a frequência mais alta que você pode emitir. Se você pudesse envolver cada pensamento com amor, se pudesse amar tudo e todos, sua vida seria transformada".

ALGORITMO DA COCRIAÇÃO #155

Afeto

O afeto é a emoção que faz com que você se sinta impactado, abalado, empático e cheio de compaixão, seja por pessoas debilitadas, crianças, causas sociais ou por diferentes situações que se apresentam em seu dia a dia. Mas afetar-se positivamente, desejando o melhor, sendo generoso, bem disposto, gentil e amável, porque ao vibrar nesse sentimento, abre-se um horizonte de infinitas possibilidades para conquistar tudo o que deseja e cocriar tudo o que precisa.

Isso porque toda devoção e empatia que você doar influenciarão positivamente todas as áreas da sua vida na mesma proporção, sobretudo no campo da prosperidade, seja ela material e financeira ou em termos de saúde, amor e nos relacionamentos profissionais e familiares.

ALGORITMO DA COCRIAÇÃO #156

Aceitação

Quem aceita a vida, seus poderes de cocriação e a realidade em que vive e assume a responsabilidade sobre qualquer acontecimento, vibrará na mais absoluta paz interior. A aceitação promove a prosperidade e a abundância como um fator divino, superior e natural, pois assim é que o Criador se manifesta através de você.

Na Escala da Consciência, esse sentimento transformador vibra em 350 Hz, abrindo o caminho para chegar à iluminação e transcender qualquer barreira física ou mental, inclusive eliminando os obstáculos que ainda lhe impedem de alcançar o sucesso que deseja.

Entenda, entretanto, que aceitar não significa ser omisso ou apático, mas compreender que toda e qualquer realidade é cocriada por você mesmo, seja próspera ou escassa, feliz ou triste. Isso porque, ao assumir essa responsabilidade, você aceita a perfeição de Deus e seus desígnios universais. Por isso, aceite os outros, aceite-se, receba e seja grato para que as portas da cocriação permaneçam abertas e livres para seu acesso.

ALGORITMO DA COCRIAÇÃO #157

Perdão

O perdão é um Algoritmo da Cocriação fundamental para você materializar a vida dos sonhos. Primeiro, é fundamental e necessário perdoar a si mesmo, depois aos outros, aos familiares, aos amigos, às pessoas, ao mundo e à Deus. Quando você perdoa, espaço escuro que havia em você passa a ser habitado por luz e isso opera milagres em sua Frequência Vibracional®.

Para ativar o perdão, você pode usar a poderosa técnica do ho'oponopono, explicada mais adiante no Algoritmo da Cocriação #254. Com ela, eu também ensino como aumentar a frequência e limpar as memórias negativas através do perdão. É muito simples, porém profundamente transformador, pois quando você perdoa, aumenta o nível vibracional, o que permite que você acesse o campo das infinitas possibilidades para materializar os sonhos que tanto deseja.

ALGORITMO DA COCRIAÇÃO #158

Amor-próprio

O sentimento de amor-próprio ativa a cocriação de tudo o que desejar: riqueza, prosperidade, abundância, fortuna, amor, relacionamento, felicidade, harmonia familiar e tudo mais que almejar. É incrível seu efeito de ressonância, porque amar a si representa louvar a Deus, ao Criador, a tudo e a todos no sentido mais amplo e puro desse sentimento, visto que com ele tudo é cocriado e materializado.

Dinheiro, saúde, liberdade, sucesso e prosperidade são manifestados nessa sintonia, que ressoa com a energia da Matriz Holográfica® e do próprio movimento universal em uma vibração que está acima de 540 Hz segundo a Escala da Consciência.

Quando você expressa o amor-próprio, o efeito é multiplicado e lhe permite transitar mental e informacionalmente por meio do seu Eu Ideal Holográfico para qualquer dimensão, em busca de futuros ideais e potenciais que alterem a realidade conforme seus desejos de realização e plenitude. Sendo assim, ame-se, ame a Deus, ao próximo, ao mundo, à vida e ao Universo, pois esse sentimento é próspero e afetará, positiva e produtivamente, todas as esferas da sua existência.

O sentimento de amor-próprio, em última instância, consiste no reconhecimento da Centelha Divina que você é na sua essência, ou seja, amar-se é o mesmo que amar o Criador. Por isso, o amor-próprio é umas das primeiras condições para que você acesse o seu poder de cocriador, uma vez que, quando você se aceita e se ama do jeito que é, está aceitando e amando o Criador dentro de você, entrando em sintonia com Ele para cocriarem juntos.

ALGORITMO DA COCRIAÇÃO #159

Empatia harmônica

Você costuma se colocar no lugar do outro? Tem compaixão pelas causas sociais, pela dor das pessoas, pela natureza, pelo Todo? Sente amor incondicional e a necessidade de colaborar, ajudar, entender o momento, o mapa mental e as crenças que pertencem às pessoas que conhece? Se sim, isso, essencialmente, é ser empático.

Quando alguém tem essa postura e, mais do que isso, assume essa atitude em qualquer situação ou circunstância, naturalmente é abençoado pelo Criador de Tudo o que É e, logo, essa ação será refletida também na cocriação de seus sonhos.

Saiba que para receber o seu desejo realizado e entrar no fluxo da abundância, você precisa ter afinidade e empatia com o verdadeiro sentido da generosidade, doação, compaixão e benevolência, pontos que integram o significado prático do sentimento da empatia harmônica, que o coloca em uma frequência elevada, acima de 500, 600 e até 700 Hz, na mesma dimensão da Matriz Holográfica® e do espaço de puro potencial, em que tudo pode ser manifestado, sobretudo, essa ativação da prosperidade infinita, apoiada no amor universal do Divino Pai que lhe permite dar um salto quântico da mente até a sua cocriação.

ALGORITMO DA COCRIAÇÃO #160

Generosidade autêntica

Você é realmente generoso? Ou apenas dá o que não lhe serve mais e o que não quer mais em sua vida? Saiba que não basta dar ou doar, é preciso autenticidade quando você for nobre com alguém, em qualquer situação ou circunstância. Isso significa que deve ser e vibrar de verdade o sentimento de querer ajudar e estar continuamente disposto, solícito e solidário.

Não basta praticar a generosidade mecanicamente, é preciso compartilhar com amor, com sinceridade e desapego. Quando você agir dessa maneira, muitas portas vão se abrir, e essa energia será multiplicada e replicada ao seu favor, pois a generosidade é uma senha mágica para a cocriação da abundância.

Como ensina o professor Hélio Couto, o Todo nunca se deixar vencer em generosidade, por isso, quando você é autenticamente generoso, novas oportunidades, novos encontros e novas pessoas interessantes e alinhadas aos seus propósitos começarão a surgir na sua vida e, enfim, você entrará na ressonância da abundância do Universo. Por isso, seja sempre generoso e dê o seu melhor, porque o mais incrível das infinitas possibilidades retornará para você.

ALGORITMO DA COCRIAÇÃO #161

Alegria

A alegria é, com certeza, um Algoritmo da Cocriação universal. Na Escala de Hawkins, esse sentimento vibra em 540 Hz, totalmente alinhado com a frequência do Cosmos e, por isso, quando se está nesse nível de consciência, você se torna um com Deus, ou seja, um autêntico cocriador da realidade.

A alegria tem relação com a produção de hormônios altamente elétricos, que geram prazer, satisfação, euforia e, assim, contagiam positivamente o seu corpo físico e o seu campo eletromagnético. Ao liberar hormônios como serotonina, endorfina e ocitocina, o sentimento tende a elevar o campo de vibração do cérebro, acelerando o fluxo das sinapses cerebrais e expandindo a consciência. Por isso, quanto mais alegria, mais felicidade e mais possibilidades de cocriação.

Como a alegria o coloca na mesma sintonia do Universo e da cocriação, ela lhe permite experimentar todas as maravilhas e os presentes encantadores de Deus, a todo o momento, no próprio fluxo quântico da cocriação da realidade.

Além disso, quando se estabelece a conexão da alegria com o estado de harmonia, você entra em fase com a Potencialidade Pura, e isso tem ressonância direta com a amplificação do seu poder de cocriador. Exatamente porque a alegria, em conjunto com a harmonia, é a frequência contrária do desespero, angústia ou falta, sua frequência magnetiza dinheiro, oportunidade, saúde, amor e sucesso, pois todos esses são condizentes com a essência do Universo e com o pensamento generoso do Criador de Tudo o que É.

ALGORITMO DA COCRIAÇÃO #162

Entusiasmo

Etimologicamente, quando você está entusiasmado, você está cheio da presença de Deus dentro de si, veja só: do grego *in* + *theos*, significa, literalmente, "em Deus". Quando você atua com entusiasmo pela vida, é movido e age sob a inspiração da energia essencial do Criador e da graça vibracional do Universo.

Esse estado de espírito traz uma sensação absoluta de arrebatamento e alegria, de modo que alguém entusiasmado é capaz de ultrapassar qualquer barreira e enfrentar qualquer dificuldade, superando obstáculos de natureza diversa. Nada abate essa pessoa, nenhum desafio a limita. Entusiasmada, transmite autoconfiança, domínio sobre as emoções e otimismo em seu entorno e para quem a rodeia. Uma pessoa cheia de entusiasmo, ou seja, cheia da presença de Deus, é resiliente, forte, convicta, positiva e perseverante.

Perceba como tudo está conectado: o sentimento do entusiasmo se relaciona com emoções poderosas, implicadas em vibração de alta frequência, como o caso da alegria, da aceitação, da razão, do amor, da harmonia, da paz e da iluminação. Dessa maneira, quando alguém se sente entusiasmado, naturalmente está expressando sua natureza divina e reverenciando ao próprio Criador.

Essa sensação promove a amálgama das melhores emoções, dos sentimentos mais poderosos do Universo e de sua capacidade arrebatadora para cocriar e manifestar a vida dos sonhos. Juntas, todas essas emoções provocam a simbiose vibracional da consciência humana – eu, você, cada um de nós, com o Todo, ou seja, com o Universo, Vácuo Quântico, Éter Divino.

Você passa a vibrar em 500, 600 ou 700 Hz até atingir o seu potencial máximo, acima de 1.000 Hz, alcançando o pleno estado de graça, a Consciência Final, ao entrar em fase com o Criador e com a criação, pois tudo nesse estágio elevado de frequência é possível e, assim, você e a Fonte se tornam um e passam a operar simultaneamente.

O entusiasmo representa o fôlego de Deus que impulsiona todos os acontecimentos da vida de cada ser humano, sobretudo de prosperidade. Esse sentimento equivale a Centelha Divina armazenada no núcleo do DNA, no interior das células, em cada emoção do coração ou pensamento que percorre as redes neurais do cérebro. É a energia vital da criação e da cocriação em plena ação e atividade constante na nossa vida.

Perceba e aproveite todo momento em que se sentir entusiasmado por algo, pois será absorvido por uma sensação absoluta de alegria, prazer, satisfação, plenitude e amor universal. Essa energia é capaz de mover montanhas e superar qualquer desafio, ultrapassando as barreiras de tempo e espaço.

ALGORITMO DA COCRIAÇÃO #163

Satisfação plena

"A vida é só isso e é tudo isso". Ouvi essa frase em um dos cursos de formação que participei Brasil afora, e esse decreto quântico me encheu de esperança e despertou meu senso de satisfação plena pela vida. Tudo é preenchido quando se entende o sentido existencial.

A vida é um belo jardim de orquídeas e, nele, você não precisa colher apenas cactos ou plantas venenosas. Você pode se sentir pleno, satisfeito e abundante por todas as coisas, sejam pequenas, triviais ou grandiosas. Uma vez que tudo tem o seu distinto valor e a sua importância significativa no Universo, pois Deus pensa holisticamente e de maneira sistêmica, nada foge ao seu olhar e ao seu cuidado, e tudo está preenchido e completo por Ele.

A satisfação é um poderoso código quântico para a expansão da sua consciência e para acessar o caminho da prosperidade, da riqueza e de todas as maravilhas garantidas pelo Criador. A energia dessa emoção contém a vibração perfeita para a cocriação holográfica de qualquer forma de recurso, seja material, financeiro, afetivo ou familiar, e vai ajudá-lo a abastecer o recipiente da sua alma com ouro, todo tesouro ou preciosidades de que necessita a fim de viver uma vida esplendorosa, plena e abundante.

ALGORITMO DA COCRIAÇÃO #164

Solidariedade

A solidariedade é um potente agente atômico para a cocriação holográfica, gerando vibração magnética na esfera do campo atrator de abundância. Ao dividir e compartilhar, com a força quântica do coração e com a energia propulsora da mente, você cria uma conexão profunda e eletromagnética com a Matriz Holográfica®.

Quando se coloca a serviço do próximo, você vibra no amor, compaixão, alegria, satisfação e plenitude, o que significa a potência de uma vibração elevada emitida por você ao Universo, superior a 600 e 700 Hz da Tabela de Hawkins, de modo que você se torna apto para cocriar e magnetizar a abundância em todas as áreas.

Outro elemento associado à solidariedade é a energia da gratidão, pois ao colaborar com as pessoas, com a natureza e com o desenvolvimento vibracional do planeta, você permanece em estado de gratidão, pois aceita o seu papel no mundo, compreende a integração de todas as coisas e o fato de que tem 100% de responsabilidade sobre si e tudo mais que está à sua volta, afinal tudo está interconectado no imenso Oceano de Energia que é a Matriz Holográfica®.

Quando você ajuda e agradece, naturalmente afeta esse Oceano de Energia e provoca, segundo Amit Goswami, verdadeiras interferências construtivas. Tudo afeta tudo, sempre, visto que os seus sentimentos ou pensamentos são agentes que modificam a estrutura energética do cobertor cósmico que permeia e cobre todos os seres do Universo.

A solidariedade, assim como o amor e a compaixão, é um estado natural do seu ser, afinal, você é filho e parte do Criador e, por isso, tem as mesmas propriedades quânticas e energéticas do Todo, o que lhe garante, essencialmente, abundância infinita, inteligência ilimitada e o poder pleno para cocriar qualquer coisa na vida. Essa é a essência de Deus e seu estado imanente, desde o início dos tempos, pois Ele é completo, pleno, sábio, generoso e dispõe de todos os recursos possíveis, imagináveis e inimagináveis.

Logo, sua mente é o próprio Campo Amorfo das infinitas possibilidades e seu coração é o Universo em plena expansão e eterna evolução. Você faz parte desse campo, está integrado a Ele e se manifesta por essa rede de energia cósmica com capacidade para se mover, para mobilizar e interferir construtivamente nessa cadeia de energia, frequência e vibração.

O perdão é um Algoritmo da Cocriação fundamental para você materializar a vida dos sonhos.

ALGORITMO DA COCRIAÇÃO #165

Gratidão

> A gratidão é uma das vibrações mais valiosas em nosso campo pessoal. Trata-se de reconhecer conscientemente o valor em nós e ao nosso redor, da disposição de perceber as coisas boas que já temos e do desejo de viver com essa atitude. Mas, você tem de assumir essa postura no "aqui e agora".
>
> **SANDRA ANNE TAYLOR,**
> EM *A CIÊNCIA DO SUCESSO*

Você já deve ter percebido ou ainda vai perceber que a gratidão está associada a vários dos Algoritmos da Cocriação. Saiba que essa repetição não é descuido meu, mas uma estratégia para ancorar em você a percepção de que esse sentimento é absolutamente fundamental para qualquer tipo de cocriação.

De fato, a gratidão, ou o gesto verdadeiro de agradecimento por tudo, qualquer coisa ou circunstância, seja boa ou ruim, se mostra como o fermento para crescer e expandir o seu poder natural para cocriar a realidade e atrair toda a abundância do Universo para a sua vida.

Nada é mais poderoso do que a gratidão, pois ela caminha lado a lado com uma grande variedade de sentimentos de elevadíssima frequência, como fé, aceitação, generosidade, amor e harmonia, que são todas frequências superiores na Tabela de Hawkins.

A comunhão de todas essas emoções faz você atingir uma Frequência Vibracional® acima de 600 ou 700 Hz de potência e em um ritmo acelerado, na mesma velocidade e sintonia do Universo, o que lhe permite manifestar qualquer desejo com extrema facilidade e espontaneidade.

Quando você agradece, aceita a vida, seus percalços, o caminho evolutivo de reconexão com o Todo, o amor universal da Mente Superior por tudo e todas as coisas, reconhecendo implicitamente que existe sempre um plano maior regido pelas leis do Universo.

Imagine agora que essa é a sua frequência enviada ao Vácuo Quântico, o qual, como você já sabe, é um imenso espelho cósmico que lhe devolve situações com frequência similar, ou seja, se você é grato e sente isso vibrar no seu coração, mais motivos terá para agradecer, mais e mais e mais!

Você cria e estabelece uma corrente de gratidão com o Universo, e ele vai lhe presentear com novos motivos, representados de diferentes maneiras em sua vida para dispor de gratidão, seja financeira, pessoal, afetiva ou familiar, de modo que você entrará de vez no fluxo de abundância, navegando na mesma correnteza de oportunidades com livre acesso a todos os recursos disponíveis no Universo e a tudo de que precisa para prover seu sustento; prazeres, alegria e satisfação serão atendidos.

Quando nos conectamos com a gratidão, abrimos as portas do Universo para receber mais motivos para praticar a gratidão. A mente grata está constantemente fixada no melhor, logo, transforma-se no melhor e recebe sempre o melhor, lembre-se disso.

Para subir na tabela vibracional da consciência em frequências mais elevadas, o dr. David Hawkins sugere experimentarmos o sentimento da gratidão, que alinha as energias do mundo interno com o externo, fazendo com que aquilo que vibra dentro de você seja projetado para o lado de fora.

ALGORITMO DA COCRIAÇÃO #166

Perseverança

Tony Robbins se denomina imparável. Ele bate no peito com tanta força e convicção que, ao acompanhá-lo pessoalmente em algum treinamento ou palestra, você também se sente assim. Quando bate no peito e ativa a glândula timo, ele libera mais energia e força vibracional em seu campo eletromagnético, e essa vibração pode ser captada por quem está perto dele. Mas esse não é o motivo de seu sucesso ou de tantas realizações pessoais e profissionais. Na verdade, o motivo está na sua mente, em sua consciência, no seu coração valente e perseverante.

A consciência pode tudo, ela é capaz de superar qualquer obstáculo, ultrapassar limites em sua existência e quebrar barreiras consideradas intransponíveis. Para cocriar os seus sonhos, é importante que você acesse e confie nesse poder, ativando o sentimento de perseverança que vai levar você a ser resistente e resiliente, a sobrepor as dificuldades, a atuar com foco, entusiasmo, intuição, paixão, desprendimento, destreza e atenção.

A perseverança integra o processo do seu alinhamento e do despertar da sua consciência quântica, ela é um algoritmo de alta frequência, um despertador natural para a expansão de sua consciencial multidimensional para você poder cocriar prosperidade, abundância e a vida dos seus sonhos.

O sentimento de perseverança é um atributo divino da sua consciência, um poderoso aditivo para a expansão da sua consciência quântica, pois ele ativa várias propriedades vibracionais ou qualidades divinas reservadas dentro de você: o entusiasmo, a criatividade, o empreendedorismo quântico, o equilíbrio emocional, as capacidades intelectuais, as habilidades para superar desafios e o autodomínio energético e espiritual.

Quando você é perseverante, as situações adversas podem até lhe abalar, mas não lhe derrubam definitivamente. Você transforma episódios que seriam classificados como fracasso em aprendizados oportunos para aprimorar o autoconhecimento na direção da concretização de seus objetivos e materialização de suas metas no universo.

A perseverança leva você a desenvolver uma enorme capacidade de regeneração emocional, espiritual e energética através da paciência, fé e confiança no Todo. Essas três emoções associadas à perseverança são verdadeiros propulsores vibracionais que atingem frequências de 600 a 700 Hz na Escala das Emoções, colocando-no na mesma esfera ou faixa de vibração do Universo, o que possibilita o colapso de Função de Onda para produção de eventos reais, com muito mais possibilidades e probabilidades de materialidade no mundo.

Portanto, perseverar representa um grande passo no movimento íntimo de expansão da sua consciência e na cocriação dos seus sonhos. Sendo assim, concentre-se no seu objetivo, foque a energia no seu propósito existencial. Focalize o que deseja e persista. Entre no jogo para vencer!

ALGORITMO DA COCRIAÇÃO #167

Felicidade

A vida evolui naturalmente em direção a felicidade e a abundância, porque essa é a sua essência divina. Você deve sempre se perguntar se o que está fazendo contribui para sua felicidade e a dos que o rodeiam, avaliando se isso tem contribuído para a sua prosperidade e a dos outros também. Como a própria felicidade e a de nossos semelhantes é o objetivo máximo, ela também é chamada de "a meta de todas as metas".

Quando buscamos dinheiro, um bom relacionamento ou um excelente emprego, na verdade, estamos querendo encontrar a felicidade. E essa felicidade e prosperidade já estão contidas na vibração original do nosso DNA quântico.

O grande erro que cometemos é não procurar a felicidade em primeiro lugar. Se fosse essa a nossa atitude, tudo o mais viria naturalmente. Para achar a felicidade e a abundância, basta olhar para si, para o núcleo das suas células e do seu DNA com a certeza de que essas qualidades e atributos já lhe pertencem, desde sua origem cósmica, na fase de pré-consciência.

Além de buscar sua própria felicidade, celebre a felicidade e o sucesso dos outros, sobretudo dos seus competidores e daqueles que se consideram seus inimigos. Saiba que ao se exultar com a felicidade dos outros como se fosse sua, você potencializa seu próprio êxito.

ALGORITMO DA COCRIAÇÃO #168

Merecimento

Qual é o seu limite como cocriador da realidade? Até onde você pode avançar na manifestação dos seus sonhos? Até que ponto você entende e aceita que merece uma nova realidade de abundância, amor, saúde, alegria, riqueza e sucesso?

Aqui, você precisa analisar a si mesmo para verificar se ainda existem programações culturais ou crenças ocultas dentro de você que limitam sua existência, fazendo com que você chegue a um certo ponto e pare de crescer. Se você não acreditar plenamente dentro da sua mente e do seu coração que merece tudo o que deseja, você não vai obter sucesso nas suas cocriações.

Mas por que isso acontece? Pelo fato de que, inconscientemente, talvez você ainda esteja condicionado a certos limites que foram inseridos como crenças, bloqueadores ou programações culturais ao longo da sua vida, desde a barriga da sua mãe, na infância ou adolescência, e podem estar escondidos no seu inconsciente.

Dessa maneira, é preciso fazer uma autoanálise para calibrar até onde vai sua sensação de merecimento ou qual é o seu limite de merecimento na vida. É preciso investigar, perceber-se, meditar, fazer exercícios de reprogramação mental, ouvir frequências emocionais de libertação, de amor, paz e harmonia, praticar a Técnica Hertz®, o Ho'oponopono e outras tantas, pois você precisa tirar esses condicionamentos de dentro do "HD" da sua mente para poder prosperar verdadeiramente, sem qualquer limite emocional, material, físico, energético ou espiritual.

A vida é abundante e você, filho ou filha do Criador, tem todo o mérito para conquistar e cocriar tudo o que deseja, você é um cocriador por natureza e se sua realidade não está plena de abundância é porque algo está em contradição dentro de si e você ainda não encontrou a ressonância ideal para a manifestação no Universo das infinitas possibilidades.

Compreenda uma coisa de uma vez por todas: você merece todas as coisas do Universo por um motivo bem específico e claro – você faz parte do Universo, integra a mesma Fonte de amor, sabedoria e paz, assim como foi constituído pela mesma incubadora quântica que os demais elementos.

Entenda mais uma coisa: você não precisa querer algo; você simplesmente já tem e já conquistou, inclusive dinheiro, riqueza, prosperidade, abundância ou sabedoria, só basta alcançá-lo.

Para acessar toda essa Fonte, é preciso apenas sentir e "viver como se o fruto já fosse verdadeiro". Então, alimente-se dessa mesma fonte inspiradora da criação para saborear os frutos divinos. A prosperidade está incutida em seu DNA e impregnada nas suas células, você precisa apenas relembrar disso e voltar as energias novamente para Deus, para o Vácuo Quântico da criação.

Vou dizer mais uma coisa importante: não existe maneira de cocriar seus sonhos de riqueza, felicidade, saúde, amor e sucesso se não eliminar esse sentimento de não merecimento das coisas. Essa terrível sensação advém do sistema de crenças ainda impregnado no porão da sua consciência por tantos fatores externos depositados como verdades familiares e pela sociologia da vida terrena.

Por isso, antes de tudo, limpe todas essas falsas realidades, abra-se para o mundo de infinitas possibilidades e receba toda a bem-aventurança do Universo. Vibre alegria, gratidão e amor, porque do amor você foi feito e pelo amor você alcançará todas as benesses e maravilhas do Universo que lhe pertencem plenamente, inclusive a abundância material sonhada no fundo da sua alma.

ALGORITMO DA COCRIAÇÃO #169

Ambição saudável

Quando falo em ambição, não estou me referindo àquele sentimento negativo e prejudicial que se fundamenta em uma eterna sensação de escassez e insatisfação, aquele comportamento destrutivo e autodestrutivo de acumulação sem propósito. Na verdade, ao afirmar que você precisa ter ambição se quiser se tornar um poderoso cocriador da realidade, o que quero dizer é que, muitas vezes, você precisa mirar nas estrelas para atingir a Lua, ou seja, você deve manter dentro de si pensamentos grandes, importantes, estratégicos e audaciosos, em uma perspectiva ambiciosa, porém saudável, através da gratidão pelo que já aancançou, mas também com a certeza e confiança de que pode ter muito mais.

É importante que você tenha esse sentimento positivo de ambição no sentido de querer mais, querer o melhor e querer melhores resultados para a sua vida. Mas, para isso, talvez você precise quebrar muitas crenças e programações mentais instaladas em suas ideias para esclarecer quais são seus verdadeiros pensamentos de poder e de ambição na vida, que representam seus valores, convicções e desejos.

Proponho que você faça uma lista com pelo menos dez pensamentos sobre seus desejos. Depois de escrever a lista de desejos, você deve analisar cada item, um a um, para saber se essas manifestações cocriativas são, de fato, aquilo que você sempre sonhou para a sua vida, se são ambições apenas do seu ego ou se são ambições do seu espírito, da sua consciência.

A questão a que você deve prestar atenção é: através desses seus pensamentos sobre seus desejos, você está apenas atendendo expectativas sobre si, sobre falsas crenças e sobre a necessidade dos outros, ou realmente atende seus desejos existenciais no Universo?

Sendo assim, examine quais desejos e quais pensamentos realmente pertencem a você, trazem luz à sua existência e o empoderam a ponto de aceitar, ter a ambição e a convicção de que pode viver qualquer sonho e experimentar qualquer realidade. Seus pensamentos são muito mais ambiciosos e poderosos do que você imagina e o cocriador que habita sua essência tem a habilidade de manifestar e cocriar qualquer realidade, desde que entre em fase com o Criador.

ALGORITMO DA COCRIAÇÃO #170

Fé

> *"Felizes os que não viram e creram"* [6]
> **JOÃO 20:29**

Um dos princípios mais sábios e importantes da Física Quântica e da cocriação da realidade é a fé. De fato, a fé tem a capacidade de mover montanhas e possibilitar a qualquer um a manifestação da vida que bem deseja. Isso acontece não apenas por uma crença espiritual, mas por um valioso princípio universal, comprovado cientificamente.

Os fundamentos da Física Quântica evidenciam a capacidade eletromagnética do coração – esse órgão não apenas bombeia o sangue, mas também tem neurônios e um campo eletromagnético 5 mil vezes mais potente do que o cérebro. Então, quando agimos com fé no Criador e no amor incondicional de Deus, do Universo e do Princípio Inteligente que rege todas as coisas, tudo se torna possível.

---

[6] BÍBLIA. João 20:29. Português. *In*: Bíblia Online. Disponível em: https://www.bibliaonline.com.br/nvi/jo/20?q=jo%C3%A3o. Acesso em: 14 ago. 2022.

De acordo com a Física Quântica, nós, os observadores da realidade, colapsamos (produzimos) qualquer realidade. Isto acontece, sobretudo, pelo padrão de energia, pensamentos e sentimentos emanados ao Universo. Os sentimentos, nesse processo, são os principais elementos para colapsar o desejo ou qualquer realidade pelo potencial e por transportar as nossas maiores emoções.

Veja que mágico! Eu falo isso porque tem tudo a ver com a fé. Quando você ora, pede ou, acima de tudo, agradece o que tem ou o que conquistará, emite um estrondoso sinal de energia codificado para o Universo, e esse ser consciencial o responde de prontidão de maneira multiplicada. Fantástico!

ALGORITMO DA COCRIAÇÃO #171

Paz

Alcançar a paz é um estágio avançado da evolução humana e fundamental para a expansão da consciência individual e planetária. Na Escala da Consciência, o dr. David Hawkins considera a vibração da paz, estabelecida em 600 Hz, como a total transcendência. A paz se encontra em uma vibração muito próxima à chamada iluminação, quando o ser humano, definitivamente se funde ao Todo, a Deus ou à Matriz Divina.

Nessa fase, existe o fim do individualismo do ego e do eu. Como afirmou Hawkins, "nasce o homem transcendental", em um estado de "Consciência Elevada" ou "Super Consciência". Ao atingir esse patamar, a personalidade altera as realidades de maneira natural, sem esforço ou resistência, podendo materializar qualquer onda de energia em objetos ou circunstâncias.

Segundo Hawkins, o nível de consciência da paz é atingido por uma pessoa em cada 10 milhões de seres. Mas não se intimide com essa média, pensando que o nível da paz é inalcançável para pessoa comuns e "normais" como você, que sente raiva, medo e outras emoções negativas de vez em quando.

Essa média de 1 em 10 milhões é referente ao estado de paz absoluta e inabalável, em 100% do tempo da existência, mas isso não quer dizer que você não possa buscar a paz, pelo menos, de maneira parcial. Em outras palavras, ainda que você não creia que seja possível vibrar 100% na paz, você deve buscar momentos de paz, pois mesmos pequenos relances dessa emoção poderosa já são capazes de elevar sua Frequência Vibracional® a alturas estelares!

ALGORITMO DA COCRIAÇÃO #172

Harmonia

A sinfonia do Universo é a harmonia e o equilíbrio entre todas as coisas e tudo. Se você quiser materializar os seus sonhos e riqueza, deve buscar essa harmonia entre os pilares da cocriação da realidade através de uma vida sistêmica e coerente às Leis dos Cosmos.

A harmonia necessária para a cocriação começa pelo alinhamento das três mentes: inconsciente, consciente e Superior (Mente de Deus) e reflete, diretamente, na paz interior ao equilibrar todas as áreas da vida. Você, eu, todos nós, podemos ter e somos merecedores de toda a abundância oferecida pelo Universo, porque somos o próprio Universo e estamos integrados a esse tecido cósmico e quântico desde o início e a origem de todas as coisas criadas e irradiadas por Deus.

Os sentimentos e o equilíbrio das emoções são os fatores fundamentais para se manter em harmonia e entrar no fluxo do Universo. Por isso, a importância, em todo o processo de reprogramação mental e terapia quântica, de eliminar emoções negativas e substituir pelas polaridades positivas, expulsar as crenças limitantes do nosso sistema morfogenético e alterar a química cerebral para sentimentos de elevação, interação e harmonia com o Todo.

Uma das técnicas que ensino para que seja possível se harmonizar com Deus e eliminar a ansiedade, considerada um sentimento sabotador da manifestação dos seus desejos, é a seguinte: quando a ansiedade ocorrer, tente focar em coisas boas e trazer à mente situações positivas. Busque, assim, mentalizar paz de espírito e trazer essa sensação de harmonia para si.

Dessa maneira, mantemos a vibração elevada e em sinergia com o fluxo do Universo. Além disso, para um pleno estado de harmonia, precisamos silenciar a mente e o corpo para entrar em conexão com o Eu Superior (Deus).

ALGORITMO DA COCRIAÇÃO #173

Criatividade

A criatividade se origina no próprio Vácuo Quântico ou na Matriz Holográfica®, por isso, ela é um legado de Deus, um Algoritmo da Cocriação incrível para magnetizar todas as expressões de abundância que desejarmos em nossas vidas.

Para despertar a criatividade, precisamos acalmar e silenciar a mente. Quando paramos com a conversa íntima e racional do cérebro lógico, podemos escutar, então, a "voz" da intuição e da criatividade.

Quero dizer o seguinte para você: é justamente nesse momento, quando a nossa mente consciente para de pensar em problemas e soluções, que a criatividade emerge da Matriz Divina direto para nossa mente com ideias, projetos e infinitas possibilidades para produzir abundância. Isso pode ocorrer no banheiro, no chuveiro, ao ouvirmos uma música ou assistirmos a um filme, sem qualquer pretensão racional.

O sociólogo italiano Domenico De Masi deu uma dica preciosa ao reforçar a importância do "ócio criativo" em nossas vidas, de modo a permitir a fluidez da criatividade, e o poder da criação transparecer. Esse ócio, compreendam, não significa anular a predisposição para o trabalho, mas iluminar a mente para novas ideias e infinitas possibilidades em harmonia e sincronicidade com o Universo.

A criatividade está acessível a todas as pessoas porque pertence à Fonte Criadora de tudo no Universo, inclusive nós mesmos. Nós precisamos, então, aplicar essa criatividade, com alegria e gratidão ao Universo, para desenhar o nosso caminho e missão no planeta, bem como cocriar nossos sonhos.

ALGORITMO DA COCRIAÇÃO #174

Apreciação

O sentimento de apreciação é um poderosíssimo Algoritmo da Cocriação, o qual, quando colocado em prática, tem o poder de transmitir ao Universo uma informação precisa a respeito das coisas que você ama. A apreciação é praticamente uma arte, é o sentimento desinteressado de admirar e contemplar a abundância, a beleza e a riqueza a sua volta sem sentir a necessidade de ter – você apenas olha, aprecia e sente prazer com isso.

Como Joe Vitale ensina, "você pode ter tudo que quiser, desde que não precise", e a apreciação ajuda a colocar isso em prática. A apreciação também permite que você desperte em si sentimentos de gratidão, alegria e prosperidade; permite que você tire o foco daquilo que está faltando na sua vida para se sentir parte de toda a abundância, beleza e perfeição que existe no Universo.

Por exemplo, imagine-se em uma parada de ônibus. Você pode ficar se maldizendo e reclamando da situação, expressando toda a sua escassez por não possuir um carro, ou você pode aproveitar esse momento para apreciar a abundância de carros que passam sob o seu olhar, sentindo que você faz parte dessa abundância, que está em contato com tudo isso, você dentro dela, e ela dentro de você. Dessa maneira, "sem querer", você emite para o Universo a informação de que você ama carros e se coloca na posição de merecedor e recebedor!

Como Esther Hicks ensina, todas as vezes em que você é capaz de contemplar, aplaudir, admirar, amar, vibrar positivamente, enfim, apreciar algo que ainda não é seu neste plano da matéria, você se coloca na posição de receber algo semelhante por afinidade vibracional.

ALGORITMO DA COCRIAÇÃO #175

Benevolência

O sentimento de benevolência, como já mencionei anteriormente, é definido por Jean-Pierre Garnier Malet através da regra de ouro "não pense dos outros aquilo que você não gostaria que pensassem de você". A prática da gestão benevolente dos seus pensamentos é um pressuposto para que você consiga sintonizar os melhores futuros potenciais.

A ideia é que seus pensamentos não se perdem, eles transportam a vibração dos seus sentimentos, deixando-a imantada no Campo Quântico como uma possibilidade que pode ser sintonizada por qualquer pessoa, inclusive você mesmo.

Quando, na intimidade secreta da sua mente você tem pensamentos carregados de sentimentos negativos como: *Aposto que a fulana está sendo traída pelo marido*, *Vai ser impossível pagar todas as contas este mês* ou *Este prédio está prestes a desabar*, esses pensamentos ficam vibrando pelo Universo e vão determinar a sua realidade ou a realidade de alguém.

Portanto, procure adquirir o hábito de substituir seus pensamentos negativos e maliciosos por pensamentos pautados no sentimento de benevolência. Por exemplo, em vez de julgar em segredo as pessoas como feias, burras, gordas, ridículas, desonestas, irritantes etc., você pode silenciosamente as abençoar, o que vai limpar a negatividade da sua mente e criar futuros potenciais de bênçãos benevolentes de amor e prosperidade para você mesmo, posto que se estamos todos mergulhados no mesmo oceano infinito de energia, tudo o que emanamos volta para nós em algum momento e de alguma maneira.

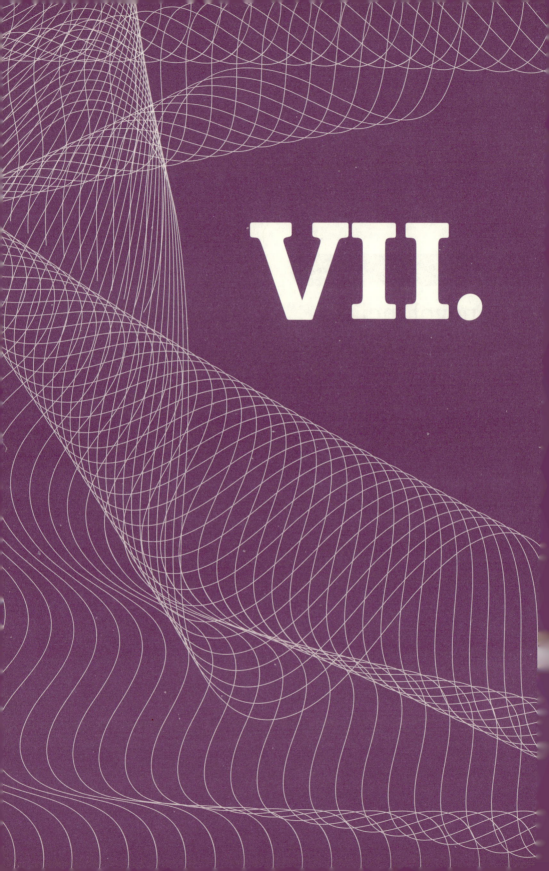

Algoritmos da Cocriação decodificados sobre comportamentos

ALGORITMO DA COCRIAÇÃO #176

Ação

A ação, polaridade contrária da apatia, significa colocar-se em movimento, atividade e plena disposição, pois, com certeza, quando esse sentimento é colocado em prática, por consequência, terá um resultado, uma vez que toda ação produz uma reação em sentido oposto e de igual intensidade.

Para transcorrer de maneira próspera, a ação deve estar pautada na tríade pensamento-sentimento-comportamento. Isso vale para as suas ações fisiológicas, mentais e emocionais, as quais precisam manter a mesma sincronia para a cocriação de seus desejos.

Você deve desejar a realização do seu sonho, comandando as situações de sua vida, sentindo, pensando, relacionando e principalmente agindo como se ele já fosse realidade. De que modo? Mantendo uma postura austera, confiante, com o peito estufado, cabeça erguida e caminhando na direção dos sonhos envolto de uma sensação de plenitude dentro de si, a fim de fazer suas células e neurônios acreditarem que já é alguém vitorioso e bem-sucedido.

Portanto, tudo deve estar em movimento ao realizar seus projetos: planejar seu desempenho, programar suas atividades e alinhar seus comportamentos diários no sentido de seus sonhos, e, para isso, é preciso coerência emocional e mental, acreditar, aceitar, estar disposto, ter coragem e boa vontade, porque só assim você conseguirá se alinhar com a fonte de abundância do Universo.

ALGORITMO DA COCRIAÇÃO #177

Decisão

Para conquistar qualquer coisa no universo físico, deve-se tomar a firme decisão de procurá-la. Essa decisão precisa se transformar em uma intenção inabalável, da qual não existe volta e não é afetada por desejos ou interesses conflitantes.

Portanto, quando você determinar uma meta, não enfraqueça sua intenção se preocupando com o que deverá ser feito para que ela se realize, pois esse trabalho cabe ao Universo, que cuida dos pormenores, organiza e orquestra as oportunidades; você só precisa estar alerta a essas oportunidades, que nascem e brotam a todo o momento, como uma nova estrela no universo criada a partir de sua própria Frequência Vibracional®.

ALGORITMO DA COCRIAÇÃO #178

Organização

A organização é um dos Algoritmos da Cocriação mais importantes para promover a sintonização da prosperidade e abundância que você deseja. A organização permeia inúmeros aspectos fundamentais da cocriação da realidade, passando pelo alinhamento vibracional (ou alinhamento das três mentes), pelo equilíbrio das emoções, controle dos pensamentos, disciplina para a prática de técnicas, estabelecimento de metas, execução de ações e até mesmo a organização física da sua casa e espaço de trabalho.

No Universo Quântico, o interno espelha o externo e vice-versa, de modo que toda organização interna, como pensamentos e sentimentos alinhados, será projetada na sua realidade interna; da mesma forma, a organização externa, como a execução de ações e a própria arrumação adequada do seu ambiente, também influenciarão na maneira como você pensa e sente.

Se você percebe que seus pensamentos, sentimentos e emoções ainda não estão harmonizados, alinhados ou, melhor, organizados o suficiente, experimente começar pela parte mais fácil: a organização externa, praticando pequenas atitudes como organizar suas gavetas, armários e mesa de trabalho ou fazer uma boa faxina na casa, bem como organizar seu orçamento, planejar suas despesas e descobrir maneiras de economizar.

Todas as formas de organização externa que passam pelo seu ambiente, suas finanças e até mesmo seu próprio corpo físico refletirão internamente promovendo uma sensação de bem-estar, aumentando seu senso de harmonia, potencializando sua motivação, ampliando sua energia vital e elevando sua Frequência Vibracional®.

Tenha em mente que a organização também é uma característica da Natureza e do Universo como um todo – cada ser e cada elemento tem seu lugar, seu tempo e seu propósito, de maneira que quando você se organiza no seu universo pessoal, você entra em ressonância com a ordem e a harmonia do Universo.

ALGORITMO DA COCRIAÇÃO #179

Motivar os outros

Motivar os outros a realizarem seus desejos é um modo infalível de garantir que você também verá seus próprios sonhos tornarem-se realidade. A frequência da motivação ressoa com as frequências elevadas da alegria, do entusiasmo e da generosidade, por isso, sua Frequência Vibracional® se eleva às alturas!

Além de oferecer ajuda, suporte e compartilhar seu tempo, amor e conhecimento, uma linda forma de motivar os outros é através da realização de seus próprios objetivos, tornando-se inspiração, servindo de exemplo, mostrando o caminho e provando que se você conseguiu, outras pessoas também podem conseguir.

ALGORITMO DA COCRIAÇÃO #180

Festejar o sucesso dos outros

Entenda que, do ponto de vista quântico, o outro não existe. Quer dizer, como todos nós fazemos parte do mesmo campo eletromagnético universal, a individualidade é uma mera ilusão da matéria. Energeticamente, estamos todos interconectados, de modo que tudo o que você pensa e sente a respeito dos outros repercute na sua própria vida.

Portanto, ao testemunhar o sucesso de outra pessoa, em especial quando se tratar de uma conquista que você também tem interesse em conseguir, se você permitir que seu ego o leve para um lugar de ressentimento, inveja, despeito, julgamento ou desprezo, você vai emitir para o Universo a informação de que a conquista do outro é algo ruim, que faz com que você se sinta mal e que você não deseja, nem de longe, algo semelhante.

Por outro lado, quando você é capaz de se alegrar de maneira genuína, se entusiasmar, aplaudir e festejar o sucesso das outras pessoas, quer elas tenham conquistado algo que você deseja ou não, você faz com que o Universo "entenda" que você ama sucesso, ama vitórias, ama sonhos realizados e, inevitavelmente, você também receberá seus próprios motivos para festejar.

O Universo simplesmente não "entende" que você está pensando ou sentindo a respeito de outra pessoa, de modo que o que quer que você pense e sinta é interpretado como seu, ficando impregnado no seu campo eletromagnético e sintonizando potenciais equivalentes na sua vida.

ALGORITMO DA COCRIAÇÃO #181

Seja honesto

Todas as formas de desonestidade, ainda que sejam apenas um pequeno trambique ou o famoso "jeitinho brasileiro", vibram na escassez e no medo da falta. Até mesmo desonestidades passivas, como não acusar o recebimento de um troco errado, contribuem para a vibração da escassez.

Se você entende e aceita que a natureza do Universo é abundante e se deseja entrar no fluxo dessa abundância, compreende que não tem de ser "esperto", tem de ser honesto e justo em todos os seus comportamentos, sobretudo aqueles que ninguém vê (mas o Universo vê!).

A elevação da sua Frequência Vibracional® para a cocriação dos seus sonhos, em última instância, corresponde à elevação do seu próprio nível de consciência, o que pressupõe a honestidade como elemento fundamental para o desenvolvimento da nobreza moral e ética, bem como para o aprimoramento do espírito.

ALGORITMO DA COCRIAÇÃO #182

Honre seus pais

Honrar pai e mãe é um dos dez mandamentos da Bíblia, um dos fundamentos das constelações familiares e um poderoso Algoritmo da Cocriação. De antemão, já ressalto que honrar pai e mãe não pressupõe convivência física, mas uma atitude interna, mental e emocional de reconhecer, respeitar e agradecer o "sim" que eles disseram para a sua vida, independentemente de como eles se portaram com você.

Entenda que enquanto o Criador é a Fonte da sua consciência, os seus pais biológicos são a fonte do corpo físico através do qual você pode ter experiências terrenas como o objetivo de expandir e elevar a sua consciência. E uma das condições para que você possa concretizar esse objetivo é a sua capacidade de reconhecer, validar e ser grato às duas fontes da sua vida.

Seu sucesso e prosperidade na vida dependem diretamente da sua harmonização e apaziguamento com seus pais, ainda que você nunca os tenha conhecido ou que eles já tenham falecido, pois o processo é interno e energético.

Talvez você tenha sido abandonado, negligenciado, rejeitado ou abusado física, psicológica ou sexualmente. A questão é que enquanto você estiver preso na raiva, no rancor e no julgamento em relação à maneira como seus pais agiram com você, sua vida não vai para frente.

Entenda que nenhum pai e nenhuma mãe conscientemente decidem que vão "ferrar" com a vida de um filho; a maneira como eles agem é uma expressão do seu nível de consciência, de modo que sempre têm a percepção que estão fazendo o melhor, ainda que as atitudes pareçam contrárias, quando representadas por uma agressão física ou entrega para adoção. Não é uma questão de certo ou errado, e sim de níveis de consciência.

Quando você entende que seus pais não foram malvados ou cruéis com você, mas que apenas estavam agindo no limite da percepção de mundo que tinham a partir de um determinado nível de consciência, então você é capaz de se libertar através do sentimento de aceitação, que vibra em 350 Hz na Escala das Emoções e é o divisor de águas que separa vítimas de cocriadores.

ALGORITMO DA COCRIAÇÃO #183

Questionar

Precisamos questionar os dogmas, questionar as ideologias, questionar as autoridades externas. Somente questionando o que todos aceitam como certo, o que todos consideram verdade, conseguimos despertar da hipnose do condicionamento social e ativar o poder infinito da cocriação da realidade.

A capacidade de questionar a si mesmo é fundamental para a identificação e reprogramação de crenças limitantes. Sempre que sua mente disser que você não é capaz, não consegue, não merece ou que a realização de um determinado sonho não é possível, questione a validade desses pensamentos.

Por exemplo, quando eu sinto o desejo de duplicar o faturamento da minha empresa, se me surgem pensamentos de que isso não é possível, eu me pergunto *Elainne, você acredita mesmo que é impossível?* e *Existe alguém que já conseguiu isso?* As respostas vão indicar se o pensamento é decorrente de uma crença ou de uma verdade objetivamente válida para todos.

Se eu identifico que o pensamento sabotador decorre de alguma crença limitante, então eu já começo a me dedicar na reprogramação dessa crença através da prática da Técnica Hertz®, inserindo na minha mente inconsciente os pensamentos, sentimentos e imagens que representem a polaridade contrária. Você deve fazer o mesmo!

ALGORITMO DA COCRIAÇÃO #184

Saber receber

Lembre-se de que receber é tão necessário quanto oferecer. Receber com graça é uma expressão da dignidade e da abundância, um poder infinito, especificamente seu, e que você precisa assumir com a autoconsciência. Receber com elegância um cumprimento, um elogio ou a manifestação de respeito implica na capacidade de retribuí-los e gerar uma vibração celular de abundância dentro de si.

Dar e receber são aspectos complementares do fluxo de energia de prosperidade do Universo, de modo que aqueles que não conseguem receber se tornam incapazes de dar e por isso, afastam-se da harmonia abundante do Universo, privando-se inconscientemente da realização de seus próprios sonhos.

Enquanto recusar, ainda que de maneira educada, emite a informação de que você está satisfeito com o que tem e não deseja nada mais, receber desperta o sentimento de gratidão e abundância, gerando a vibração da riqueza dentro do seu DNA e em torno do seu campo eletromagnético. É aceitar, receber e aproveitar os tesouros vibracionais que pulsam nas suas moléculas quânticas.

No processo de cocriação do seu sonho, é fundamental que mostre para o Universo que você é um excelente "recebedor", que sempre está disposto a dizer sim para todos os presentes, materiais ou não, que a vida lhe oferece. Você pode se treinar para ser um bom recebedor através de atitudes simples no seu dia a dia, como receber e agradecer um panfleto publicitário que alguém entrega na rua ou aceitar um copo d'água que alguém lhe oferece, mesmo quando você não está com sede. Praticar a arte de receber é um exercício poderoso para acessar o fluxo da abundância do Universo.

ALGORITMO DA COCRIAÇÃO #185

Controle seus pensamentos

Se seus pensamentos estiverem negando o que você deseja manifestar, você trabalhará contra si mesmo. Todo pensamento negativo que coloca em xeque a sua manifestação funcionará, literalmente, como uma borracha, eliminando, pouco a pouco, vários elementos da imagem que você criou. Por isso, foque apenas no seu objetivo, sinta sua vibração positiva e mude a polaridade do contra para a realização de algo que já existe e vibra dentro de si.

Quando sua mente quiser saber "como" o seu sonho será cocriado, substitua a palavra "como" pela palavra "por que", isso permitirá que você consolide ainda mais a imagem desejada em sua mente, fazendo com que você se convença internamente de que merece o que realmente deseja, pois você é filho do Criador e extensão máxima do amor universal de Deus.

Por exemplo, se surgirem pensamentos que questionem *como* irá conseguir comprar seu apartamento dos sonhos, fique atento, pois esse tipo questão leva à dúvida, à incerteza e ao medo de que seu sonho não se realize, pois sua mente avalia as possibilidades com base nas suas experiências passadas e do presente.

Então, substitua esse tipo de pensamento por "por que o apartamento dos meus sonhos já é meu?" Nesse padrão de pensamento, você produz outros pensamentos e sentimentos de vibração positiva na frequência do merecimento, da abundância e da gratidão.

ALGORITMO DA COCRIAÇÃO #186

Preserve seu sonho

Eu sei que quando começamos a aprender sobre os segredos do Universo e sobre os princípios da cocriação da realidade, a vontade que temos é de divulgar a boa nova para o máximo de pessoas possível, incluindo parentes, amigos, colegas e até mesmo estranhos com quem temos conversas aleatórias na rua.

Contudo, entenda que nem todo mundo está pronto e aberto para acessar esse conhecimento libertador, vai depender do nível de consciência de cada um. Se você começar a falar com alguém sobre o assunto e sentir que há resistência, não deve insistir, não se torne o "chato da cocriação", pois não vai conseguir mudar ninguém. Cada um é responsável por si mesmo, lembra?

Então, diante da resistência da pessoa, silencie e, se for o caso, no máximo, indique a leitura de um livro sobre o assunto ou recomende o conteúdo do meu canal no YouTube. E o mais importante de tudo: preserve a si e preserve o seu sonho, não compartilhe seu processo de cocriação com pessoas que não acreditam nas leis da cocriação e que vão duvidar do seu poder de cocriador da realidade.

Muitas pessoas podem questionar, criticar, negar e até debochar do seu sonho, mesmo aquelas que, aparentemente, sempre o ajudam e apoiam nas suas aspirações, pois elas ainda não experimentaram o poder da criação. Elas podem acabar o desmotivando ao fazer algum comentário que ressoe com as crenças que você está reprogramando e, assim, comprometerem a elevação da sua Frequência Vibracional® e a sua confiança. Portanto, em vez de se expor a possíveis críticas e negatividades desnecessárias, preserve-se e preserve seu lindo sonho.

ALGORITMO DA COCRIAÇÃO #187

Ajude aos outros

> Você pode conseguir qualquer coisa na vida, se você ajudar suficientemente outras pessoas a conquistarem o que elas querem.
>
> **ZIG ZIGLAR**

Essa citação contém um poderoso Algoritmo da Cocriação e é um princípio universal para ativar o poder inato da sua consciência para a cocriação do seu desejo de abundância na vida física.

Em *Você já nasceu rico*, o mestre Bob Proctor exalta a importância e o valor da intenção, bem como a necessidade de ajudar os outros a conquistarem seus objetivos. Essa mentalidade, garante o fantástico autor, é um elemento muito importante para entrar, verdadeiramente, em sintonia com o fluxo da abundância do Universo.

Quando você vibra na intenção de ajudar, de colaborar e de se doar às pessoas e ao mundo, o Universo recebe essa energia voluntária e elevada, que vibra na frequência superior do amor e da compaixão (500 Hz na Escala das Emoções).

Essa frequência entra em ressonância com a própria vibração do Universo, a vibração do amor que nos devolve, naturalmente, como um espelho refletido de alta potência iluminada, mais amor, boas intenções, incríveis possibilidades de prosperidade e diversas outras situações maravilhosas na mesma sintonia, para você manifestar ou cocriar coisas espetaculares.

Por isso, seja solidário, prestativo e generoso, mas se lembre de mais uma coisa importante: sua intenção de ajudar não deve estar pautada no interesse de receber algo em troca, pois assim a nobreza do gesto se deturpa e de maneira nenhuma vai ressoar com a frequência do amor incondicional do Universo.

Você deve manter, de maneira natural e positiva, suas intenções, sem esperar nada em troca ou qualquer benfeitoria. Caso contrário, causará o chamado Efeito Zenão e, automaticamente, provocará a paralisia atômica das ondas de energia de infinitas possibilidades, impedindo a materialização de qualquer realidade ou desejo de abundância infinita.

ALGORITMO DA COCRIAÇÃO #188

Buscar conhecimento

Não há como evoluir de modo acelerado e constante na ignorância. Apesar do fluxo contínuo e expansivo do Universo nunca cessar, a falta de conhecimento trava qualquer processo mais avançado de cocriação.

Para magnetizar, cocriar e sintonizar a vibração exata dos seus sonhos, você precisa ter certos conhecimentos e usá-los a seu favor. De preferência, procure adquirir conhecimento específico sobre as Leis Universais, Física Quântica, Neurociências e sobre a dinâmica da cocriação da realidade e da vibração.

O conhecimento vai refletir os resultados, mostrar os caminhos e apresentar quais atitudes deverá tomar, de modo consciente, inteligente e sábio, para colapsar a onda de qualquer sonho.

Ressalte-se que o conhecimento não pode se limitar a um mero requinte intelectual, você precisa aplicá-lo na experiência, através de suas ações – você precisa *ser* o que você *sabe*, só assim o conhecimento se torna uma ferramenta de cocriação.

ALGORITMO DA COCRIAÇÃO #189

Abandone a zona de conforto

Assim como um carro não avança na estrada se você não o conduzir, trocar as marchas e acelerar, ninguém progride parado, imóvel, estagnado na conhecida zona de conforto. Parece óbvio, mas muita gente persiste nesse erro.

Sair da zona de conforto é uma das atitudes mais eficazes para cocriar todos os seus sonhos. Para avançar, você precisa viver desconfortavelmente sempre, mas isso não significa passar dificuldades ou problemas na vida, e sim mover-se sem parar, melhorar sempre, crescer e evoluir nessa e nas próximas existências.

Na verdade, quando se pensa em permanecer estável na vida, os problemas surgem e não param mais. E eu acredito, na verdade, que não há estabilidade em nada, seja em qual área for, emprego, família, afeições, campo profissional ou espiritual. Tudo se move, precisa evoluir e avançar diariamente, assim como o Universo está em plena expansão, segundo comprovações científicas.

Por isso, você deve trabalhar mais, estudar mais e ser cada vez mais assistencial com os outros. Faça o melhor todos os dias, doe-se, saia da zona de conforto e encontre novos desafios. Mexa-se! O pote de ouro apenas está no final do arco-íris e depois do horizonte dos olhos.

ALGORITMO DA COCRIAÇÃO #190

Atue no aqui e no agora

No Universo não existe tempo, ou melhor, tudo existe ao mesmo tempo: passado, presente e futuro. Para cocriar os seus sonhos, você deve viver o presente e experimentar o aqui e o agora, pois, no momento presente, nós podemos modificar as sensações e reações internas de determinados eventos ou episódios do passado considerados prejudiciais para nosso ser, ao substituir sentimentos como de ódio por amor.

Já o futuro será, exclusivamente, o reflexo das nossas ações do presente, do aqui e do agora. Então, o que acontecerá no futuro depende exatamente do aqui e do agora, das nossas ações realizadas no presente. Isso vale para todas as consciências (cada ser) situadas em qualquer dimensão, seja nesse plano material ou em ambientes extrafísicos. E a única coisa real que temos é o tempo presente porque tudo o que fazemos aqui e agora afetará o futuro, entendeu?

Nossas condições de vida futura são plantadas e semeadas agora, por isso, todas as nossas ações devem ser pensadas, planejadas e analisadas posto que serão associadas ao futuro. Nossa vida futura ou as próximas existências, então, dependerão da capacidade momentânea de assistência, da evolução pessoal e da sabedoria para lidar com tranquilidade mediante os desafios do cotidiano.

O futuro será regido pelo aqui e o agora, pela escolha de ações positivas ou negativas e pelo nosso nível de discernimento consciencial. Assim, viva o presente com sabedoria, tranquilidade e clareza mental para cocriar uma realidade próspera e repleta de riquezas em todas as áreas da vida.

ALGORITMO DA COCRIAÇÃO #191

Sonho imaginativo

O cineasta Federico Fellini (1920-1993) expressou com muita sabedoria o puro sentido da imaginação reconhecida por nós: "Nada é mais honesto do que um sonho". Imaginação, para você compreender, é a capacidade de transcender os limites do sistema de crenças, da consciência e do inconsciente. O que somos capazes de imaginar? Até onde pode ir nossa imaginação?

Só podemos imaginar aquilo que acreditamos que é possível, por isso são os limites da racionalidade da mente que impedem que sonhemos, imaginemos, planejemos novas possibilidades em todas as áreas da vida.

Veja bem, o sistema de crenças enrijece e imobiliza nossas ações que poderiam resolver todos os problemas. Para imaginar, é preciso pensar – destinar um tempo só para pensar. Sem interrupções, sem barulho, relaxando e deixando o canal aberto para as ideias fluírem diretamente do Vácuo Quântico através dos microtúbulos nas sinapses.

Quantos produtos que hoje são de uso coletivo nem existiam poucos anos atrás? Daqui a alguns anos quantos produtos existirão que hoje nem pensamos que possam existir? Tudo isso está lá, esperando por pessoas que tenham liberdade de imaginar e pôr em ação. Quais as alternativas existem hoje para cada pessoa no planeta? Elas pensam nas alternativas? E quando pensam, colocam em prática? Por que isso não acontece? Por causa da filosofia de vida, da visão de mundo, das crenças em suma.

Veja, esse canal de criação está aberto o tempo todo! Nós precisamos apenas alcançar a atividade da mente para que as ideias venham para o consciente, entenderam? Feito isso, as ideias mais inovadoras para a solução de todos os problemas permanecem à disposição para quem deseja captá-las e colocá-las em ação. Não há falta de ideias, há falta de imaginação! Invariavelmente, não existem limites para sonhar e para cocriar a realidade da abundância. A prosperidade está ao alcance de todos, mas é preciso decidir agir na direção de uma vida feliz, cheia de possibilidades e de muita fartura.

ALGORITMO DA COCRIAÇÃO #192

Pensamento estratégico

Manter um pensamento estratégico significa perceber todas as possibilidades em expansão no Universo das infinitas possibilidades, cultivar o pensamento multidimensional e avaliar todas as variáveis ao mesmo tempo, o que significa ter uma visão sistêmica, conjuntural e holística da realidade.

Em todas as ações, existem inúmeras variáveis para serem analisadas. Nesse ponto, começam os problemas que esbarram, muitas vezes, no sistema de crenças. Esse modelo mental, rígido ou flexível, determinará as variáveis analisadas por cada pessoa e a tomada de decisões.

Questões como a existência de outras dimensões para além da realidade física, influências psíquicas, múltiplas existências e o que pensamos sobre a parte espiritual, na maioria das vezes, não são levadas em consideração por esse sistema de crenças limitantes. Nos negócios, por exemplo, as variáveis são imensas. Os negócios são vistos como competição nesse paradigma vigente, e é preciso saber se defender.

Entretanto, pensar estrategicamente implica pensar sem nenhuma barreira em termos de sistemas de crenças ou paradigmas, mesmo quanto às crenças no campo da espiritualidade. Queridos, vocês devem entender uma coisa central: expansão da consciência é sinônimo de complexidade.

Uma consciência com mais complexidade "enxerga" mais que outra menos complexa. E aqui entra a Filosofia, pois **é preciso estudar todos os sistemas filosóficos para entender como funciona uma determinada sociedade, além de todos os outros ramos da ciência humana. Você, portanto, precisa abrir a mente, expandir a consciência e enxergar o horizonte de possibilidades apresentado pelo Criador para conseguir captar prosperidade, abundância e felicidade em todos os campos da vida.**

ALGORITMO DA COCRIAÇÃO #193

Antecipação de comportamentos

Não tem mágica, a mudança que você deseja não vai acontecer da noite para o dia – só porque você pensa e deseja mudar, não significa que em uma bela manhã vai acordar seu novo eu próspero, saudável e bem-sucedido que você tanto deseja se tornar.

Entenda de uma vez por todas que você "muda mudando", ou seja, a mudança que você deseja depende da sua atitude de inibir os comportamentos, hábitos e vícios do velho eu fracassado e, ao mesmo tempo, incorporar os comportamentos e hábitos do novo eu que você deseja se tornar.

Antecipar os comportamentos do seu novo eu é colocar em prática o mais famoso princípio da cocriação: Ser para Ter. É simplesmente impossível inverter essa ordem, de modo que você não pode ficar esperando ter alguma coisa nova (saúde, dinheiro, casa, carro, alma gêmea etc.) para então ser alguém novo.

A mudança que você deseja vivenciar, seja na sua realidade interna, como saúde ou paz de espírito, seja na realidade externa, na forma de bens materiais, só vai acontecer de maneira gradual, na medida e na velocidade em que você for capaz de incorporar novos comportamentos.

Por exemplo, se você está cocriando riqueza, não espere ter todos os milhões que deseja para praticar comportamentos abundantes de generosidade com as outras pessoas e, sobretudo, com você mesmo. Presenteie-se, na medida do possível, com "pequenos luxos", como comprar um sabonete especial ou tomar um café requintado. Só não vale se endividar no cartão crédito, antecipando a compra de um celular novo em 24 prestações – rico só compra à vista, ok?

Outro comportamento que você que está cocriando riqueza pode adotar com facilidade é a eliminação do hábito de reclamar do preço das coisas. Jamais aproveite a fila do supermercado para formar grupinhos para discutir como o tomate e a banana estão caros. No geral, não subestime as pequenas ações, pois juntas elas são capazes de produzir grandes resultados!

ALGORITMO DA COCRIAÇÃO #194

Caridade

> Mas quando você der esmola, que a sua mão esquerda não saiba o que está fazendo a direita. [7]
>
> **MATEUS 6:3**

Entenda que o conceito e a prática da caridade vão muito além da doação de objetos velhos que não lhe servem mais por ocasião do Natal ou outra data festiva pontual, prática que muitas vezes beneficia mais a você mesmo por liberar espaço em armários e gavetas da sua casa do que a quem recebe propriamente.

A essência da caridade é permeada pela empatia, pelo reconhecimento das necessidades dos outros, pela compaixão, pelo desejo de ajudar, servir, ser solidário e amoroso. Por isso mesmo, a caridade transcende a doação mecânica de quantias em dinheiro ou objetos materiais,

---

[7] BÍBLIA. Mateus 6:2. Português. *In*: Bíblia Online. Disponível em: https://www.bibliaonline.com.br/nvi/mt/6. Acesso em: 14 ago. 2022.

compreendendo também a doação de tempo, conhecimento, paciência, tolerância, alegria e tudo mais que você for capaz de reconhecer que existe em abundância em seu próprio ser.

Servir aos outros é o propósito último da elevação da consciência – as cocriações são meras consequências. Em sua Sabedoria e Generosidade Infinitas, o Criador nos dotou com um sistema biológico de recompensas por nossas ações de caridade: ajudar aos outros promove a liberação de altas doses de endorfina, que provoca uma sensação incrível de bem-estar e nos faz querer ajudar mais e mais.

De brinde, o bem-estar provocado pela prática da caridade, contribui enormemente para a elevação da sua Frequência Vibracional®, de maneira que todo serviço que você presta à humanidade, em última instância, você está prestando a si mesmo e favorecendo a realização dos seus próprios sonhos.

ALGORITMO DA COCRIAÇÃO #195

Comemoração de resultados parciais

Normalmente, um grande sonho se realiza em etapas, de modo que grandes conquistas são compostas de uma sequência de pequenas vitórias. Por isso, se você está focado em uma grande conquista, precisa abrir seus olhos para reconhecer e validar as pequenas vitórias ao longo do seu caminho.

Para se manter no fluxo da abundância e da cocriação, é fundamental que você fique atento e se dedique a festejar seus pequenos resultados, sejam eles diretamente relacionados ao seu objetivo final ou não. Quanto mais você festeja, celebra, comemora e agradece de maneira fervorosa, mais confirma energeticamente ao Universo a informação da vibração do seu desejo.

O Universo não "trabalha" com o conceito de quantidade, Ele apenas interpreta as vibrações emitidas por você através do seu campo eletromagnético, de modo que, quando você comemora um pequeno resultado com o mesmo entusiasmo com que comemoraria um grande, você emite exatamente a mesma vibração de abundância, e isso logo será reconhecido pela Matriz Holográfica®.

Por exemplo, se você está cocriando ter 1 milhão de reais em sua conta bancária, habitue-se a festejar euforicamente cada centavo que você conquistar, ainda que seja uma moeda que você achar na calçada, uma nota de 10 reais esquecida no bolso de um casaco ou mesmo ganhos indiretos como receber um desconto em uma compra ou alguém pagar um café para você. A cada comemoração, você reforça a informação de que você ama dinheiro, que você é grato por todas as formas de abundância na sua vida e que você está pronto para receber mais.

ALGORITMO DA COCRIAÇÃO #196

Conexão com a natureza

Entrar em contato com a natureza é uma excelente maneira de se limpar de energias negativas acumuladas e elevar sua Frequência Vibracional®, uma vez que a natureza é a própria expressão da abundância do Criador.

Apenas se sentar no banco de um parque natural ou diante do mar, contemplando a abundância de árvores, folhas, frutos, pássaros, água, vento etc., já promove uma profunda reprogramação da sua mente inconsciente, uma vez que os elementos da natureza possuem um caráter arquetípico capaz de neutralizar sua percepção de escassez e de imantar a informação da abundância em todo o seu ser, alterando positivamente a sua produção de neurotransmissores, o que promove o bem-estar físico e elevação imediata da sua frequência para colocá-lo em sintonia com a abundância do Universo.

Se não for possível para você se dar o presente de contemplar a natureza, procure trazer um pouquinho da natureza para perto de você, colocando um vasinho de flores na sua mesa de trabalho ou na cabeceira da sua cama (flores naturais, claro!). Em último caso, se nem um vaso com uma plantinha você puder cultivar, como ensina Eckhart Tolle, pense que sempre tem o Céu sobre sua cabeça, com suas paisagens dinâmicas e infinitas para contemplar, faça chuva ou faça sol!

ALGORITMO DA COCRIAÇÃO #197

Conexão com o Criador

Independentemente de você ter uma religião ou não, de você acreditar em Deus ou não, você precisa encontrar alguma forma de se conectar com o Poder Superior que rege todo o Universo. Não importa se você chama este Poder de Deus, Criador, Pai, Mãe, Vácuo Quântico ou Fonte de Energia, é a conexão e sintonia com Ele que faz de você um cocriador.

Em outras palavras, você é um cocriador exatamente porque não cria sozinho; você cria em conexão com sua Centelha Divina, que é o Criador (ou qualquer outro nome que você prefira) dentro de você. Portanto, encontre a sua forma de nutrir essa conexão e validar seu poder de cocriador.

As formas mais comuns de conexão com o Criador são: silêncio, meditação e oração, mas você também se conecta com Ele quando se ama, se aceita, se perdoa, se respeita, quando ajuda ao próximo, quando se abstém de reclamar, julgar, criticar e passar para frente uma notícia ruim, quando contempla a natureza ou simplesmente quando olha nos olhos de um bebezinho ou de um cachorrinho e sorri com amor.

ALGORITMO DA COCRIAÇÃO #198

Ative a percepção da abundância

Só porque você ainda não tem a abundância que deseja na sua vida agora não significa que você não deva ligar o seu "radar da abundância" para perceber, admirar e entrar na ressonância da abundância que existe a sua volta, afinal, você precisa ser e sentir para, enfim, ter, lembra?

Então, desperte, habitue sua visão e aguce seus sentidos para contemplar a abundância em tudo o que está a sua volta – beleza, saúde, corpos perfeitos, riquezas, famílias felizes, casais apaixonados, bebês sorridentes e gatinhos brincalhões, tudo isso é abundância e está disponível para ser apreciado.

O reconhecimento e a apreciação da abundância, sem a necessidade desesperada de ter tudo para si, é um elixir da prosperidade, um poderoso Algoritmo da Cocriação que vai elevar sua Frequência Vibracional® às estrelas, entrando em fase com a frequência da fluidez, harmonia e abundância do Universo.

É uma questão de treino: discipline-se a deixar de ser aquela pessoa ranzinza e reclamadora, eternamente insatisfeita, que só enxerga escassez e defeitos em tudo o que vê. Perceber a abundância é um hábito que você pode cultivar com comportamentos muito simples, como admirar-se com a abundância de produtos maravilhosos no supermercado, com o luxo das vitrines do shopping ou com os carrões que passam por você na rua, independentemente de você poder ou querer comprar.

A percepção da abundância vai muito além da abundância material, você também pode contemplar a abundância de beleza e saúde dos corpos das pessoas na academia ou na praia e a abundância de casais e famílias felizes que passam por você. A abundância está presente até mesmo na pilha de louça ou roupa suja que você tem para lavar, é só uma questão de percepção.

A contemplação da abundância muda a polaridade dos seus pensamentos e sentimentos de escassez, permitindo que você perceba que os recursos do Universo são infinitos e impregnando sua mente inconsciente com informações de beleza, saúde, felicidade, sucesso e prosperidade e, sutilmente, emitindo para o Universo a mensagem de que você ama todas essas coisas que admira.

ALGORITMO DA COCRIAÇÃO #199

Contemplação da arte

De acordo com David Hawkins, grandes obras de arte que são expressões humanas da graça e da criatividade divina calibram entre 600 e 700 Hz, o nível da consciência da paz. A mera contemplação de obras produzidas pelo poder da sensibilidade estética, beleza, inspiração e elegância de grandes artistas é capaz de, pelo menos por alguns momentos, transportar o observador para níveis mais elevados de consciência. O dr. Hawkins ressalta, em especial, a frequência elevada das catedrais, por serem obras dedicadas ao Divino.

Todas as expressões da arte são válidas: arquitetura, pintura, escultura música, dança etc., tudo o que simboliza a autêntica genialidade e graciosidade humana na ressonância da harmonia do Universo opera como um arquétipo de poder cuja informação afeta diretamente a mente inconsciente e cuja vibração interfere de maneira positiva na nutrição e expansão de nosso campo eletromagnético.

Contudo, o dr. Hawkins adverte que réplicas não são capazes de provocar esse efeito por calibrarem na frequência da falsidade, assim como supostas expressões artísticas que, em essência, não são arte, mas degenerações do conceito, como a pornografia, por exemplo.

Para contemplar a arte e entrar na ressonância de sua frequência elevada, você não precisa ir pessoalmente à Capela Sistina ou ao Louvre (o que não é má ideia, óbvio), você pode se dedicar à contemplação de música clássica, assistir a uma apresentação de balé ou qualquer outra forma de arte que represente o ideal da harmonia e perfeição.

ALGORITMO DA COCRIAÇÃO #200

Cuidar da criança ferida

A "criança ferida" é uma expressão do vocabulário da Psicologia que se refere às memórias, percepções e crenças armazenadas na sua mente inconsciente em decorrência de situações traumáticas ou dolorosas que você viveu na infância, seja um evento pontual impactante ou uma situação ou circunstância que se repetiu durante logos períodos.

Você pode não ter consciência, mas sua criança ferida pode ser a causa dos seus sentimentos de inadequação, medo, incapacidade, insegurança, fracasso e toda sorte de sentimentos sabotadores e limitantes que comprometem a sua felicidade, prosperidade e sucesso enquanto adulto, uma vez que compromete sua autoestima, seu amor-próprio e sua capacidade de confiar em si mesmo, nos outros e no Criador, tornando impossível a sintonização das frequências de abundância que você conscientemente deseja.

No processo de cocriação da realidade, cuidar da sua criança ferida é um Algoritmo essencial, uma prioridade, uma vez que identificar, acolher, aceitar, perdoar e ressignificar as experiências negativas que você teve consiste na reprogramação das suas crenças limitantes mais profundamente enraizadas.

Ao se libertar das dores da sua criança ferida, você acessa um estado de alegria, harmonia e leveza que permite resolver seus problemas normais do dia a dia com maturidade e serenidade, tornando-o capaz de rir de si mesmo e de se divertir enquanto se dedica à cocriação dos seus sonhos.

A Técnica Hertz® é uma ferramenta fabulosa nesse cuidado com a criança ferida, uma vez que ela lhe conduz a comandar a desprogramação e o cancelamento dos sentimentos dolorosos, instalar a programação positiva da polaridade contrária, entrar em conexão com a Fonte Criadora e visualizar seu novo eu feliz, pleno, emocionalmente saudável e abundante em todos os aspectos.

ALGORITMO DA COCRIAÇÃO #201

Desapegue do controle

A necessidade de ter todos os eventos da sua vida sob controle é uma expressão do mecanismo de garantia de sobrevivência do ego, o qual, quando exacerbado, faz com que a pessoa acabe se mantendo na zona de conforto, apegada ao que é familiar e previsível, ainda que seja uma vida medíocre, tornando-se incapaz de confiar e acreditar que o Universo pode lhe oferecer uma nova realidade.

No controle, você tenta prever o futuro com base nas suas experiências do passado e considera qualquer eventual mudança como um risco que não vale a pena correr, afinal as coisas sempre podem piorar. Então, a pessoa emprega toda a sua racionalidade, conhecimento e experiência para sustentar uma realidade desagradável.

Pessoas que têm uma personalidade mais analítica e cartesiana tendem a ser altamente controladoras, estão sob a vibração do medo, chegando inclusive a ter crises de pânico e ansiedade em decorrência de situações imprevistas que fogem do controle. Além disso, por gerar o sentimento de desespero, o controle também provoca o Efeito Zenão, que paralisa qualquer tentativa de cocriação.

Se você se identifica como uma pessoa controladora, chega o momento em que você precisa decidir que não está dando conta de resolver seus problemas e cocriar seus sonhos somente com o esforço da sua mente racional. É fundamental a compreensão e aceitação de que sua mente racional é extremamente limitada e só consegue enxergar meia dúzia de possibilidades ou, às vezes, nenhuma possibilidade, de modo que é necessário se render à sabedoria ilimitada da sua Centelha Divina que o coloca em conexão com as infinitas possibilidades.

Como Joe Dispenza ensina, quando você consegue desapegar do controle sobre quem você pensa que **é, sobre a realidade, sobre tudo e sobre todos, ultrapassando os limites criados pelo ego, você consegue ser apenas uma consciência vazia e receptiva ao novo**. Você acessa, como ele denomina, o Campo do Desconhecido, o domínio das infinitas possibilidades, onde "moram" os milagres que se expressam na forma de eventos e circunstâncias absolutamente imprevisíveis à mente racional.

ALGORITMO DA COCRIAÇÃO #202

Divirta-se

Reflita comigo: faz algum sentido uma pessoa ir ao cinema só para ver o final de um filme? Claro que não! Você vai ao cinema para se divertir, para comer guloseimas com as crianças, para ficar abraçadinho com seu amor, para curtir o filme inteiro, do início ao fim! Na cocriação do seu sonho, você deve adotar o mesmo comportamento, evitando focar exclusivamente no resultado final e se divertir durante a jornada, o que evita a ansiedade causadora do Efeito Zenão.

Entenda que não existe cocriação na vibração da pressa e do desespero; tampouco existe cocriação para quem considera um fardo ter de praticar técnicas para elevar sua própria vibração. O processo de cocriação precisa ser leve e divertido, marcado pela alegria, pelo entusiasmo, pela comemoração das pequenas conquistas, pela gratidão, enfim, pela compreensão de que a elevação da sua Frequência Vibracional® é um fim em si mesma e não apenas um meio para obter favores do Universo. A diversão no caminho também deixa você conectado com o momento presente, na perspectiva de que é importante ser feliz agora, independentemente da concretização do seu objetivo final.

Da mesma maneira que se você fizer uma viagem de ônibus cujo percurso dura cerca de dez ou doze horas, caso você fique ansioso e apressado para chegar, contando os minutos, sua percepção será de que nunca chega ao seu destino. Por outro lado, se você aproveita sua viagem para se divertir, conversando com alguém, lendo um livro, ouvindo música, fazendo palavras-cruzadas ou mesmo jogando alguma coisa no seu celular, será surpreendido ao chegar ao seu destino com a percepção de que o "tempo voou". Tal qual a viagem, a cocriação do seu sonho também funciona assim: quanto mais diversão e quanto menos pressa, mais rápido você conquista o que deseja.

ALGORITMO DA COCRIAÇÃO #203

Desejos ilimitados

Quando uma pessoa não tem consciência sobre sua natureza divina e seu direito a experimentar todas as infinitas formas de abundância do Universo, ela acaba entrando em um mecanismo de barganha consigo mesma, que limita o alcance de suas cocriações ao meramente suficiente ou talvez até dispondo-se a abrir mão de uma coisa para conseguir outra.

Entenda, contudo, que na qualidade de filho do Cocriador, você pode ter muito mais que o suficiente e não precisa escolher entre uma forma de abundância e outra – você tem direito a desejos ilimitados e a única condição para realizá-los é acreditar que isso é possível e que você merece.

Então, por que pensar *eu só quero emagrecer, não faço questão de tônus muscular* se você pode ter o corpo dos sonhos? Por que pensar *eu só quero ter dinheiro suficiente para pagar minhas contas todos os meses* se pode ter dinheiro para passar um final de semana por mês em Dubai, caso queira? Por que pensar *eu não faço questão de ser rico, eu só quero ter saúde* se você pode ser rico e saudável ao mesmo tempo?

Quem determina o que você pode ou não pode não é o Universo, mas sua própria mente! As infinitas possibilidades e a infinita abundância do Criador estão à sua disposição, mas você precisa ser capaz de sintonizá-las!

ALGORITMO DA COCRIAÇÃO #204

Doe dízimo

Apesar da maneira como é comumente interpretada, a doação de dízimo não tem nada a ver com obrigação religiosa, aliás nem é uma obrigação, é uma escolha que representa a mais significativa expressão de abundância e gratidão pelo que você recebe e abre as portas para receber mais e mais.

A doação do dízimo consiste na explicação quântica e energética do ditado popular "é dando que se recebe", pois o Universo "trabalha" com pagamento antecipado: primeiro você dá, depois você recebe, e isso é válido para o que quer que você deseje.

Joe Vitale, em seu livro *Attract Money Now* (*Como atrair dinheiro agora*, em tradução livre), explica que a abertura da porta pela qual recebemos a abundância do Universo é do tamanho da abertura pela qual compartilhamos nossa própria abundância – a porta de saída e de entrada é uma só! Segundo o autor, quando você doa uma porcentagem significativa do que recebe, você entra no fluxo da prosperidade.

Contudo, ele adverte que a doação do dízimo não pode ser baseada em cálculo de interesses, pensando *vou doar o dízimo para o Universo me doar a riqueza que eu quero*. Você não pode ter a pretensão de se tornar credor do Universo – a doação não representa a intenção de receber retribuição; ela é um fim em si mesma que representa a sua gratidão e a mais pura evidência da sua natureza abundante.

Vitale explica ainda que existem dois níveis de doação: o primeiro nível corresponde à doação do dízimo "tradicional", ou seja, 10% da sua receita, já o segundo nível é mais avançado, e corresponde a doações superiores a 10%, que o autor chama de "semear dinheiro" e é o nível de doação praticado, por exemplo, por Bill Gates.

E tem mais um detalhe, você não deve esperar ficar bilionário igual ao Bill Gates para fazer a doação do seu dízimo, considerando doar apenas quando o dinheiro não mais lhe fizer falta. Ao contrário, é justamente porque o dinheiro está escasso em sua vida que você deve procurar elevar sua Frequência Vibracional® pela prática abundante da doação.

Por fim, é importante que você direcione o seu dízimo para algo que simbolize uma fonte de nutrição espiritual e inspiração para você, como a congregação religiosa que você frequenta ou outras instituições e pessoas que lhe causem o sentimento de inspiração, como uma ONG, um artista, uma família, um bebê doente que "por acaso" apareceu na sua *timeline* ou um garçom que o atendeu com amor e alegria. Em outras palavras, a doação precisa partir do seu coração e inspirar a sua alma!

ALGORITMO DA COCRIAÇÃO #205

Estabeleça metas

Grandes sonhos e grandes conquistas não acontecem por acaso ou por sorte, mas em decorrência de um planejamento muito bem estruturado através de metas a serem alcançadas. Estabelecer metas é a atitude que vai fazer com que seu sonho deixe de ser uma ideia ou um desejo abstrato na sua imaginação, direcionando e motivando suas ações de maneira estratégica para a concretização do seu objetivo. Estabelecer metas também possibilita que você saiba como e quando agir, que você saiba quando está no caminho ou se desviando dele, que você mensure seu progresso e ajuste sua rota, quando necessário.

Napoleon Hill, em seu clássico *Quem pensa enriquece!*, ressalta fortemente a importância crucial de escrever as suas metas de maneira clara, objetiva e realista e, inclusive, ele recomenda que você as leia para si mesmo em voz alta todos os dias, para que se mantenha focado em fazer o que quer que precise ser feito para realizar seu desejo.

Ter metas bem definidas que sejam ao mesmo tempo desafiadoras, mas executáveis, vai manter você entusiasmado, animado e motivado para realizar as ações necessárias ao resultado pretendido, o que de maneira natural aumenta sua Frequência Vibracional®. Além disso, estabelecer metas faz com que você entre em ressonância com a natureza ordenada e perfeitamente organizada do Universo.

ALGORITMO DA COCRIAÇÃO #206

Converse com seu ego

Se você sente que está preso na zona de conforto, resistindo às mudanças, recusando oportunidades, procrastinando sua felicidade, experimente ter uma conversa com seu ego, isto é, uma conversa com você mesmo. Explique, amorosamente, que você entende que "ele" não gosta de mudanças, que até agradece por "ele" estar tentando protegê-lo através dos mecanismos de autossabotagem, mas que agora decidiu mudar, que está tudo bem, que a mudança é segura e que vai ser boa para "vocês".

Quando você decide mudar, não vale a pena lutar contra a resistência; isso cria ainda mais resistência. Mais inteligente e eficaz é praticar a auto-observação para perceber a resistência, perceber quando estiver duvidando ou procrastinando e, então, acolher as objeções do ego, sem dar muita importância, sem julgar, sem reagir, mas também sem permitir que essas objeções o paralisem e determinem como você se sente e pensa. Simplesmente, troque a resistência pela persistência e convença seu ego a permitir a mudança, a aceitar que a Centelha Divina. Assuma o comando.

Entretanto, entenda que "conversar com o ego" é só uma maneira lúdica de falar, pois seu ego não é outra pessoa, mas um aspecto de você mesmo, da sua própria consciência. Portanto, não vale entrar no lugar de vítima do próprio ego – *ah, eu tentei mudar, mas meu ego não deixou* –, a responsabilidade por tudo o que você faz ou deixa de fazer é sempre 100% sua!

ALGORITMO DA COCRIAÇÃO #207

Participe de um MasterMind

Suponho que você já ouviu os ditados populares "duas cabeças pensam melhor que uma" e "uma andorinha só não faz verão". Pois bem, é exatamente essa a essência do MasterMind, que consiste em um grupo de pessoas que compartilham os mesmos objetivos e opiniões e operam como um time, em que todos oferecem e recebem ajuda.

Os grupos de MasterMind têm o poder de produzir uma energia sinérgica em decorrência da harmonia dos participantes, criando um campo poderoso que é potencializado pelo somatório das energias individuais de cada membro. Cada membro tanto contribui como se beneficia desse fluxo de energia positiva, processo que, como vimos no Algoritmo da Cocriação #41, é denominado na Física Quântica como "interferência construtiva".

Segundo Napoleon Hill, a participação em grupos de MasterMind foi crucial para o sucesso da maioria dos 25 mil homens bem-sucedidos que ele entrevistou para a elaboração da obra *Quem pensa enriquece!*. Joe Vitale também aponta os grupos de MasterMind como um dos passos fundamentais para quem está em busca de sucesso e prosperidade.

Além dos benefícios práticos decorrentes do intercâmbio de ideias e suporte mútuo, os grupos também possibilitam a elevação da sua consciência e Frequência Vibracional® pelo cultivo da generosidade, da gratidão e do entusiasmo. Quando você é capaz de ajudar aos outros e se permitir receber ajuda, é alavancado para um próximo nível.

ALGORITMO DA COCRIAÇÃO #208

Libere espaço

Quando estamos cocriando algo novo em nossas vidas, precisamos abrir espaço para receber! Tal qual quando seu celular está com a memória cheia e precisa instalar um novo aplicativo, você desapega de alguns aplicativos e arquivos que não usa, você também precisa desapegar do velho na sua vida e liberar espaço para a chegada do novo.

A liberação de espaço para o novo deve ocorrer em dois níveis:

- **Liberação de espaço físico**: desapegue de objetos que você não usa, que estão quebrados ou acumulados na sua casa; doe ou venda o que puder ser aproveitado por outras pessoas e descarte o que não puder. Também se organize e organize seu espaço de acordo com o sonho que você está cocriando, por exemplo, se você está cocriando sua alma gêmea, evite dormir na diagonal, ocupando a cama inteira, liberando espaço para quando seu amor chegar; se você está cocriando um carro, remova objetos armazenados na sua garagem.
- **Liberação de espaço emocional**: você libera espaço emocional quando decide libertar a tudo e a todos que supostamente lhe fizeram mal, quando você decide que já não vale mais a pena ser uma vítima do seu passado e resolve desapegar suas mágoas e ressentimentos. A aceitação e o perdão são o caminho para a liberação de espaço emocional para receber uma nova vida de muito amor, alegria e prosperidade.

ALGORITMO DA COCRIAÇÃO #209

Serviço amoroso

Tudo de bom que nós somos, temos e fazemos nesta vida, além de ser uma fonte de satisfação pessoal e até mesmo um meio de captação de recursos financeiros, tem o propósito existencial último de servir à humanidade. Quer dizer que todas as bênçãos que você recebe do Universo em termos de conhecimento, tempo livre, abundância, alegria, amor e elevação de consciência precisam, de algum modo, ser compartilhadas de modo a ajudar ao próximo.

Uma das maneiras mais lindas e gratificantes de prestar serviço amoroso à humanidade é através do trabalho voluntário, cuja prática lhe permite doar aquilo que você tem em abundância para, ao mesmo tempo em que colabora para o desenvolvimento da coletividade, também eleva a sua própria Frequência Vibracional®.

A prática do trabalho voluntário é uma oportunidade incrível para você aprender a relativizar seus problemas, perceber a magnitude da abundância que já tem na sua vida e despertar o sentimento de gratidão.

Além disso, como foi explicado no Algoritmo da Cocriação #194 – Caridade, nossa biologia é programada com um sistema bioquímico de recompensas pela ajuda que prestamos aos outros, através da liberação de altas doses de endorfina, o que gera uma sensação de prazer e bem-estar, imantando nosso campo eletromagnético com a vibração da alegria, favorecendo a cocriação dos seus sonhos.

ALGORITMO DA COCRIAÇÃO #210

Sexualidade consciente

Embora aparentemente não tenha nada a ver, a maneira como você expressa e vivencia a sua sexualidade afeta seu poder para cocriar seus sonhos, uma vez que interfere na determinação da sua Frequência Vibracional®.

A questão é que, no nível sutil, toda relação sexual é uma relação energética, então, através do ato sexual, seu campo eletromagnético troca informações com o campo da outra pessoa, ficando um impregnado com a vibração do outro por períodos que podem se estender por várias semanas após o encontro físico.

Entenda o que acontece: a pessoa está se dedicando à cocriação do seu sonho, fazendo tudo certinho, saindo da vitimização, trabalhando a aceitação, meditando, visualizando, investindo em cursos e livros, traçando metas e executando ações, mas vivencia sua sexualidade, por exemplo, relacionando-se com uma grande variedade de parceiros(as), muitos dos quais mal conhece, e não sabe que tipo de frequência emanam.

Nesse caso, infelizmente, com seu campo impregnado com a energia difusa e talvez negativa de terceiros, sua dedicação para cocriar sonhos é neutralizada pelas frequências densas que foram absorvidas. Daí a pessoa não entende o que se passa e acaba voltando para a vitimização por acreditar que os princípios da cocriação não funcionam para ela.

Longe de mim passar uma ideia de moralismo, mas o fato é que, se você deseja manter sua Frequência Vibracional® elevada e concentrar sua energia na cocriação dos seus sonhos, vai precisar vivenciar sua sexualidade de maneira consciente, sendo bastante seletivo em relação às pessoas que você escolhe para trocar a energia poderosa do sexo.

ALGORITMO DA COCRIAÇÃO #211

Acorde cedo

Acordar cedo é um hábito compartilhado por bilionários como Bill Gates, Jeff Bezos, Jack Dorsey, Tim Cook, Warren Buffett e outros, que justificam que um dos segredos do sucesso é acordar mais cedo para produzir mais!

No livro *O milagre da manhã*, o autor Hal Elrod, em concordância com os grandes autores da literatura da cocriação da realidade, afirma que a única forma de mudar a sua realidade é mudando quem você é e, por isso, ele aponta o hábito de acordar cedo com uma linda oportunidade de se dedicar ao seu desenvolvimento espiritual e pessoal.

Em outro livro do mesmo gênero, *O clube das 5 da manhã*, de Robin Sharma, é apresentado um método para o sucesso que também aponta o hábito de acordar cedo, no caso, pelo menos às 5 horas da manhã, para se cuidar e aumentar a produtividade.

Há uma explicação neurocientífica para isso: quando você acorda cedo, levantando-se ainda sonolento, seu cérebro está operando na frequência Alpha e, além disso, seu corpo ainda está sob os efeitos do pico de melatonina que é alcançado no meio da madrugada, o que deixa você naturalmente mais apto para a conexão com o Divino através da meditação, para o aprendizado, para acessar sua intuição e usar a criatividade.

Contudo, entenda que o que vai determinar seu sucesso não é simplesmente acordar às 5 ou mesmo às 4 horas da manhã, e sim a maneira como você vai utilizar esse tempo, ou seja, o que você vai fazer em prol do seu desenvolvimento e da realização do seu sonho. Portanto, antes de encarar o "Clube das 5", faça um planejamento – o que você pretende fazer com esse tempo extra? Meditar, estudar, ler um livro ou praticar atividades físicas são ótimas opções!

ALGORITMO DA COCRIAÇÃO #212

Seja gentil com você

Existem técnicas que levam a um mergulho mais profundo em que você vai entrar em contato com sua dor ou confrontar o seu ego, mas nenhuma das ferramentas, pelo menos as que aprenderá comigo, tem por objetivo "torturá-lo" ou causar-lhe qualquer tipo de dano. Os objetivos últimos das meditações, técnicas e demais ferramentas de cocriação da realidade é elevar sua Frequência Vibracional®, promover a cura e a transformação, aumentar seu bem-estar, alegria, fé, confiança e sentimento de conexão com o Divino.

Portanto, se você tem a percepção de que praticar uma meditação ou outra técnica é um fardo, uma obrigação, um amargo desprazer ou o preço que você tem de pagar pela realização dos seus sonhos, simplesmente não o faça. Não vale a pena, por exemplo, meditar porque "precisa meditar". O processo de cocriação do seu sonho não pode ser um trabalho suado, um esforço, deve ser algo divertido e delicioso.

Se você se sentir assim em relação às práticas, então se dedique um pouco mais à teoria, estude, alimente a demanda da sua mente intelectual, assista aulas, converse com alguém de confiança e, principalmente, faça uma reflexão para identificar o motivo da sua resistência.

Seja gentil com você mesmo, não "force a barra". A cocriação não está na força, mas na fluidez do poder. Mas entenda: ser gentil com você mesmo não significa se acomodar ou desistir, e sim acolher sua resistência, olhar para ela, dialogar, aceitar a presença dela para, enfim, transpô-la usando da sua decisão firme de assumir o comando da sua vida e fazer o que tem de ser feito com alegria e gratidão, divertindo-se com o processo.

ALGORITMO DA COCRIAÇÃO #213

Desfrute do que você tem

Você já reparou que tem gente que guarda e reserva o que tem de melhor para os outros? Por exemplo, guardar as melhores toalhas de banho para quando tiver hóspedes em casa ou reservar as melhores louças para quando receber visitas em casa.

Naturalmente, você deve tratar bem seus hóspedes e suas visitas, mas se você se abstém a usar e desfrutar das coisas boas que você tem e, pior, ensina suas crianças a fazerem o mesmo, você está, de maneira inconsciente, vibrando no não merecimento dessas coisas, achando que elas são boas demais para você e para sua família.

Esse é um comportamento comum em pessoas que durante a infância vivenciaram alguma forma de negligência, humilhação ou abuso, de modo que acabaram internalizando que não são merecedoras de coisas boas e que o bem-estar dos outros deve ser colocado como prioridade máxima.

Entenda que a primeira forma de generosidade que você deve pôr em prática é a generosidade consigo, sendo capaz de perceber que você é merecedor de tudo de bom que o Universo tem a oferecer pelo simples fato de você ser filho e herdeiro do Criador. Você merece e deve desfrutar do bom e do melhor todos os dias, não apenas em ocasiões especiais!

ALGORITMO DA COCRIAÇÃO #214

Relativize seus problemas

No Universo das infinitas possibilidades, uma coisa é certa: para todo problema, existem infinitas possibilidades de variações mais acentuadas em que aquilo que é ruim pode ser tornar ainda pior, como também existem infinitas possibilidades para solução e melhoria da situação.

Quando cultiva o hábito de relativizar seus problemas, você tem um duplo benefício:

- Ao relativizar apontando o que poderia ser pior, você evidencia motivos para expressar sua gratidão;
- Ao relativizar apontando o que poderia ser melhor, você descobre um sonho para cocriar, uma frequência para sintonizar e um conteúdo para trabalhar nas suas visualizações, despertando sua motivação.

Quando você coloca seus supostos problemas em perspectiva, abre a mente para perceber reclamações e toma consciência de qualquer sinal de vitimização para, então, tirar seu foco e energia do lado ruim do problema e direcionar sua energia para buscar uma solução.

Diante de um problema, faça o seguinte exercício mental: *Estou vivenciando momentaneamente um desafio, mas ainda bem que...* – complete a frase com pelos menos meia dúzia de motivos pelos quais você é grato. E "bola pra frente", sem drama, foco na solução!

ALGORITMO DA COCRIAÇÃO #215

Ria de si mesmo

O próximo nível da metacognição ou auto-observação (Algoritmo da Cocriação #72) é adquirir a capacidade de não só se observar, identificar e inibir as expressões sabotadoras do seu ego, mas também de rir de si mesmo, de rir do seu ego esperneando em protesto à mudança que você decidiu promover.

Como David Hawkins brinca, o seu ego é o seu "animalzinho", ele sempre quer ser levado a sério e ter razão, contudo, se fragiliza enormemente quando sua atividade é descoberta, quando se "sente" exposto ao ridículo, quando você não só o contraria, mas também faz piadas sobre seus comportamentos.

Eckhart Tolle também enfatiza bastante que a habilidade de rir de si mesmo é fundamental para transpor as necessidades e demandas do ego e acessar o estado de presença, a conexão com o agora, em que não existe escassez, mas abundância infinita.

Além disso, rir de si mesmo ou de qualquer outra coisa é sempre muito bom. Um elixir contra o mau humor que permite lidar com os desafios da vida de maneira leve, mantendo sua Frequência Vibracional® na ressonância da alegria! O estado mais elevado que seu ego pode alcançar é o bom humor!

ALGORITMO DA COCRIAÇÃO #216

Empoderamento

Literalmente, empoderamento corresponde à ação de se tonar poderoso. Na prática, o empoderamento não tem nada a ver com sentimentos de superioridade ou arrogância, também não significa o direcionamento do poder para controlar situações e pessoas; o empoderamento se refere à capacidade de exercer poder sobre si mesmo, sobre a própria vida. Em última instância, o empoderamento é autonomia, é 100% de responsabilidade, apresentando-se também como polaridade contrária da vitimização e do esforço.

Como David Hawkins explica, a Escala das Emoções e o Mapa da Consciência Humana podem ser divididos em duas seções: acima e abaixo do nível crítico de 200 Hz. Abaixo estão as frequências que geram campos atratores de força, que são desfavoráveis à vida; acima, estão as frequências que geram campos atratores de poder, que são favoráveis a vida.

A busca pelo empoderamento coincide com a própria busca pela elevação da Frequência Vibracional® e escalada da consciência, posto que o empoderamento também é permeado pela boa vontade, aceitação, amor-próprio, fé em si mesmo e autoconfiança, que se expressa de uma maneira serena, porém firme de lidar com os desafios da vida, sem permitir que nada nem ninguém determine como você pensa, sente e age.

ALGORITMO DA COCRIAÇÃO #217

Cuide-se

O desleixo com a aparência, descuido com a higiene, com o corpo, com a alimentação etc., são comportamentos que ressoam com a depressão, com as frequências baixíssimas da culpa, vergonha, apatia ou tristeza. A forma mais elementar pela qual você pode trabalhar a elevação da sua Frequência Vibracional®, colocando em prática a autoaceitação, o amor-próprio e elevação da sua autoestima é começando a cuidar bem de si fisicamente.

Repare que os simples atos de tomar um bom banho, pentear os cabelos, escovar os dentes, usar roupas limpinhas e passar uma modesta colônia de alfazema já fazem com que você se sinta mais bem disposto e se sinta bem consigo. Também, dedicar-se a beber bastante água e a melhorar sua alimentação, consumindo menos produtos industrializados e mais produtos naturais é uma linda forma de declarar seu amor pelo seu corpo sagrado.

Além disso, a prática de atividades físicas também é super recomendada, na medida das suas possibilidades, claro. Dizer que não tem dinheiro para pagar academia não é desculpa, você sempre pode fazer uma caminhada no parque, na praia ou até mesmo na rua. Os exercícios físicos fazem com que o corpo libere endorfinas, causando uma sensação de bem-estar, de satisfação consigo e com a vida.

Se você está cocriando um sonho, o mínimo que você pode fazer é se arrumar para recebê-lo, cuidando de si mesmo, expressando seu amor-próprio externamente para, em seguida, aprofundar a autoaceitação em outros níveis do seu ser mental e emocional.

ALGORITMO DA COCRIAÇÃO #218

Turbine seu banco de imagens

Como você já entendeu, a Visualização Holográfica é o principal recurso da cocriação da realidade. Quanto mais verdadeira, intensa e impactante for a sua experiência no mundo da imaginação, mais você conseguirá reprogramar sua mente e suas emoções, ajustando sua biologia com a biologia do novo eu e alinhando sua frequência com a frequência da Função de Onda que você deseja colapsar.

Durante a prática da visualização, as imagens mentais são criadas a partir das suas memórias, de seu "banco de dados", que são os "arquivos" que você tem armazenados na sua própria mente, ou seja, para criar as imagens dos seus sonhos, a sua mente usa como matéria-prima as imagens e cenas dos conteúdos que ela já conhece.

É por isso que se eu pedir para você visualizar, por exemplo, um acelerador de partículas (equipamento de laboratórios que fazem pesquisas avançadas na Física Quântica), e se você nunca ouviu falar e nunca viu nem em um filme, nem em uma foto sobre ele, você não vai conseguir visualizar.

A clareza e nitidez das suas imagens e cenas dependem das informações que você já conhece, portanto, é fundamental que você abasteça sua mente com o máximo possível de informações sobre os detalhes do seu sonho, de modo a turbinar seu "banco de imagens" e produzir uma visualização digna de cinema.

Para turbinar seu banco de imagens é muito fácil e divertido: basta que você se exponha intencionalmente às informações que deseja armazenar na sua mente, por exemplo, olhando para fotografias, assistindo vídeos ou lendo matérias especializadas no objeto do seu sonho.

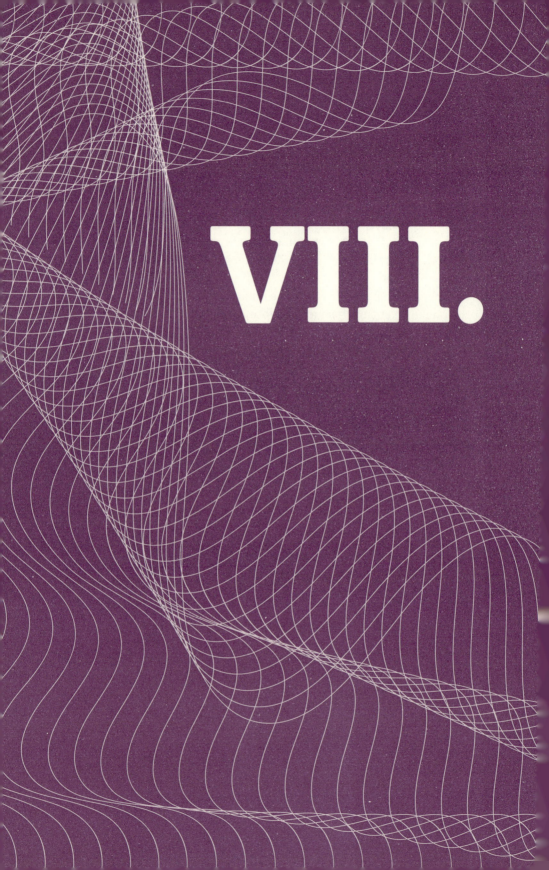

Algoritmos da Cocriação decodificados através da Espiritualidade Sagrada e Conhecimentos Esotéricos

ALGORITMO DA COCRIAÇÃO #219

Ponto Zero

O Ponto Zero é um Algoritmo da Cocriação importantíssimo, e decodificado a partir do sistema de cura havaiano do Ho'oponopono. O Ponto Zero é o campo em que há a ausência da racionalidade e a presença das infinitas possibilidades, ou seja, é o ambiente de Potencialidade Pura e origem de todas as cocriações.

No espaço adimensional do Ponto Zero só existe energia e frequência, uma única onda de Substância Amorfa ou Éter Divino que pode ser transformada e modelada em qualquer realidade, evento ou circunstância. E quem define essa modelagem é a sua consciência, seu olhar como observador da realidade, livre da dependência do corpo físico, de volta ao reduto original de sua criação universal.

No Ponto Zero você está pleno e integrado ao Campo Unificado, faz parte dele, age como ele e pode transformá-lo. Essa é a senha da materialização dos sonhos que você deve utilizar para manifestar seus desejos de cocriação de saúde, amor, riqueza e sucesso em todas as esferas de sua vida, em contato com sua melhor versão e com os pontos de escolha fantásticos.

ALGORITMO DA COCRIAÇÃO #220

Intuição

A intuição, conhecida popularmente por sexto sentido, é a voz da sua Centelha Divina falando com você através dos seus pensamentos e sentimentos, ou seja, é o próprio Criador lhe oferecendo orientações de como agir não só para sobreviver, mas para realizar todos os seus projetos e sonhos.

A intuição, em combinação com o entusiasmo explicado no Algoritmo da Cocriação #162, representa a essência do amor e da energia do Absoluto Infinito, da Presença Divina, de Deus dentro de si, em cada átomo, molécula ou no núcleo do seu DNA Quântico. Ao intuir e manter o estado de entusiasmo, você permanece cheio do fôlego soberano do Criador e do prana que rege todas as coisas vivas e inanimadas no Universo.

Esses dois atributos são propulsores quânticos de energias de frequências superiores e elevadas, estão plenamente associados a sentimentos como amor, gratidão, alegria, harmonia, paz e disposição. Juntos, potencializam a vibração do seu campo em uma faixa superior a 600, 700 e até 1.000 Hz de voltagem.

Com a vibração do entusiasmo e imerso à intuição divina, você acelera o ritmo de sua existência no Universo, entrando em fase e em alinhamento vibracional com frequências superiores, na mesma sintonia do Criador e, por isso, entra em afinidade vibracional com eventos fantásticos, positivos e extraordinários.

Estar conectado com sua intuição lhe permite manifestar qualquer realidade, porque você escuta as orientações da sua Centelha Divina e passa a se portar como o próprio Criador, promovendo a expansão total e plena da sua consciência.

Tudo isso o posiciona como um cocriador universal, apto a modelar a Substância Amorfa para cocriar a realidade que mais deseja internamente, seja ela relacionada à riqueza, à prosperidade, à abundância, ao amor, à saúde, ao sucesso ou ao reconhecimento pessoal e profissional em todos os aspectos multifacetários da existência humana.

ALGORITMO DA COCRIAÇÃO #221

Integração Universal

Nada está separado, tudo se conecta e permanece em profusão quântica, pois existe uma substância original da vida que permeia cada célula, molécula e o seu DNA. A Física Quântica chama de Vácuo Quântico, Gregg Braden de Matriz Divina, eu denomino de Matriz Holográfica®, como você já sabe.

Acontece que essa Energia Essencial está em tudo, é onipresente. Jesus, na sua infinita sabedoria e generosidade com o mundo disse: "O reino dos céus está entre vocês".[8] Certamente está. O reino dos céus é a própria energia elementar de Deus que dá o sopro de vida ao nosso DNA Quântico, que dá luz ao Universo e à nossa consciência. Talvez a compreensão dessa verdade universal seja o principal algoritmo de alta frequência da cocriação para a expansão da sua consciência.

O fato é que, desde a barriga da sua mãe, você recebeu um turbilhão de informações, registros, dados, suposições, medos, inseguranças. Acolheu pensamentos, modelos mentais, paradigmas culturais e imposições de toda

---

[8] BÍBLIA. Lucas 17:21. Português. In: Bíblia Online. Disponível em: https://www.bibliaonline.com.br/nvi/lc/17. Acesso em: 14 ago. 2022.

a espécie, o que deturpou a frequência original contida em seu DNA através de todas as crenças incutidas no seu ser.

Tudo isso formou uma espessa camada quase sólida de energia impregnada no seu inconsciente que poluiu a sua mente, contaminou o seu coração e fez com você se dissociasse, momentaneamente, do Criador. Hoje, essa separação ainda faz você sofrer, sentir medo, abandono, rejeição, temer o fracasso, a falta e a escassez material e o impede de aproveitar a fortuna e fartura concebida pelo Todo, em todas as instâncias e esferas da sua vida.

Então, a unicidade com a Fonte é o grande segredo e o código mais poderoso da existência humana para se tornar uma pessoa bem-sucedida em todas os pilares da vida, alguém verdadeiramente abundante em todas as áreas, seja financeira, profissional, afetiva, familiar ou social.

Tudo isso já lhe pertence porque veio gravado no seu DNA Quântico e no Registro Akáshico da sua existência, desde a sua pré-consciência, antes da expressão máxima do amor do Todo que lhe permitiu experimentar a sua divindade em múltiplos planos físicos e extrafísicos.

Você deve apenas limpar toda essa contaminação e se purificar novamente, expurgando da sua existência todas as crenças e condicionamentos. Para isso acontecer, a minha dica de ouro é praticar a Técnica Hertz®, que engloba todas as ferramentas e recursos mais poderosos do mundo para mudar o seu estado vibracional, eliminar crenças limitantes e se reconectar com a Fonte Criadora. Isso é algo essencial neste momento, se o seu desejo for, de fato, prosperar sem nenhum limite ou restrição na sua vida, em todos os setores.

ALGORITMO DA COCRIAÇÃO #222

Frequência original

Várias pesquisas científicas sugerem que o DNA possa abrigar a consciência humana, no sentido de que apenas uma molécula contém todo o Registro Akáshico da existência, do Universo e do Todo, ou seja, o seu DNA contém o DNA de Deus. Por isso, ele possui a frequência original da criação e do Criador, a qual, segundo a Física Quântica, é a nossa frequência primária.

Ela é a essência de Deus que vibra em suas células e moléculas, ou seja, em cada pedacinho do seu corpo. Essa frequência é a substância amorfa da realidade, é a matriz divina, segundo Gregg Braden, é a própria Matriz Holográfica® da cocriação da realidade, o Vácuo Quântico.

Simplesmente, é a energia primária e o sopro de vida da sua consciência, pois a corrente elétrica ativada por cada um dos seus neurônios, ar, vento, mar, natureza, plantas, planetas, constelações e estrelas que cintilam em uma noite resplendorosa de lua cheia. Tudo contém essa substância original, que é a própria representação do amor, abundância e prosperidade do Universo, do Todo e de Deus, inseridos no núcleo quântico e vibracional do seu DNA Cósmico.

A frequência primária ou frequência original é perfeita, sublime e cristalina, nela não há ruídos, desequilíbrios, deformações e nem qualquer forma de escassez ou debilidade. Contudo, acontece que, com o passar dos anos, até mesmo ainda na barriga de sua mãe, você passou a absorver todo o tipo de conteúdo externo impróprio, sobre tudo e todas as coisas – crenças, condicionamentos, medos, subjugações, críticas, imposições sociais, dogmas religiosos e todo o tipo de informação contrária à frequência original.

Tudo o que deturpou, com o tempo, a sua existência e causou interferências na frequência original da criação depositada no interior do seu DNA Quântico, condicionando a sua percepção da realidade, de modo que você passou a acreditar que não há abundância suficiente para todos no Universo.

Essa percepção gera pensamentos e sentimentos de que a prosperidade de uns pressupõe a escassez de outros e até mesmo que a prosperidade em uma determinada área da sua vida pressupõe escassez em outras, o que leva a pensamentos como *prefiro ter saúde a ser rico* ou *prefiro viver um grande amor a ter sucesso profissional*.

Contudo, na frequência original do seu DNA, que é a própria Frequência do Criador, a abundância é infinita, você não deveria ser obrigado a escolher. No Universo existem recursos suficientes, existe prosperidade, amor, saúde, felicidade e sucesso disponíveis em abundância para todos. E você não precisa escolher uma área da sua vida para receber abundância, você ser abundante em todos os pilares da sua vida, você pode ser, ter e fazer tudo o que quiser, mas para isso é preciso se reconectar com sua frequência original que, para sua "sorte", já está dentro de você.

Tudo está em você, porém, perdeu essa conexão profunda com o seu DNA e suas células, sobretudo por conta de todas as crenças limitantes, condicionamentos, autossabotagens, medos, temores, insegurança, tristeza e por esse vazio existencial que ainda o importuna. Esse vazio, saiba disso, nada mais é do que a separação com a Fonte, a mesma que provoca a raiva, o ódio ou a revolta que ainda pulsam nas veias do seu coração. Ao se dissociar por conta da energia inferior e espessa dessas emoções negativas, você se distanciou da frequência original e da própria abundância que existe dentro de você, como um atributo natural e inato à sua existência quântica e vibracional.

Você é energia, frequência e vibração, forte como um raio de luz, uma faixa vibracional. Só que as emoções e pensamentos conflituosos afastaram você da sua essência elétrica e magnética, do sucesso natural, riqueza, abundância, amor sublime e verdadeiro que preenche a alma de cada consciência em todas as dimensões.

Mas esse cenário pode ser alterado por você quando decidir retomar a sua frequência original e expandir a sua consciência. É mais simples do que você imagina, você precisa apenas subir a vibração nuclear do seu DNA e de suas moléculas, para restabelecer a conexão com a Fonte e manifestar a abundância do Universo dentro e fora de si.

Para reverter toda essa perspectiva e voltar a acessar a Fonte para preencher sua existência de amor, generosidade, gratidão e sabedoria universal, existem inúmeras ferramentas vibracionais como a reprogramação vibracional promovida pela prática da Técnica Hertz®, aplicação de afirmações positivas, orações, mantras, frequências binaurais etc.

ALGORITMO DA COCRIAÇÃO #223

Propósito existencial

Propósito é algo maior que você mesmo. Transforma quem você é em quem você deve ser.
BENJAMIN EARL TAYLOR JR.

Manter um propósito desenhado vai evitar o desperdício de energia e a perda de foco, pois se você não define com clareza a sua meta, não avança nem progride na direção de seus sonhos e objetivos existenciais.

O propósito maior da existência tem relação com sua missão de vida, com colaboração, generosidade, solidariedade e compartilhamento. Quando você age alinhado vibracionalmente em congruência com o seu propósito existencial, sabe o que precisa fazer para avançar em sua jornada evolutiva de reconexão energética com a Fonte Criadora, tendo muito claro e transparente na mente o que precisa ser feito para cumprir as diretrizes de sua missão na Terra e no Universo.

Perceba que o propósito existencial sempre está associado ao TODO e ao amor incondicional de Deus sobre a sua vida. Não há como dissociar ou separar a fusão entre você, sua missão e o criador. Por isso, quando você tem a intuição aguçada e o pleno entusiasmo por sua missão e as ações que precisa ou precisará aplicar para alcançar seus objetivos maiores, nada pode pará-lo. Você é imparável, resiliente, otimista, positivo e soberano sobre as escolhas que faz em direção aos seus sonhos.

A explicação é simples: a Física Quântica mostra que você é reconhecido pelo Universo, ou o TODO, apenas como uma faixa vibracional, ou melhor, que você emergiu vibracionalmente de uma fonte de energia, que é o Vácuo Quântico, a Matriz Holográfica® ou Mente de Deus.

A lei da oferta e procura é universal. Seja qual for o serviço que viemos prestar neste mundo, existe alguém precisando dele. Pergunte-se: *Como posso servir meus semelhantes? Como posso ajudar os demais?* As respostas estão em seu interior, e você as descobrirá com facilidade. Nesse espaço amorfo de magnetismo e pura eletricidade, ao elevar a sua vibração através do seu propósito existencial de cocriar algo bom para você, mas que também seja bom para o mundo, você consegue modelar qualquer realidade, porque está posicionado em uma vibração elevada, condizente com o ritmo e a velocidade do Universo.

O mais importante é que, ao elevar a vibração acima de 500 Hz, na frequência do amor, da alegria, da aceitação, do perdão, da harmonia e da gratidão, naturalmente você passa a agir em consonância com o seu propósito existencial. Quando você se coloca na mesma vibração do Universo, funde-se a Ele para promover a cocriação incessante e ininterrupta sobre qualquer contexto ou realidade.

Estamos neste mundo para realizar um propósito e devemos descobrir qual é por que, quando o conhecermos, vamos entender que somos pura potencialidade de riqueza, amor, alegria e abundância que existe e pulsa no núcleo do nosso DNA e na vibração de luz de nossas células. Descoberto nosso propósito, devemos declará-lo em termos bem simples. Por exemplo: "Meu propósito nesta vida é curar, levar a felicidade a todos os que estão próximos de mim e criar a paz".

ALGORITMO DA COCRIAÇÃO #224

O poder infinito da consciência

Você nasceu de uma única onda quântica e vibracional de energia, que é o Vácuo Quântico, o Universo, o Éter Divino, a Substância Amorfa, a Não Localidade ou o Domínio da Potencialidade Pura. Os termos se fundem e se misturam, ou melhor, se entrelaçam quanticamente e por ressonância até mesmo em sua explicação lógica e científica.

Desta Onda Primária, a qual chamo de Matriz Holográfica®, você nasceu, surgiu, expandiu-se e segue a disseminar sua inteligência infinita de amor por todo o Cosmos e as múltiplas dimensões. Essa Onda Primordial é Deus, a Consciência Superior, a Mente Cósmica.

Certamente, esse é um dos Algoritmos da Cocriação mais relevantes, uma vez que, para acessar a plenitude do seu poder de cocriador, você precisa entender que é um com Deus, que é parte da Consciência Superior e que tem dentro de si a Centelha Divina, alojada no DNA Quântico, em suas células e em cada molécula do seu corpo. Ela faz você respirar, andar, pensar, sentir-se, mover-se, apreciar a natureza e a própria criação.

O cérebro é apenas um instrumento para a expressão dessa consciência quântica e sideral que vibra e vive dentro de você como o impulso, o pulso e sopro de Deus. A Centelha Divina lhe concede poderes infinitos e isso é atestado pela Física Quântica.

Você não é apenas um agente passivo do Universo, mas um cocriador universal, um ser ou consciência coparticipativa que colabora ativamente na construção e na expansão do Universo através do seu olhar quântico como observador da realidade.

Você é a expressão individualizada da Consciência Cósmica e, por isso, tem o livre-arbítrio para escolher a realidade que deseja em um universo holográfico de infinitas possibilidades; você tem a capacidade inata e natural para escolher e para cocriar, na expressão de um poder que é infinito e imensurável.

Você pode escolher qualquer versão da realidade e qualquer futuro iminente, pois na Não Localidade você tem o poder múltiplo da escolha e pode acessar a sua melhor versão, a mais bem-sucedida versão do seu "Eu do Futuro". Basta fechar os olhos, sentir com intensidade, imaginar, pensar e planejar os detalhes dessa nova vida quântica. Tudo isso é possível pelo poder da sua consciência cósmica. Você tem o poder.

Você é a fonte de tudo, de toda a abundância que deseja e também dos problemas que não deseja – todas as coisas partem da vibração do seu coração e das ideias originais da sua mente, tudo está implicado e entrelaçado. Você pode cocriar consciente ou inconscientemente a abundância em sua vida, na hora e no momento que quiser.

ALGORITMO DA COCRIAÇÃO #225

Coexistência dos opostos

"O homem cego de nascimento nunca saberá o que é a escuridão, porque jamais conheceu a luz", este trecho, retirado da obra *Criando prosperidade*, de Deepak Chopra,[9] exemplifica como a vida consiste na coexistência dos opostos – luz e trevas, alegria e tristeza, prazer e dor, nascimento e morte. Uns não existiriam sem os outros e vivemos as experiências deste mundo através de contrastes.

---

[9] CHOPRA, D. **Criando prosperidade**: 26 passos para uma vida mais rica e abundante. São Paulo: Alaúde, 2018.

Quando existe em nossa mente a serena aceitação dessa vívida coexistência de valores opostos, tornamo-nos cada vez menos preconceituosos e, desse modo, mantemos vibrações elevadas dentro de nós.

O vencedor e o vencido são considerados como dois polos do mesmo ser. Quando não existem preconceitos, o diálogo interior silencia, abrindo as portas da criatividade. Lembre-se de que todos os contatos com os seres humanos são oportunidades de evolução e realização de desejos e só precisamos nos manter alerta a eles, o que acontece com o aumento da percepção.

ALGORITMO DA COCRIAÇÃO #226

Transcendência da temporalidade

Sem transcendência, a vida não tem beleza. Para se viver plenamente, é necessário ir além de todas as fronteiras, ultrapassando as barreiras vibracionais de nossas mentes e corpos. Como disse o poeta sufi Rumi: "Muito além das ideias do certo e do errado existe um campo. Nos encontraremos lá".[10]

A experiência de transcendência que conquistei com a prática da meditação me dá uma estabilidade e um silêncio interior que não são suplantados por qualquer outra atividade. O silêncio permanece comigo, dentro do meu DNA, de modo que nenhuma experiência externa consegue superar a percepção e a vivência do meu Eu Interior.

A busca por transcendência se expressa pela busca de uma percepção atemporal da realidade, diferente da percepção temporal na qual a maioria das pessoas vive. A percepção temporal está no intelecto: ela raciocina. A percepção atemporal está no coração: ela sente e vive a convicção interior e celular, de uma vida tremendamente feliz e próspera.

A percepção temporal ocorre quando renunciamos à Centelha Divina em favor da autoimagem, da máscara social, do verniz protetor atrás do qual tentamos nos esconder; na percepção temporal, nosso comportamento é sempre influenciado pelo passado, pela preocupação e o temor do futuro, ancorado em frequências inferiores, abaixo de 100 Hz, opostas ao mecanismo da cocriação da realidade

Por outro lado, a percepção atemporal é a percepção do Eu Interior, da Centelha Divina e corresponde a um estado de paz, liberdade, aceitação, amor e alegria. Na perspectiva atemporal, a Mente Cósmica sussurra para nós, através daquilo que chamamos de intuição e de poder infinito, para se viver uma experiência completamente abundante e satisfatória, em todos os sentidos.

---

[10] CHOPRA, D. *Ibidem*.

ALGORITMO DA COCRIAÇÃO #227

Consciência da unidade

A consciência de unidade é um estado de iluminação, nascida e repercutida dentro de si que se expande para o mundo exterior e vibracional em que perfuramos a máscara de ilusão que cria fragmentação e separação. Por trás da aparência de separação, existe um campo unificado de plenitude, onde a cena e o observador são uma só coisa e um potencial puro de realizações, sucesso, dinheiro, amor e abundância.

Vivenciamos a unidade de consciência quando estamos apaixonados, quando entramos em contato com a natureza, admirando as estrelas, caminhando na praia, ouvindo música, dançando, lendo poesia, orando e experimentando o silêncio da meditação, dentre outras atividades.

Na unidade de consciência, nos esgueiramos pela barreira do tempo para entrarmos no parque de diversões da eternidade. Quantas vezes já dissemos algo como: "A paisagem era incrível, quase perdi o fôlego diante da beleza daquele lugar. Foi como se o tempo tivesse parado"? Nesse momento, você e a paisagem se tornaram um só e, em um nível muito profundo de percepção, no qual sabe que você, a natureza e tudo o mais que existe são o mesmo Ser, em diferentes roupagens e estados vibracionais.

Isso é o estado de amor. Não de amor como sentimento, mas como verdade máxima no seio de toda a Criação, em plena manifestação de cada unidade celular e universal.

ALGORITMO DA COCRIAÇÃO #228

Percepção consciente

Sua consciência tem poder para definir seu estado de abundância ou de escassez. Mas o que é ou quem é a sua consciência? É o seu Eu Quântico Consciente, que tem origem na transcendência, ou seja, como espectro e percepção consciente do próprio Criador.

Você, portanto, é um raio de luz consciente do Criador, faz parte dele e representa a manifestação expansiva de Deus no Universo Quântico, e isso significa que há uma conexão essencial entre você e o Criador. Como a natureza do Criador é abundância ilimitada e possibilidades infinitas, sua própria essência individual também é assim. Portanto, você carrega o brilho da prosperidade em cada célula do seu ser e em cada neurônio do seu cérebro.

O ponto onde quero chegar é que, para viver esse estado de abundância plena e de prosperidade infinita, é preciso despertar a matriz da realidade e ativar um novo senso de percepção ou interpretação do mundo físico e invisível.

O que isso significa? Significa que há uma força mental esplêndida e poderosa, capaz de cultivar os tesouros mais lindos do Universo, criando condições físicas, emocionais e mentais, para a materialização desses recursos inesgotáveis em sua vida, mas isso depende de sua consciência, de sua percepção consciente da realidade que deseja cocriar e manifestar.

É preciso que você incorpore a consciência de que não há limites para sonhar, nem para cocriar a prosperidade. Você pode potencializar esse estado de percepção quântica e de prosperidade ao cultivar emoções positivas, pensamentos elevados e tomar ciência do seu poder cocriativo. Sua mente pode exercer o poder infinito da criatividade para colapsar eventos e se manter em um estado de plena prosperidade, algo que transcende a perspectiva financeira, abarcando todas as esferas essenciais da vida.

Enquanto eu estava no meu processo de transformação interior, não apenas entendi isso como também senti, percebi e apliquei o real valor da manifestação consciente. Quando tomei consciência deste estado natural, tudo passou a fluir com muito mais naturalidade em minha vida e pude manifestar todas as cocriações de riqueza, fortuna, dinheiro e sucesso em minha existência, como é ainda hoje. Em tudo o que me envolvo ou faço, ativo esse estado de percepção de abundância consciente e tudo funciona perfeitamente! Se funciona comigo, também funciona com você!

ALGORITMO DA COCRIAÇÃO #229

Curiosidade Divina

Sempre que existir um problema para o qual acha que não tem solução, você pode pedir ajuda diretamente ao Criador. Vou ensinar como fazer isso:

Repita, com a ativação do seu máximo senso de curiosidade:

DEUS, Criador de Tudo o que É, Universo, o que posso fazer para resolver (nomeie o problema)?

Para fazer a pergunta, use algum ponto do Universo como referência – observe uma estrela, a Lua, a natureza, o mar, o céu azul e aguce ao máximo a curiosidade dentro de si para solucionar a situação e busque a resposta que procura.

Siga com a mesma pergunta, agora desmembrada:

Universo, Criador de Tudo o que É, quais as soluções para (especifique os detalhes do seu desejo) em sintonia com o meu NOVO EU?
De que modo posso resolver esta situação?
Quais são as pessoas que devo encontrar ou caminhos que devo tomar para identificar a melhor saída ao meu favor?

Então, permaneça em silêncio por alguns minutos. O silêncio da alta concentração ou meditação vai trazer a resposta para a pergunta inspiradora que você fez. Em seguida, visualize-se na frente de um espelho e, de olhos fechados, observe a transmutação de sua imagem em um ser de luz, de pura energia, amor e alta vibração – este ser é o seu Novo Eu, seu Duplo Quântico ou Eu Holográfico®, sua versão ideal e perfeita no universo.

Pergunte novamente, agora para si mesmo:

O que devo fazer para conseguir (especifique seu desejo)?

Fique em silêncio mais uma vez, procure não pensar e não se preocupar com nada. Neste momento, seu Novo Eu está em busca da resposta que tanto deseja e da melhor solução, no horizonte infinito do Universo e em futuros extraordinários, para trazer respostas e experiências imediatas ao seu presente transmutado.

Feito isso, apenas relaxe, procure escutar a sua intuição divina ou ato inspirador que será integrado imediatamente ao seu Ser de luz. A resposta que você busca, em sinergia com a frequência do Novo Eu, virá através de ideias, inspirações, eventos e encontros que o vão surpreender.

ALGORITMO DA COCRIAÇÃO #230

Unicidade

Pertencemos a uma mesma Unicidade Consciencial ou a mesma Consciência Universal, mas a consciência é individualizada a partir das experiências evolutivas de cada ser, de cada pessoa, de cada personalidade. Navegamos no mesmo oceano de energia essencial e, nele, podemos interferir quando conseguimos a acessar a Unicidade, que é a integração com a Fonte Criadora.

Do mesmo modo, temos todas as respostas impressas na molécula do nosso DNA, na estrutura dos átomos e das células neurais. Todas as soluções estão integradas ao Campo Unificado de infinitas possibilidades. Nossa relação com Ele é íntima; tudo e todos fazem parte da mesma rede quântica, partindo da constituição dos átomos. E a realidade, ao contrário da proposta difundida pela física convencional e cartesiana, se constitui de dentro para fora, do interno para o externo, do menor para o maior.

Assim, tudo está estruturado, organizado e interligado a partir da composição celular das partículas dos átomos ou dos nossos neurônios. A essência de todo o Cosmos está dentro de nós, vibrando como um sopro divino através dos átomos, das partículas, das células, das moléculas e do nosso próprio DNA.

Você, portanto, já tem tudo o que deseja, mesmo o carro, a casa ou muito dinheiro na sua conta porque faz parte e se expressa através de uma Fonte inesgotável de recursos. Precisa apenas acessar essa Fonte através da sua imaginação, de sua emoção harmônica, de sua fé cocriativa, acreditar e deixar a realidade dos seus sonhos se manifestar na sua vida.

ALGORITMO DA COCRIAÇÃO #231

Jejum alimentar

O jejum alimentar[11] é uma das mais antigas formas de conexão espiritual com a Fonte e de expansão da consciência. Segundo a Bíblia, Jesus atingiu o estado de iluminação durante seu isolamento no deserto praticando um jejum de quarenta dias, período em que ele consumiu apenas um pouco de pão e água.

Logicamente, esse tipo de jejum radical é contraindicado para pessoas comuns, "não avatares", mas formas brandas ou moderadas de jejum alimentar podem e devem ser praticadas eventualmente por quem está na busca da elevação da consciência. O jejum é um recurso poderoso para desenvolver o controle sobre os impulsos e necessidades do ego, sobre as limitações mentais e físicas, potencializando a autodisciplina, o poder da vontade e a conexão com a intuição.

Em jejum, a prática da Técnica Hertz®, de meditações, visualizações, orações e outras ferramentas de cocriação, elevação da Frequência Vibracional® e conexão com a Fonte, têm seus efeitos positivos expandidos e potencializados, uma vez que sua energia vital não está sendo consumida no processo de digestão.

---

[11] Se você é diabético, é atleta, está gestante ou possui alguma outra condição física ou psicológica especial, não faça jejum por conta própria, sempre consulte seu médico ou nutricionista.

ALGORITMO DA COCRIAÇÃO #232

Cure a si mesmo

Com frequência, recebo mensagens de pessoas que querem cocriar a cura de outra pessoa, seja um marido alcoólatra, um pai com Alzheimer, uma irmã com câncer ou um grande amigo que sofreu um AVC. É natural que nossos sentimentos de compaixão e solidariedade sejam despertados diante da dor de quem amamos, contudo, o que precisa ser compreendido é que ninguém tem o poder de cocriar *diretamente* a cura de outra pessoa.

Se você tem o propósito nobre de cocriar a cura de quem você ama antes mesmo da cocriação dos seus próprios sonhos, entenda que a melhor ajuda do mundo que você pode oferecer é curar em si mesmo o que quer que possa estar contribuindo para a manifestação da doença no outro.

Esse é o princípio básico do Ho'oponopono em consonância com o conceito de responsabilidade total, segundo o qual nossa própria negatividade é responsável pela negatividade que há no mundo. Inclusive, foi limpando e curando a si mesmo que o dr. Hew Len[12] conseguiu o famoso feito de curar uma ala inteira de um manicômio judicial, lotada de criminosos enlouquecidos de alta periculosidade.

Como estamos todos interconectados, a sua própria cura é a sua melhor contribuição para a cocriação da cura de quem você ama. E, indo além, sua própria cura também é contribuição para a cura das pessoas que você não conhece: o simples fato de você tomar conhecimento sobre a doença ou uma situação ruim que está acontecendo com alguém já indica que algo precisa ser curado em você, caso contrário, a notícia não teria passado pelo seu "radar".

Para se limpar e se curar de modo a indiretamente contribuir para a cura de outras pessoas, pratique esta linda oração do Ho'oponopono:

Divindade, por favor, limpe em mim as memórias de dor
que eu compartilho com (nome da pessoa) que estejam contribuindo
para o sofrimento dela e transmute essas energias indesejáveis em
pura luz! Eu sinto muito, me perdoe, eu te amo, sou grato(a)!

---

[12] ROSSI, L. Dr. Hew Len. **Jornal de Jundiaí**, 22 jan. 2022. Disponível em: https://www.jj.com.br/opiniao/2022/01/146050-dr-hew-len.html. Acesso em: 14 ago. 2022.

ALGORITMO DA COCRIAÇÃO #233

Centelha Divina

A Centelha Divina não é um conceito, é uma realidade e uma experiência, um estado de ser, inefável por natureza. Por isso, é um tanto desafiador e até ingenuo ou ousado pretender explicá-la racionalmente através limitação das palavras humanas. Mas em uma tentativa de compreensão, podemos especular a definição de Centelha Divina, de maneira resumida, como a expressão do Divino dentro e através de você.

A Centelha Divina é completa, perfeita, harmônica e abundante, é uma espécie de polaridade contrária do ego reativo, competitivo, que precisa e deseja ter coisas por perceber a realidade sob o véu da ilusão da separação. A Centelha Divina é sua própria consciência eterna, que é parte da Consciência Superior.

Portanto, em última instância, a Centelha Divina corresponde ao cocriador poderoso que existe adormecido dentro de você, esperando que você silencie seu ego e reconheça sua divindade, que você "retorne à Casa do Pai".

Quando você acredita firmemente que não *tem* uma Centelha Divina, mas que *é* uma Centelha Divina – quem tem alguma coisa é o ego; a consciência simplesmente é –, você acessa o poder criador do Eu Sou, compreendendo que você tem o poder de cocriar no plano físico toda a abundância que você desejar *ter*, pois no plano espiritual você *é* a própria abundância. Assumindo o sentimento de que você é uma expressão do Divino, você se alinha com fluxo do amor, alegria e abundância infinita do Universo.

ALGORITMO DA COCRIAÇÃO #234

A ponte da consciência

O acesso à sua Centelha Divina ocorre de maneira indireta, pois você não pode entrar em contato com ela através dos seus sentidos físicos, da sua mente consciente, da sua intelectualidade ou da racionalidade; o acesso pressupõe a existência de uma "ponte" que conecta sua mente consciente com a Mente Superior, e essa ponte é a sua mente inconsciente.

A necessidade da ponte da mente inconsciente evidencia que quando alguém tenta se comunicar com o Criador usando orações expressas em uma linguagem puramente verbal, ainda que use as mais lindas palavras de seu vocabulário, não consegue fazer com que Ele "ouça" e, muito menos, responda. Pior ainda se essa linda oração verbal for carregada com o sentimento de súplica ou desespero, pois as emoções prevalecem às palavras, distorcendo a mensagem que se pretende enviar conscientemente.

Para resolver esse conflito, você tem o magnífico recurso da Técnica Hertz® e da Visualização Holográfica, e você pode usar as imagens mentais e as emoções para inserir na sua mente inconsciente os "recadinhos" que deseja enviar para a Mente Cósmica.

ALGORITMO DA COCRIAÇÃO #235

Creia que já recebeu

Portanto, eu lhes digo: tudo o que vocês pedirem em oração, creiam que já o receberam, e assim lhes sucederá. [13]

MARCOS 11:24

A Bíblia é um verdadeiro "manual da cocriação", contendo todos os mistérios que os gênios da Física Quântica, Neurociências, Epigenética e outras ciências lutaram para descobrir vagarosamente nos últimos tempos.

Em geral, a linguagem da Bíblia é simbólica, alegórica e arquetípica, mas, no caso da passagem acima, a linguagem é escancaradamente literal: a condição para você receber o seu pedido é acreditar que já o recebeu! Simples assim, sem metáforas, direto ao ponto.

Por isso, para que suas orações sejam atendidas, você jamais deve expressar a ideia de que está pedindo algo que não tem, mas simplesmente agradecer o seu desejo como se já fosse realidade, pois, de fato, já é uma realidade onda (energia), só ainda não é uma realidade partícula (física). O segredo é não pedir, e sim reivindicar com gratidão antecipada.

ALGORITMO DA COCRIAÇÃO #236

O Universo é inclusivo

A natureza do Universo e o Amor Infinito do Criador se caracterizam pela constante expansão através da evolução das nossas próprias consciências individuais. Nesse sentido, o Universo é sempre inclusivo, de modo

---

[13] BÍBLIA. Marcos 11:24. Português. *In*: Bíblia Online. Disponível em: https://www.bibliaonline.com.br/nvi/mc/11. Acesso em: 14 ago. 2022.

que novas experiências são criadas através da inclusão de novos elementos e não através da exclusão de elementos já existentes.

Isso significa que o Universo não "entende" a cocriação de sonhos que expressam o pedido de exclusão de algo; Ele só "entende" a linguagem da inclusão. Por exemplo, pedidos mal formulados como "Deus, por favor, tire a pobreza da minha vida", "tire de mim este vício que tenho pelo cigarro", "tire essa doença do meu corpo" ou "faça meu marido parar de beber", são interpretados como pedidos de inclusão.

Pedidos formulados assim, na melhor das hipóteses, sustentam a realidade vigente e, na pior, acentuam o problema, uma vez que emitem a informação de que a pessoa deseja mais daquilo que acha que, conscientemente, está pedindo para ser excluído.

Veja: ao formular um pedido de exclusão de uma situação negativa, é automático o processo de pensar na situação, criar a imagem mental da situação e sentir os sentimentos negativos relacionados à situação, colocando o seu foco e sua atenção, portanto naquilo que você não quer.

Seria uma "pegadinha" do Criador? Claro que não! Ele quer que você cresça e se expanda, por isso, Ele dá as coisas, não as retira! Assim, para se alinhar com a natureza inclusiva do Universo, você deve focar em cocriar na sua vida uma inclusão: inclusão de saúde, de paz, de liberdade, de riqueza, de amor, de sucesso e o que mais você desejar.

ALGORITMO DA COCRIAÇÃO #237

Espelhos dos Relacionamentos

Gregg Braden, em seu livro *A Matriz Divina*, apresenta os cinco "Espelhos dos Relacionamentos", também chamados de "Espelhos da Alma", decodificados a partir da compilação de textos gnósticos do cristianismo primitivo encontrados próximos à Biblioteca de Nag Hammadi, localizada no Egito.

A Matriz Divina, que eu chamo de Matriz Holográfica®, mas que você pode chamar de Mente de Deus ou simplesmente Universo, conforme Braden explica, coloca à disposição de nossa cura e evolução "espelhos quânticos" que nos permitem identificar nossas crenças, nossas reações e comportamentos automáticos.

Esses espelhos são as pessoas com que nos relacionamos, seja de maneira contínua, como os parentes, amigos, vizinhos, empregados, chefes e colegas ou seja de maneira esporádica, como as pessoas estranhas com quem cruzamos no nosso dia a dia e, eventualmente, trocamos algumas palavras ou gestos.

Como estamos sempre nos relacionando com alguém, ainda que seja apenas através de nossos pensamentos sobre uma determinada pessoa, os espelhos estão sempre em operação, nos apontando informações preciosíssimas de autoconhecimento que sempre expressam a mais profunda verdade sobre quem somos e sobre o que acreditamos.

De acordo com Braden, "se tivermos a sabedoria de reconhecer as mensagens que nos voltam refletidas da Matriz, vamos acabar descobrindo quais as crenças que estão nos fazendo sofrer". Portanto, podemos entender os Espelhos da Alma como uma ferramenta de identificação de crenças a partir da qual podemos agir para reprogramá-las.

Na sequência dos próximos cinco Algoritmos da Cocriação, vou explicar quais são estes Espelhos magníficos.

ALGORITMO DA COCRIAÇÃO #238

Reflexos do Momento

O primeiro espelho é intitulado de Reflexos do Momento, pois projeta nossas sombras em tempo real, no calor do momento, através de tudo aquilo que nos incomoda ou irrita nas pessoas com quem nos relacionamos no dia a dia, o que representa uma evidência imediata para nos ajudar compreender nossos pensamentos, sentimentos e reações.

Segundo esse espelho, os padrões de comportamentos que achamos irritantes e que não toleramos nos outros evidenciam nossos próprios padrões dos quais não temos consciência, mas que precisam ser alterados e corrigidos.

Na prática, isso significa que se você percebe e se incomoda com a desonestidade dos outros, é um sinal de que você precisa verificar a honestidade de suas próprias atitudes ou se você se irrita com seu pai que é um "cabeça dura", você precisa averiguar sua própria capacidade de ser flexível.

De uma maneira ainda mais profunda e sutil, esse espelho pode se apresentar quando você, por exemplo, se irrita e até sente raiva de mendigos, de pessoas que o abordam pedindo esmolas. Ora, racionalmente, não faz sentido sentir raiva de alguém que está em situação de miséria. A questão veladíssima por trás desse incômodo é que pode ter alguma parte da sua alma que tenha também um mendigo que implora por atenção, amor, carinho, respeito ou reconhecimento.

Esse é o espelho mais conhecido e também o causador de muita confusão, uma vez que as pessoas acabam achando que só existe esse e, não conseguem compreender, por exemplo, o que acontece quando se incomodam com desonestidade, apesar de ter certeza de que são pessoas honestas. Obviamente, isso não se trata de uma falha da Matriz, mas é o caso de um espelho diferente, como mostrarei a seguir.

ALGORITMO DA COCRIAÇÃO #239

Reflexos do Julgamento Instantâneo

Sempre que abordo este assunto nas aulas e nas lives, é comum que os alunos me perguntem: "Elainne, como o fato de eu me irritar e me chatear com as mentiras do meu marido podem estar espelhando um comportamento meu se eu tenho certeza de que sou uma pessoa honesta?"

É uma questão muito justa e a resposta está no segundo Espelho dos Relacionamentos – o Espelho dos Reflexos do Julgamento Instantâneo, que mostra que, quando nos incomodamos com o comportamento do outro, mas temos a certeza de que não representa um padrão do nosso próprio comportamento, é porque o espelho está nos mostrando o nosso julgamento, aquilo que condenamos ou temos medo.

Os reflexos do julgamento são bem mais sutis, mais difíceis de captar e dolorosos de validar porque se relacionam com questões profundas a respeito dos nossos medos. Por exemplo, uma pessoa que é muito certinha, educada e discreta no seu condomínio, mas sente uma enorme raiva de seus vizinhos barulhentos. Naturalmente, esses vizinhos não estão espelhando um padrão seu, mas podem estar espelhando um de seus medos.

Se essa pessoa tiver passado a infância sendo condicionada a falar baixinho e evitar se expressar de maneira mais incisiva, compreendendo isso como uma condição para ser aceita, então, a irritação com os vizinhos barulhentos pode estar espelhando seu medo de se expressar livremente, que está "pedindo" para ser curado.

Apesar de ser um processo talvez desconfortável e até doloroso, o mero reconhecimento e validação da informação projetada pelo espelho já é, em si, o primeiro passo para a cura e para a mudança, cujos efeitos repercutem em todas as áreas da vida. E quando a cura acontece, no caso do exemplo anterior, a pessoa deixa de perceber o barulho dos vizinhos ou eles simplesmente se mudam. O que quero dizer é que, quando a cura acontece, o espelho desaparece!

ALGORITMO DA COCRIAÇÃO #240

Reflexos do que Perdemos

Existem algumas situações em que o comportamento dos outros não reflete nossos próprios padrões e tampouco nossos julgamento ou medos, e sim algo que perdemos, que deixamos de ser ou fazer, uma parte de nós que foi abandonada, da qual desistimos em algum momento da vida. Esse é o terceiro Espelho dos Relacionamentos – Reflexos do que Perdemos.

Esse espelho se apresenta de duas maneiras antagônicas: quando nos incomodamos muito e quase odiamos a pessoa que está servindo de espelho ou quando nos apaixonamos subitamente, muitas vezes de maneira inconveniente, pela pessoa que está espelhando o que perdemos.

Voltando ao exemplo dos vizinhos barulhentos, o incômodo pode não estar refletindo o julgamento ou o medo, mas a alegria que foi perdida. Quando o vizinho dá uma superfesta, com música alta, karaokê, algazarra e gargalhadas, a irritação com o barulho pode estar indicando a capacidade de se divertir, de ser espontâneo, de relaxar, brincar, cantar e dançar que foi perdida, que foi deixada de lado.

Quando, ao contrário da irritação, ocorre uma súbita paixão, como por exemplo, quando um homem de 50 ou 60 anos acha que está perdidamente apaixonado por uma jovem de 20 anos, a moça pode estar apenas espelhando o sentimento de nostalgia pela juventude que se foi, a perda do sentimento de paixão dentro do seu próprio casamento, em que há muito tempo não existe mais aquele arrepio só por tocar a mão da companheira ou simplesmente a falta que sente do frescor, da ingenuidade e da espontaneidade típica dos jovens.

Em ambos os casos, o reconhecimento e validação do espelho possibilita que a pessoa tome uma atitude para recuperar o que foi perdido ou criar novas formas de ser e sentir aquilo que foi abandonado. No primeiro caso, evitando conflitos com vizinho mal-educado, porém feliz; no segundo caso, salvando um casamento!

ALGORITMO DA COCRIAÇÃO #241

Reflexos da Noite Escura da Alma

A Noite Escura da Alma, o quarto espelho, corresponde àqueles momentos da vida em que você passa por um grande sofrimento, em que vivencia um verdadeiro inferno ou pesadelo, que pode se apresentar como uma grande perda, o falecimento de alguém amado, uma falência financeira, uma traição, um assalto traumático, um desastre natural, uma doença grave ou tudo ao mesmo tempo.

Todos nós passamos por uma noite escura da alma em algum momento da vida – eu vivenciei a minha quando estava sozinha, grávida da minha filha Laura, com meu filho Arthur doente, deprimida e na mais completa escassez financeira.

A noite escura da alma é o alerta máximo que reflete algo que precisamos curar com urgência. Normalmente, essas grandes tragédias e situações caóticas acontecem após um longo período de entropia em que a pessoa, inconscientemente (ou não), se manteve na negação da expansão da consciência, mergulhada na zona de conforto. Então o Universo, cuja essência é o movimento, dá um "sacode" na vida da pessoa, mostrando de maneira escandalosa que ela precisa mudar para seu próprio bem e progresso.

As noites escuras da alma, popularmente conhecidas como "fundo do poço", apesar de muitíssimo dolorosas, são na verdade excelentes oportunidades de cura radical acelerada, possibilitando, inclusive, o tão desejado salto quântico da consciência.

No Universo, caro leitor, ou você evolui espontaneamente através do amor e da alegria, ou você evolui pela dor. A escolha é sua, mas ficar parado vendo a vida passar é que não pode!

ALGORITMO DA COCRIAÇÃO #242

Reflexos do nosso maior Ato de Compaixão

O quinto e último espelho é aquele que reflete do nosso maior ato de compaixão, que é a autocompaixão, a compaixão por si mesmo, por quem fomos, por quem somos e por quem desejamos ser. Em outras palavras, esse espelho mostra a necessidade de voltarmos nossa atenção para nós mesmos com empatia e benevolência.

Em geral, nós somos nossos críticos mais severos – no tribunal secreto da nossa mente, estamos sempre julgando nossa aparência, nossos comportamentos e resultados, condenando tanto o que fazemos quanto o que deixamos de fazer, o que compromete gravemente a autoestima, amor-próprio, aceitação, perdão e, em última instância, compromete também o reconhecimento da Centelha Divina e conexão com a Fonte.

Portanto, todas as vezes que tomar consciência de que está sendo muito duro, exigente, perfeccionista e crítico com você mesmo, inclusive se xingando, tendo raiva de ser quem é ou até mesmo chegando ao extremo de ter pensamentos suicidas, você está diante de um lindo espelho, que está mostrando que precisa se aceitar, se perdoar, se amar e ser mais gentil consigo.

Diante do seu tribunal mental secreto, pergunte-se *eu poderia/posso agir de maneira diferente?* Se sim, saia já da zona de conforto e aja. Mas se sua resposta for não, se você tiver a consciência de que está dando o seu melhor, então você está sendo perfeito nos limites das suas possibilidades!

ALGORITMO DA COCRIAÇÃO #243

Serendipidades

Serendipidade – essa é uma palavra pouco conhecida e pouco falada, mas que representa uma realidade na vida de todo cocriador da realidade e serve como uma confirmação do alinhamento vibracional e da elevação da frequência, bem como um sinal de que seu grande sonho está a caminho e pode chegar a qualquer momento.

Explicando de maneira simples, serendipidade é o mesmo que uma "coisa boa inesperada". As serendipidades são pequenos presentinhos que colhemos pelo caminho da realização de nossos sonhos, as quais se expressam, basicamente, de duas maneiras:

- Quando você tinha uma expectativa, mas acontece algo melhor do que aquilo que você esperava.
  Exemplo: você vai ao shopping para comprar uma calça jeans, chegando lá descobre que justamente o modelo que você queria está com 50% de desconto;
- Quando acontece algo que, inicialmente, parece ruim, mas depois se desdobra em algo muito bom.
  Exemplo: você chega atrasado ao aeroporto e, enquanto espera o próximo voo tomando um café, encontra sua alma gêmea.

A ocorrência de serendipidades só é possível quando você abre mão do controle e da resistência, quando desiste de tentar prever e calcular seu futuro, quando se rende às infinitas possibilidades e ao poder infinito do Criador, permitindo que ele surpreenda!

ALGORITMO DA COCRIAÇÃO #244

Geometria Sagrada

> A Geometria existiu e existe desde antes da Criação.
> É co-eterna com a mente de Deus... A Geometria
> forneceu a Deus um modelo para a Criação...
> A Geometria é o próprio Deus...[14]
>
> **JOHANNES KEPLER**

A Geometria Sagrada é a abordagem metafísica da Geometria, e tem por objetivo o estudo e a consciência do significado oculto, espiritual e sagrado dos padrões usados pelo Criador – formas geométricas, símbolos e proporções que estão presentes em tudo o que existe no Universo, evidenciando os padrões de energia que unificam tudo o que existe, da estrutura das galáxias à estrutura dos átomos. Em poucas palavras, a Geometria Sagrada é o próprio holograma da vida, da realidade, da existência humana e da essência amorosa do Criador.

Desde os tempos mais remotos, em todas as tradições e civilizações, os sábios já intuíam a existência do padrão da Geometria Sagrada, associando-o ao Divino e reproduzindo-o nas criações culturais humanas, especialmente na arte e na arquitetura, como parâmetro estético de beleza e harmonia. Platão, por exemplo, acreditava que Deus criou o Universo com base em princípios geométricos e que existiam hologramas primordiais que eram modelos da perfeição da criação, o que culminou na elaboração de sua famosa Teoria das Ideias, também conhecida por Teoria das Formas.[15]

A representação básica da Geometria Sagrada é a Espiral, modelo holográfico que está presente em todas as coisas existentes no Universo, expressando o movimento de vibração da energia que permeia tanto as órbitas dos planetas como as hélices das moléculas do DNA.

A espiral simboliza o movimento pendular fluido de expansão e contração que marca os ritmos da natureza, como por exemplo as marés, a alternância das estações do ano, a inspiração e a exalação, a sístole e a

---

[14] JOHANNES Kepler. **Wikiquote**, dez. 2019. Disponível em: https://pt.wikiquote.org/wiki/Johannes_Kepler. Acesso em: 14 ago. 2022.

[15] TEORIA das ideias. *In*: WIKIPEDIA. Disponível em: https://pt.wikipedia.org/wiki/Teoria_das_ideias. Acesso em: 14 ago. 2022.

diástole etc. Evidencia ainda o movimento circular ascendente da consciência que permite a elevação da matéria ao espírito.

Além da Espiral, existem várias outras formas muito conhecidas e estudadas na Geometria Sagrada, como a Flor da Vida, o Cubo de Metatron, a Árvore da Vida, a Merkaba e a Vesica Piscis, entre outras tantas. Não é meu objetivo aqui fazer um estudo completo e aprofundado da Geometria Sagrada, empreitada que demandaria uma vida ou várias vidas, mas apenas mostrar como esse conhecimento sagrado magnífico se apresenta como um poderoso Algoritmo da Cocriação.

O estudo ou a mera contemplação dos padrões da Geometria Sagrada, devido à sua natureza arquetípica, provoca a "instalação" na sua mente inconsciente das informações contidas nos símbolos a respeito da inteligência, perfeição, harmonização, organização, equilíbrio, simetria, funcionalidade e beleza do Universo.

A contemplação do padrão do Criador tem a capacidade de despertar harmonia e iluminação espiritual, permitindo o acesso a dimensões mais elevadas para sintonizar as informações perfeitas e originais da paz, liberdade, saúde, amor, abundância, prosperidade, sucesso e tudo mais que você desejar.

ALGORITMO DA COCRIAÇÃO #245

Reino dos Céus

> *Busquem, pois, em primeiro lugar o Reino de Deus e a sua justiça, e todas essas coisas lhes serão acrescentadas.*[16]
> **MATEUS 6:33**

O que essa enigmática passagem Bíblica teria a ver com cocriação de sonhos? Tudo! Na verdade, essa citação consiste em uma magnífica aula de Física Quântica ministrada por Jesus há mais de dois mil anos, mas que, infelizmente, até hoje não foi compreendida por todos.

Em suma, a má compreensão se origina na pressuposição de que o Reino dos Céus é um lugar físico, o famoso "Céu" para onde, supostamente, vão as boas pessoas após a morte para desfrutarem do descanso eterno. Contudo, o Reino de Céus não é um lugar, e sim uma linguagem simbólica

---

[16] BÍBLIA. Mateus 6:33. Português. *In*: Bíblia Online. Disponível em: https://www.bibliaonline.com.br/nvi/mt/6. Acesso em: 14 ago. 2022.

para descrever o estado de consciência elevado que devemos buscar, estando vivo ou morto, encarnado ou não.

"Busquem, pois, em primeiro lugar o Reino de Deus" consiste, portanto, na busca pela elevação da sua Frequência Vibracional®, e "e todas essas coisas lhes serão acrescentadas" significa que a elevação da frequência é a condição para a cocriação do seu sonho, que no caso se apresenta como mera consequência.

Na prática, explicando de maneira ainda mais simples: essa maravilhosa citação se resume ao famoso "Ser para Ter". Primeiro, você eleva a sua frequência vibrando na justiça, no amor, na alegria e na paz, depois, você recebe a casa, carro, casamento, cura, gravidez, o prêmio na loteria, a aprovação no concurso ou o que mais você desejar que "lhe" seja acrescentado!

ALGORITMO DA COCRIAÇÃO #246

Alquimia Mental

A Mente (tão bem como os metais e os elementos) pode ser transmutada de estado em estado, de grau em grau, de condição em condição, de polo em polo, de vibração em vibração. A verdadeira transmutação Hermética é uma Arte Mental.

O CAIBALION

Praticamente 4 mil anos antes de Rhonda Byrne sonhar em lançar *O Segredo*, os hermetistas do Antigo Egito já dominavam, em níveis muitíssimo avançados, aquilo que hoje é conhecido pelo público em geral como "Lei da Atração" e aquilo que é estudado pela Física Quântica como colapso da Função de Onda, que eles denominaram Arte da Transmutação Mental ou Alquimia Mental.

Basicamente, a Alquimia Mental consiste na habilidade de alterar a forma como a realidade se apresenta no plano material a partir da transmutação das condições no plano mental. Em palavras simples, a Arte da Transmutação Mental consiste na mobilização da energia da mente para afetar a matéria.

Essa Alquimia pressupõe autoconhecimento, autodisciplina, desejo, vontade e ação, ou seja, pressupõe a elevação da Frequência Vibracional® para colocar nossas mentes individuais em alinhamento e fusão com a Mente do Todo, para então, agirmos com Ele, tornando-nos legítimos cocriadores de nossa realidade.

ALGORITMO DA COCRIAÇÃO #247

Você é um fractal de Deus

Criou Deus o homem à sua imagem, à imagem de Deus o criou; homem e mulher os criou.[17]

GÊNESIS 1:27

Uma das características mais fascinantes do Universo é a sua natureza fractal, marcada geometricamente pela autossimilaridade, no sentido de que cada elemento que parece separado e independente da totalidade, na verdade contém em si, em diferentes escalas, os mesmos padrões, características e qualidades. Em outras palavras, se nós fazemos parte da Mente Criador, nós possuímos as mesmas potencialidades, somos a "imagem e semelhança de Deus", o que, em última instância, legitima nosso poder de cocriadores da realidade.

Deus, o Criador ou a Totalidade, está factualmente projetado em cada um nós na forma da Centelha Divina e, por isso, somos cocriadores. Contudo, não basta aceitar racionalmente que é um cocriador; para acessar seu poder, você precisa ajustar sua Frequência Vibracional® pessoal à Frequência Vibracional® do Criador.

E tem um outro pequeno detalhe: do mesmo modo que você é um fractal do Criador, isto é, que você é a "imagem e semelhança de Deus", todos os outros seres do planeta também são, incluindo as pessoas de quem você não gosta, as pessoas que você não conhece e todos os animais, plantas e minerais. Isso pressupõe uma grande responsabilidade que é reconhecer o Criador nos outros seres e praticar o amor incondicional, a compaixão e a benevolência para com todos eles – essa é a condição para você se alinhar vibracionalmente com Ele e desfrutar do seu poder de cocriador.

ALGORITMO DA COCRIAÇÃO #248

Kundalini

Energia Kundalini ou simplesmente Kundalini é um conceito da doutrina Védica que se refere à energia vital, à Energia Primordial do

---

[17] BÍBLIA. Gênesis 1:27. Português. *In*: Bíblia Online. Disponível em: https://www.bibliaonline.com.br/nvi/gn/1. Acesso em: 14 ago. 2022.

Universo com a qual somos abastecidos no momento do nosso nascimento, no primeiro sopro de vida que damos.

Kundalini em sânscrito significa "enrodilhado", termo que é uma referência ao fato de que a Energia Vital da Kundalini ser armazenada na base da coluna, na altura do primeiro chakra (Chakra Básico, Chakra Raiz ou Muladhara) e ali ela permanece "adormecida", como uma serpente enrolada ou "enrodilhada". Mesmo adormecida, a Kundalini fornece energia vital para o corpo físico; mas, quando "acordada", promove a elevação da consciência ao nível da iluminação, acima de 700 Hz na Escala das Emoções.

Conforme apresenta Joshua David Stone no lindo *Psicologia da alma*, quando a Kundalini é despertada e se eleva por todo o meridiano central em direção ao Chakra Coronário, ela elimina todo e qualquer desequilíbrio dos corpos físico, emocional e mental. Além disso, ela possibilita a fusão da consciência individual com a Consciência Cósmica, o "retorno à Casa do Pai", a iluminação pela qual o ser individual assume, finalmente, as características do Divino – alegria, amor, harmonia, paz e abundância.

O despertar da Kundalini pode ser desenvolvido com uma prática específica de yoga, denominada de Kundalini Yoga, ou por meio da meditação profunda, das visualizações e, sobretudo, pela busca intencional da elevação da consciência através do cultivo de sentimentos e pensamentos positivos e da prática de comportamentos pautados no amor, na compaixão, na aceitação, no perdão e nas demais frequências superiores.

ALGORITMO DA COCRIAÇÃO #249

Alinhamento dos chakras

O alinhamento dos seus chakras ou centros de energia, como Joe Dispenza prefere chamar, é um pressuposto fundamental para que você possa acessar e se conectar com as infinitas possibilidades da Matriz Holográfica® para projetar e sintonizar o holograma do sonho que você deseja cocriar, além de, obviamente, ser um pressuposto para o equilíbrio da sua saúde.

Joan P. Miller, autora de *O livro dos chakras, da energia e dos corpos sutis*, apresenta uma metáfora interessante: "Os chakras são, para o corpo, o que a bateria é para o carro. Eles geram toda a energia essencial ao homem, para assegurar a sua existência física, mental e espiritual, bem como a sobrevida de sua alma no além".

Quer dizer, o desbloqueio, alinhamento e ativação dos chakras não só é uma condição para uma vida harmoniosa, saudável e equilibrada, como também é a condição para elevar a vibração do seu campo eletromagnético e da sua própria consciência.

A maneira mais elementar para promover o alinhamento dos seus chakras, a mais fundamental de todas, é usando apenas a sua consciência para mobilizar a energia através da meditação e da visualização, mas também existe uma infinidade de outros recursos, como a prática da yoga, mantras, acupuntura, áudios binaurais, terapia com cristais e pedras, ThetaHealing, Reiki, além de, claro, a Técnica Hertz®.

ALGORITMO DA COCRIAÇÃO #250

Holochakra

O Holochakra, também conhecido por energossoma, é o nosso corpo energético, constituído pelo conjunto de todos os chakras e nadis, que são os canais energéticos por onde a energia flui. Em uma comparação, o Holochakra é o correspondente energético do corpo físico, os chakras sãos os correspondentes dos órgãos e glândulas, e os nadis são os correspondentes dos vasos sanguíneos.

Nosso Holochakra é composto por 72 mil nadis, que formam uma espécie de malha energética sobreposta a cada célula e órgão, com a função de transmitir energia vital para o funcionamento saudável do corpo. Na Física Quântica, o Holochakra corresponde ao campo eletromagnético pessoal, que permeia e envolve o corpo físico. Nas doutrinas metafísicas, ele é chamado de aura ou corpo de luz.

Na prática, você nutre e harmoniza seu Holochakra com pensamentos positivos, sentimentos nobres e comportamentos pacíficos, honestos, generosos e amorosos, em alinhamento com o seu propósito existencial e com os seus desejos e sonhos no Universo. Quanto mais alinhamento vibracional, mais potente se torna o seu Holochakra para permitir que você sintonize a realidade que deseja vivenciar e provoque o colapso da Função de Onda.

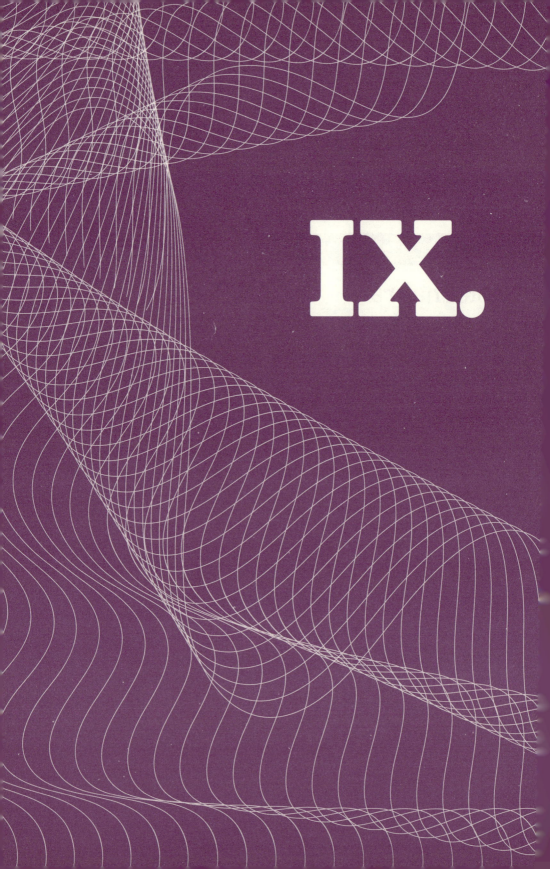

Algoritmos da Cocriação decodificados como terapias vibracionais, técnicas e ferramentas de manifestação da realidade

ALGORITMO DA COCRIAÇÃO #251

Técnica Hertz®

A Técnica Hertz®, naturalmente, não poderia ficar de fora do rol dos Algoritmos da Cocriação! Ela é a "estrela" do treinamento Holo Cocriação de Sonhos e Metas®, é a minha principal contribuição para a evolução de humanidade e foi (e ainda é) minha principal ferramenta de cocriação da realidade – foi através dela que saí da mais completa escassez para a vida feliz e abundante que tenho hoje; é através dela também que expando cada vez mais minhas cocriações para os próximos níveis.

Quando eu estava na minha busca pessoal de cocriação do meu próprio sucesso, me dei conta de que precisava de muito tempo para praticar várias técnicas que considero importantíssimas e que, ainda assim, meus resultados não eram tão significativos. Foi então que tive a Inspiração Divina e autorização energética e espiritual dos meus mentores de luz para sintetizar quanticamente mais de quinze terapias e ferramentas de cocriação, fundindo-as de maneira harmonica em uma só técnica, e assim nasceu a Técnica Hertz®.

A Técnica Hertz®, por ser um entrelaçamento quântico de várias técnicas poderosas direcionadas para um mesmo objetivo, tem aplicação rápida (uma versão mais curta e compacta pode ser feita em menos de dez minutos!) e, é claro, por representar o somatório da vibração elevadíssima de todos os seus elementos, amplificada por ressonância, é infinitamente mais poderosa do que a prática isolada de qualquer outra técnica, produzindo resultados espetaculares.

A Técnica Hertz® engloba elementos da coerência cardíaca, da EFT (*Emotional Freedom Technique*), do Ho'oponopono, dos Comandos e Decretos Quânticos Eu Sou, dos Códigos Grabovoi, da Visualização Holográfica, do Ponto Zero, do Duplo Quântico e outros.

Essa linda combinação quântica ressonante promove uma limpeza profunda de crenças limitantes e memórias de dor, desprogramando, reprogramando e programando pensamentos, sentimentos e comportamentos, de maneira a repercutir efeito na saúde física, sensação geral de bem-estar, ativação do sistema nervoso parassimpático, mudanças epigenéticas, redução da percepção de estresse, na conexão com o Divino e com as dimensões superiores, elevação da Frequência Vibracional® para a sintonização dos seus sonhos diretamente na Matriz Holográfica®, entre outros benefícios biológicos, energéticos e espirituais.

O acesso à versão completa da Técnica Hertz®, como todas as orientações sobre a prática em todos os ciclos, é exclusivo para os meus alunos do Holo Cocriação de Sonhos e Metas®, mas no meu canal do YouTube é possível encontrar várias partes importantes de maneira gratuita.

ALGORITMO DA COCRIAÇÃO #252

Meditação

A meditação tem um poder extraordinário para cocriar a realidade, manifestar a prosperidade e abundância infinitas. Ao meditar, você consegue acessar a Matriz Holográfica® e modelar a Substância Amorfa da maneira que desejar para cocriar os espectros quânticos de riqueza, fortuna, sucesso, saúde, beleza, bem-estar, amor, dinheiro e toda forma de abundância requerida.

Ao meditar todos os dias por pelo menos dez minutos, você consegue entrar no estado de silêncio absoluto e acessar as ondas Theta e Alfa, frequências que fazem com que você entre em fase com o Universo e passe a agir como o literal cocriador universal que é, sem nenhum condicionamento ou amarra. Tudo é possível nesse instante, e você pode apropriar-se positivamente de recursos extraordinários da sua mente cósmica para produzir qualquer preciosidade direto no Vácuo Quântico.

A meditação é o portal de acesso à Mente de Deus e à prosperidade inesgotável proporcionada pela Fonte Criadora. Segundo o físico Amit Goswami, esse poder da cocriação quântica é acessado quando estamos em nosso estado natural e original, ou seja, nos apropriamos da cocriação através da meditação quântica, pelo silêncio absoluto da mente e do coração. O silêncio da meditação leva à conexão com o Ponto Zero (explicado no Algoritmo da Cocriação #219), o ponto de onde a vida emerge, onde existe o Vácuo Quântico da Física Quântica, a Matriz Divina, de Gregg Braden, ou a nossa Matriz Holográfica®.

No absoluto silêncio interior da meditação, você acessa a Mente de Deus e ancora a capacidade de manifestar qualquer sonho, concretizar os mais intensos desejos, vontades e acessar a maravilhosa abundância natural do Universo.

Catherine Ponder, no livro *Ouse prosperar*, associa o poder da meditação à manifestação de todos os desejos humanos, especialmente aqueles relacionados a prosperidade e a abundância. Através da meditação e do silêncio, segundo a autora, é possível modelar a Matriz Holográfica®, a qual ela denomina Divina Substância.

Na obra *O universo autoconsciente*, o físico Amit Goswami fala sobre o poder do observador da realidade para manifestar a realidade: "Nós criamos nossa própria realidade, mas não a criamos a partir de nosso estado ordinário, e sim sob um estado não ordinário de consciência".

Segundo o cientista, você tem mais possibilidades de manifestar quando age sob o estado não ordinário da consciência, possível de acessar através da meditação. Esse estado não ordinário acontece quando você entra em profundo relaxamento, reduzindo a frequência das ondas cerebrais, o que provoca um estado de limbo quando você está transitando entre a vigília e o sono.

Nesse estado, você mergulha na própria essência do Universo, ou seja, entra em fase e se reconecta com a Fonte Criadora, regressa ao estado de energia quântica e retorna para a Casa do Pai, o que lhe permite, com extrema facilidade, moldar a realidade que sonha.

Nessa profunda conexão com a Matriz Divina, a incubadora quântica da realidade, você consegue materializar qualquer coisa na vida, transformando a energia dos pensamentos e sentimentos em matéria. Você acessa sua capacidade inata de cocriador para arquitetar uma vida repleta de riquezas em todas as áreas, seja uma carreira bem-sucedida, dinheiro, prosperidade, saúde, beleza, rejuvenescimento, o amor da sua vida – todas as coisas estão livres e soltas no espaço para você, enquanto observador quântico, criar a realidade que deseja.

ALGORITMO DA COCRIAÇÃO #253

Visualização Holográfica

O poder do observador da realidade é destravado através da Visualização Holográfica, ou seja, através da capacidade de visualizar e enxergar o futuro que deseja viver de maneira antecipada através da sua imaginação. Mais que apenas visualizar como mero espectador, a Visualização Holográfica é a ferramenta que lhe permite vivenciar, presenciar e estar associado quântica e mentalmente ao que deseja manifestar no momento presente.

A Visualização Holográfica tem uma relação estreita com o poder da imaginação e com o seu poder intuitivo, porém, ainda vai além, pois o seu princípio se apoia na experiência, acuidade sensorial e capacidade de produzir e vivenciar seus sonhos de abundância, sucesso, prosperidade, saúde, amor e felicidade em sua tela mental.

Ao visualizar o holograma de cada um de seus desejos, você cria a conexão com a Fonte e com a Energia Essencial da criação, pois nem sua mente, nem o

Cosmos conseguem distinguir o que é realidade e o que imaginação, então eu diria que esse poder é estupendo e sensacional, capaz até mesmo de permitir que você construa um castelo em Saturno, se assim desejar.

Mas como? Através da sua Visualização Holográfica somada à Emosentização®, que é o seu sentimento real estimulado e acelerado. Desse jeito, tudo será erguido ou cocriado a seu favor! Todos os seus desejos já existem, foram cocriados no Campo das Infinitas Possibilidades, e você só precisa acessá-los através do poder da Visualização Holográfica. Simplesmente fantástico!

A visualização é uma ferramenta de cocriação da realidade tão incrivelmente poderosa que elaborei um treinamento dedicado em exclusividade ao estudo de todos os seus segredos e formas de aplicação, o Neurobótica Visualização Consciente®. Você pode entrar na lista de espera para se inscrever nesse treinamento acessando a página https://www.neurobotica.com.br/.

ALGORITMO DA COCRIAÇÃO #254

Ho'oponopono

O Ho'oponopono de Identidade Própria ou simplesmente Ho'oponopono é uma poderosa ferramenta de origem havaiana para cura, limpeza energética, reprogramação de crenças e conexão com o Divino. A prática faz parte da tradição do xamanismo praticado no Havaí, mas sua versão mais conhecida no mundo foi desenvolvida pelo xamã e médico dr. Hew Len e divulgada a partir do trabalho de Joe Vitale, sobretudo através dos livros *Limite Zero* e *Marco Zero*.

A compreensão do Ho'oponopono é que toda forma de sofrimento, escassez, fracasso, tristeza e doença é causada pela presença de "memórias", conceito que corresponde às crenças limitantes. A cura, portanto, está na limpeza dessas memórias para ser possível acessar a "inspiração", que é a conexão com a Centelha Divina pela evocação da energia do amor.

Como a saúde, a vida e a realidade de uma pessoa são determinadas pela expressão das memórias ou da inspiração, o Ho'oponopono tem como princípio fundamental a "responsabilidade total", já que compreende que nós (nossas memórias, na verdade) somos a causa dos nossos próprios problemas e que também contribuímos para os problemas do mundo.

Quanto mais limpamos nossas memórias, mais nos aproximamos do Ponto Zero (Algoritmo da Cocriação #219), que é o ponto em que não existem mais memórias, há apenas o vazio e o silêncio do momento presente e, portanto, acessamos a inspiração, em conexão com a Divindade, que é a nossa própria essência perfeita, harmônica, feliz, saudável, amorosa, livre e abundante.

Na prática, a limpeza com o Ho'oponopono é muito simples e nem sequer pressupõe que você acredite que ela funciona, bastando apenas a repetição das quatro frases que certamente você já conhece: *eu sinto muito, me perdoe, eu te amo, eu sou grato*. Quanto mais você limpa, mais você se conecta com o Espírito do Amor e com a Inspiração e, assim, mais você expande sua consciência e eleva sua Frequência Vibracional®.

ALGORITMO DA COCRIAÇÃO #255

Ho'oponopono Quântico

O Ho'oponopono Quântico é uma expansão do Ho'oponopono de Identidade Própria criada por mim com o objetivo de amplificar, aprofundar e acelerar ainda mais seu potencial de cura e reprogramação de memórias (crenças).

Quando eu ainda estava no início do meu processo de autotransformação e cocriação da vida dos sonhos, tive a intuição e inspiração Divina para acessar o Ho'oponopono Quântico e posso afirmar que ele foi crucial para minha própria cura e aceitação do passado, o que me permitiu dar o meu magnífico salto quântico da consciência.

Apesar de estar integrado à Técnica Hertz® como uma das poderosas ferramentas terapêuticas que estão quanticamente entrelaçadas nela, o Ho'oponopono Quântico também pode ser praticado de modo isolado, sendo ainda mais poderoso quando repetido 108 vezes com a ajuda de um japamala e cultivando fé e alegria no coração.

Basicamente, o Ho'oponopono Quântico consiste na adição de seis comandos quânticos extras aos quatro comandos originais:

EU SINTO MUITO, ME PERDOE, EU TE AMO, SOU GRATO/A!
EU ME AMO, EU ME ACEITO, EU ME PERDOO!
EU ME APROVO, EU ME ACOLHO, EU ME APOIO!

ALGORITMO DA COCRIAÇÃO #256

EFT

A EFT, sigla para *Emotional Freedom Technique*, "técnicas de libertação emocional", em tradução livre, foi desenvolvida nos anos 1990 pelo engenheiro Gary Craig com base no sistema de meridianos energéticos da medicina chinesa tradicional. A técnica consiste em estimular certos pontos de acupuntura da cabeça e do corpo com comandos verbais e batidinhas (tappings) com as pontas dos dedos, motivo pelo qual a técnica também é chamada de "acupuntura sem agulhas".

A estímulo do tapping nos pontos certos promove o equilíbrio do sistema energético dos meridianos, neutraliza o efeito nocivo das emoções negativas, ativa as funções regeneradoras do sistema nervoso parassimpático, provocando efeitos fisiológicos de cura e restabelecimento da homeostase pela regulação dos sistemas cardiovascular, endócrino e imunológico. Em suas pesquisas, Craig comprovou que a EFT atua até mesmo no nível da sinalização e expressão dos genes.

A EFT é uma das mais importantes ferramentas que estão quanticamente entrelaçadas da Técnica Hertz®. Em associação com os comandos do Ho'oponopono Quântico®, tem relevância crucial para a limpeza e desprogramação das emoções negativas impregnadas nas células, neutralização de pensamentos negativos e equilíbrio do fluxo energético, provocando a elevação quase instantânea da Frequência Vibracional®.

ALGORITMO DA COCRIAÇÃO #257

Códigos Grabovoi

A principal tarefa é aprender a pensar e agir como Deus, o Criador.

GRIGORY GRABOVOI

Os Códigos Grabovoi, também chamados de Mantras Digitais, foram canalizados pelo cientista, matemático e clarividente cazaquistanês[18] Grigory Petrovich Grabovoi. Os códigos consistem em sequências numéricas que contêm frequências e informações específicas que podem ser aplicadas para o restabelecimento do equilíbrio, harmonia e frequência original em qualquer área da vida, como saúde, relacionamentos, trabalho, finanças e desenvolvimento pessoal.

De acordo com Grabovoi, a origem de todos os problemas, independentemente de sua natureza, está na ruptura e desarmonia com a "Norma", nome

---

[18] Em muitas fontes encontramos referência à nacionalidade de Grabovoi como sendo russa, o que não está errado, pois no ano do seu nascimento (1963), o Cazaquistão pertencia à URSS, tendo se tornado independente somente em 1991.

que ele usa para se referir à frequência original do Universo, isto é, a Informação Original do Criador, que é a harmonia, a alegria e a abundância infinita.

A aplicação dos Códigos Grabovoi para o restabelecimento da harmonia com a Norma é feita através de um processo que ele denomina de "pilotagem", o qual consiste em se concentrar para verbalizar ou simplesmente visualizar ou mentalizar as sequências numéricas específicas para a cura do problema em questão.

Na perspectiva da Física Quântica, os Códigos Grabovoi têm a capacidade de transportar sua intenção para o Universo, sintonizando as frequências correspondentes na Matriz Holográfica® para colapsar a Função de Onda que você desejar.

Apesar dos Códigos Grabovoi serem considerados como pseudociência pelos mais céticos, o método é fundamentado com rigor nos princípios da Física Quântica, e os resultados impressionantemente significativos são cientificamente comprovados pela comparação de exames de sangue e de imagem realizados em voluntários antes e depois da aplicação.

Grabovoi, que antes de ser um cientista é um grande mestre espiritual, ressalta que o uso dos Códigos deve ir além dos interesses pessoais relacionados à própria cura e sucesso pessoal, motivo pelo qual ele recomenda que, ao aplicar uma sequência, além de intencionar o seu objetivo, cura ou solução, você também intencione que a frequência ativada alcance todo o Planeta, em especial as pessoas que desejam o mesmo que você.

Veja alguns Códigos Grabovoi que podem lhe interessar:

- Solução imediata: 741;
- Dinheiro inesperado: 520;
- Materialização de um desejo (também usado para ganhar prêmios na loteria): 4 610567;
- Prosperidade: 71427321893;
- Abundância Financeira: 318 798;
- Tudo é Possível: 519 7148.

ALGORITMO DA COCRIAÇÃO #258

Códigos Agesta

Talvez menos conhecidos, mas não menos poderosos que os Códigos Grabovoi, são os Códigos Agesta, canalizados pelo médium colombiano José Gabriel Uribe, que usa o nome espiritual de Agesta. Os Códigos são definidos pelo médium como uma forma moderna de oração, comunicação com o Divino, que fazem com que nossas intenções se concretizem mais rapidamente.

Os Códigos Agesta se propõem a atuar como energias facilitadoras do processo de ascensão planetária, funcionando como escudos protetores contra as energias de baixa vibração. Eles também são a ponte que nos conecta às dimensões superiores, removendo as crenças e criando os estados mental e emocional propícios para a comunicação com o Divino.

Agesta afirma que os números são a linguagem oculta do Universo, a expressão matemática da energia da criação através da qual tudo o que existe pode ser descrito e reconhecido. Como energia, os números possuem frequência e informação, de modo que ao se verbalizar uma sequência numérica sagrada, a energia de quem a verbaliza se funde a onda da informação correspondente na Matriz Holográfica®, provocando o colapso da Função de Onda que culmina na manifestação da realidade desejada.

Para aplicar os Códigos Agesta, você deve escolher a sequência adequada para o seu objetivo e repeti-lo quarenta e cinco vezes, quantas vezes por dia quiser. Agesta afirma incisivamente que quem recitar os Códigos pode esperar pelo acontecimento de milagres!

Veja alguns Códigos Agesta que podem lhe interessar:

- Saúde: 838 ou 90504 ou 718;
- Dinheiro: 42170 ou 897 ou 1122;
- Proteção: 888 ou 344 ou 529;
- Autoestima: 877;
- Libertar-se da culpa: 339;
- Aprender a definir limites: 728;
- Superar medos: 680;
- Ansiedade: 363;
- Encontrar um emprego (diga que tipo de trabalho você quer ter): 5600 ou 454545.

ALGORITMO DA COCRIAÇÃO #259

Afirmações Positivas

As famosas Afirmações Positivas talvez sejam a mais popular das ferramentas de cocriação da realidade e, por isso mesmo, provavelmente, também se apresentam como a ferramenta que mais gera frustração devido à má formulação. Apesar de ser uma técnica simples, sua eficácia demanda o entendimento de como elas operam.

Para que as Afirmações Positivas se tornem um poderoso Algoritmo da Cocriação, elas precisam ser praticadas de maneira estratégica, envolvendo alguns detalhes cruciais que vou explicar para que você possa integrá-las às suas práticas cocriadoras.

Para obter os resultados que deseja com as Afirmações Positivas, é preciso saber formulá-las da maneira correta:

- Em primeira pessoa;
- No tempo presente;
- Frases curtas;
- Expressando o desejo como já realizado.

Atente para o fato de jamais começar suas afirmações com "eu gostaria", "eu vou", "eu serei", "eu terei", "eu preciso" ou similares, pois se você embutir na afirmação a sugestão de algo que você gostaria de ter ou ser, mas ainda não tem ou é, infelizmente, vai emitir uma informação de escassez. Em vez disso, sempre inicie suas afirmações com expressões como "Eu Sou" ou "Eu tenho", que emitem a frequência da abundância e da gratidão pelo desejo já realizado.

Agora, a "cereja do bolo": claro que você deve formular suas afirmações de acordo com as orientações, mas elas só farão efeito se você lhes agregar sentimentos, ou seja, uma afirmação perfeitamente formulada só produzirá resultados se você de fato sentir o que está falando. E se quiser potencializar ainda mais, além dos sentimentos, adicione também as imagens mentais correspondentes através da visualização do holograma do seu desejo realizado.

Se você não conseguir sentir o que afirma, isso é um sinal de que sua mente inconsciente tem crenças limitantes que invalidam o conteúdo da afirmação. Então, enquanto trabalha para reprogramar suas crenças, suavize suas afirmações trocando "eu sou" e "eu tenho" por "eu escolho". Por exemplo, se você perceber resistência ao afirmar "eu sou milionária", experimente a sutileza de "eu escolho ser milionária". Aposto que o alarme antimentira da sua mente não vai disparar!

ALGORITMO DA COCRIAÇÃO #260

HoloAformações®

As HoloAformações® consistem em uma ferramenta desenvolvida por mim com inspiração no conceito de aformação elaborado pelo escritor

Noah St. John. Basicamente, as HoloAformações® são a versão interrogativa das Afirmações Positivas, isto é, são perguntas empoderadoras que você faz para a sua mente inconsciente e para a Mente Superior. Por exemplo, da afirmação positiva "eu sou milionária!" deriva a aformação "por que eu sou milionária?" ou "por que eu mereço ser milionária?".

O fundamento das HoloAformações® é que sua mente possui um mecanismo de busca por respostas que não sossega até encontrar uma solução para qualquer questão que lhe é proposta, como foi explicado no Algoritmo da Cocriação #59 – Servomecanismo.

Assim, quando você coloca uma pergunta simples como "por que eu mereço ser rica?", sua mente vai lhe mostrar os motivos do seu merecimento, os quais podem ser o fato de você ser uma pessoa boa, trabalhadora, honesta, estudiosa, gentil etc., ressaltando suas qualidades positivas, o que vai fazer você se sentir bem, acreditar que realmente merece e, consequentemente, elevar sua Frequência Vibracional® para o colocar na posição de recebimento.

Talvez você nem perceba, mas você usa as HoloAformações® todas as vezes que se pergunta *por que sou tão burra?*, *por que sou tão gorda?* ou *por que sou tão lesada?*. Só que, nesse sentido, você está usando a ferramenta de maneira totalmente equivocada, fazendo com que sua mente busque motivos para você ter a certeza de que é burra, gorda ou lesada, o que lhe faz se sentir mal, compromete sua vibração e promove a cocriação de eventos e circunstâncias equivalentes. Se você faz isso, pare imediatamente, por favor!

Para usar as HoloAformações® a favor das suas cocriações, o processo de formulação é similar ao das afirmações: suas perguntas devem ser curtas e expressar a sugestão do seu sonho realizado no momento presente. Por exemplo, a afirmação "eu sou próspero", convertida em HoloAformações®, fica "por que eu sou próspero?".

ALGORITMO DA COCRIAÇÃO #261

Comandos EU SOU

Os comandos EU SOU são a senha, o código e a chave quântica para o Universo das infinitas possibilidades. O EU SOU representa o poder do Criador, de Deus, da Potencialidade Pura, cuja essência está contida dentro de cada célula e átomo de sua existência. Você pode usar essa senha, em profunda meditação, em visualizações e em orações de reverência ao EU SOU, que é o Deus que habita sua alma e faz sua consciência prosperar em todos os sentidos.

Por isso, habitue-se a repetir todos os dias, pela manhã, logo antes de levantar-se da cama, enquanto visualiza as cenas que deseja viver como fartura, abundância e prosperidade, colocando sua emoção em movimento e atenção plena ao seu sonho de cocriação imediata.

> *"EU SOU RIQUEZA. EU SOU PROSPERIDADE.*
> *EU SOU ABUNDÂNCIA. EU SOU SAÚDE. EU SOU AMOR.*
> *ESTÁ FEITO, ESTÁ FEITO, ESTÁ FEITO. ASSIM É."*

ALGORITMO DA COCRIAÇÃO #262

Holofractometria Sagrada®

Holofractometria Sagrada® é uma técnica de reprogramação mental avançadíssima criada por mim e desenvolvida com tecnologia de ponta do Canadá. Ela atua diretamente na mente inconsciente, não passando pelo filtro da mente consciente nem do ego e, por isso, é extremamente eficaz e poderosa, sendo capaz de multiplicar o poder de magnetismo no processo de cocriação da realidade em até 3 mil vezes.

A Holofractometria Sagrada® reúne em si recursos audiovisuais que se expressam através de um holograma multidimensional emissor de frequências subliminares mensuradas em Hertz, que é combinado e entrelaçado quanticamente com outras técnicas e terapias vibracionais, as quais se unificam por ressonância, amplificando o poder e eficácia umas das outras.

As técnicas e terapias entrelaçadas e amplificadas que compõem a Holofractometria Sagrada® são:

- Arquétipos de poder de 3ª e 5ª dimensões;
- Códigos Agesta;
- Códigos Grabovoi;
- Códigos e comandos quânticos;
- Códigos e decretos multidimensionais;
- Frequências Hertz com informação, atração e energias ativadas em portais multidimensionais;
- Frequências Hertz ÔMEGA 1.000 Hertz® by Elainne Ourives;
- Geometria Fractal em movimento – imagens em 8D;
- Sequência de Fibonacci.

A Holofractometria Sagrada® também amplifica exponencialmente os efeitos da prática da Técnica Hertz®, por isso ela faz parte do meu treinamento Holo Cocriação de Sonhos e Metas®, onde meus alunos acessam três versões completas de Holofractometrias, em adequação com os três ciclos elementares de aplicação da Técnica Hertz®.

Naturalmente, eu lhe convido a participar do treinamento Holo Cocriação de Sonhos e Metas®, que é o mais completo do mundo e já transformou a vida de milhares de cocriadores. Contudo, se você quiser apenas conhecer a Holofractometria Sagrada®, algumas versões gratuitas de demonstração estão disponíveis no meu canal no YouTube.

ALGORITMO DA COCRIAÇÃO #263

Mantras

Os mantras são sílabas, palavras, frases ou pequenos poemas originários do Hinduísmo, mas também presentes no Budismo e em outras doutrinas espirituais. Eles são considerados uma forma condensada de energia espiritual que permite a elevação da consciência, a cura, o equilíbrio e a conexão com o Divino.

Apesar de expressos com ritmo de sonoridade, o mantra transcende a vibração, pois, como é afirmado nas escrituras sagradas védicas, eles *não são escutados* pelos ouvidos do corpo, e sim *vistos* pelos olhos da alma, e iluminam o horizonte do nosso mundo interior.

Na perspectiva das Neurociências, os mantras possibilitam a redução da frequência das ondas cerebrais, a ativação das funções regeneradoras do sistema nervoso parassimpático, a neutralização do estresse e do pensamento racional, sendo, portanto, uma ferramenta de acesso à mente inconsciente.

Quero compartilhar aqui com você um mantra muito especial que foi soprado no meu ouvido por Amit Goswami nos bastidores de uma das formações que fiz com ele. São apenas duas palavrinhas: "*Gopala Govinda*". Aparentemente muito simples, mas infinitamente poderoso para a remoção de obstáculos mentais e emocionais, bem como para a limpeza de crenças limitantes.

A prática fica a seu critério, você pode se concentrar para repeti-lo por alguns minutos, usar seu japamala para fazer 108 repetições ou mesmo usá-lo de olhos abertos, sem concentração meditativa, enquanto realiza outras atividades como, por exemplo, tarefas domésticas.

ALGORITMO DA COCRIAÇÃO #264

Religação com o Todo

No meu curso Holo Cocriação de Sonhos e Metas® existe uma técnica excepcional, aplicada intensamente para limpar todos os aspectos da vida, consciente ou inconsciente, chamada Técnica da Religação Divina e Curativa, a qual promove o contato direto com o Todo, Deus ou a Matriz Divina.

Não importa a área, seja espiritual, afetiva, familiar, financeira ou para atrair toda a prosperidade, dinheiro, riqueza e abundância possível no mundo das infinitas possibilidades. Nesse processo, como vocês sabem, todos os campos vibracionais passam por uma ampla assepsia energética e consciencial, contemplando várias existências da mesma pessoa.

Ao elevar a vibração nas alturas, posso garantir uma coisa para você: esse método é transformador, com resultado impressionante e imediato. Quem aplica essa técnica poderosa passa por uma autêntica metamorfose, percebe a remoção de camadas e camadas de energia densa de todos os corpos (físico/biológico, espiritual, energético e mental), bem como a higienização das células e uma nova configuração vibracional do DNA.

Particularmente, eu considero uma das ferramentas mais poderosas do Universo para restabelecer as raízes, a origem de cada um de nós com a fonte criadora e aspirar toda a prosperidade possível no Universo. Como o próprio nome sugere, este sistema terapêutico/energético restabelece uma profunda libertação cármica para acelerar o processo de evolução individual de cada ser humano e, consequentemente, de toda a coletividade.

Os relatos que recebo diariamente demonstram essa eficiência. Muitos Holo Cocriadores® atestam os resultados positivos e narram os efeitos sentidos ao aplicarem o método. Apesar das sensações diferentes de cada pessoa, existe um padrão no momento da execução do decreto transformador: todos sentem um grande alívio na alma, uma espécie de banho de energia passando por todo o Ser, uma intensa purificação física do corpo e das células, uma profunda paz interior, e a sensação de reorganização mental e dos pensamentos.

Isso acontece porque a técnica permite sintonizar frequências de altíssima vibração e produzir o perfeito alinhamento com o nosso Eu Superior, considerado a Consciência Universal Criadora de tudo e de todas as coisas. Além disso, o processo de religação faz a conexão com seres de luz e consciências ascensionados responsáveis pelo progresso da humanidade e individual de cada ser humano. Parece milagre e na verdade é!

A Religação Divina e Curativa liberta de amarras, velhos mitos e dogmas de qualquer natureza, sobretudo de riqueza, opera nos níveis consciente e inconsciente, transformando informações negativas em sentimentos de liberdade e felicidade absoluta. Isso vale também para manifestar abundância em todas as áreas da vida, seja material, afetiva, familiar ou profissional. Tal cura corrige as informações negativas, limitantes e bloqueadoras registradas no DNA e nas células sobre qualquer assunto, como a prosperidade.

Além disso, ela também amplia as percepções da consciência, ajuda a identificar a nossa missão de vida, além de possibilitar uma melhor compreensão sobre os relacionamentos, trabalho e vida familiar. Os efeitos maravilhosos desse processo libertador não param: a técnica ainda potencializa a intuição e a sensibilidade quanto a capacidade de autoaceitação, autoestima, amor-próprio, autoperdão e, automaticamente, a autocura, além de promover a manifestação do sucesso em todos os setores da vida.

ALGORITMO DA COCRIAÇÃO #265

Modelagem

A modelagem de comportamento é uma ferramenta muito interessante do coaching e PNL que possibilita a dedicação para adquirir certas características, habilidades e capacidades adotando como modelo de inspiração e motivação alguém que já é, já faz ou já tem algo que você deseja reproduzir em sua personalidade, em sua realidade, enfim, em sua vida.

Em suma, a pessoa escolhida para modelar se torna uma espécie de mentor seu, mas, em geral, ela não sabe disso! Aliás, você nem sequer precisa conhecer seu modelo pessoalmente, e ele pode até já ter falecido há muito tempo.

Para aplicar a ferramenta, você deve escolher alguém que conseguiu sair de uma situação semelhante a que você se encontra e conquistou as coisas que você deseja conquistar. Então, você vai "colar" na pessoa – stalkeando a vida dela no bom sentido –, conhecendo os detalhes da biografia dela, como ela se expressa, gesticula, fala, escreve, trata os outros, quais são seus hábitos, seus padrões de pensamentos e comportamentos etc.

A ideia é que se essa pessoa conseguiu chegar onde você quer chegar, ela sabe o caminho e, então, você pode se dedicar a reproduzir e incorporar o que ela fez para alcançar o sucesso que você também deseja alcançar. Você pode usar a modelagem como inspiração para a projeção mental do seu eu do futuro durante suas práticas de Visualização Holográfica, mas, sobretudo, você deve ser e agir como seu modelo na sua vida em geral.

ALGORITMO DA COCRIAÇÃO #266

Senha Universal

Este mantra poderosíssimo é uma Senha Universal para a Cocriação de qualquer sonho no mais perfeito alinhamento com sua Centelha Divina, com o poder do seu EU SOU e com a harmonia e abundância do Universo:

O infinito amor de Deus está na minha mente,
E isso significa que, a cada segundo, tudo melhora em minha vida.
Porque EU SOU o poder!
EU SOU sagrado(a)!
EU SOU divino(a)!
EU SOU o amor!
EU SOU ativar!
EU SOU o EU SOU agora!
Está feito, está feito, está feito!

ALGORITMO DA COCRIAÇÃO #267

Incrível Mundo

Use sua imaginação para criar o "Incrível Mundo de (seu nome)", o meu é o *Incrível Mundo de Nani*, meu apelido de infância. No seu Incrível Mundo, tudo é perfeito e mágico, você é belo, rejuvenescido, tem um corpo perfeito, tem a saúde perfeita, é rico, feliz, próspero, bem-sucedido em todas as áreas da vida, tem um relacionamento maravilhoso, tem todo o dinheiro que deseja, mora na casa dos seus sonhos, dirige seu carro dos sonhos, faz as viagens dos sonhos... Basicamente, seu Incrível Mundo é a realidade que contém todos os seus sonhos realizados.

Você pode viajar para lá sempre que sentir sua vibração baixa, sempre que se sentir triste ou desanimado. Quando você entra no seu mundo perfeito e se dedica a passar um tempo por lá, seu humor melhora e sua Frequência Vibracional® se eleva instantaneamente.

O melhor é que você entra no Incrível Mundo ciente de que é "só" fantasia, você não tenta impor para sua mente inconsciente que aquela realidade é verdadeira e, assim, você dribla a resistência das suas crenças limitantes. Claro, no meio da experiência, você deve se perguntar sutilmente *e se, quando eu abrir os olhos, essa for minha realidade, como eu me sentiria?*

Assim, de maneira discreta, você ativa o poder sutil da sugestão e faz vibrar no seu corpo e no seu campo a frequência elevada das emoções positivas relacionadas à sua vida perfeita no seu incrível mundo. Indiretamente, sem forçar sua mente a acreditar em nada, você sintoniza o potencial desejado na Matriz Holográfica®, abrindo o caminho para a cocriação dos seus sonhos.

ALGORITMO DA COCRIAÇÃO #268

Arquétipos de Poder

Palavra de origem grega, arquétipo significa fonte, modelo ou ideia original. O estudo dos arquétipos permeia a história da humanidade, expresso nas mitologias, na arte e na literatura, tanto nas doutrinas esotéricas e metafísica, como na Psicologia e na Antropologia.

Na Antiguidade, Platão já intuía a existência dos arquétipos, em especial as formas geométricas. Mais recentemente, Carl Jung se dedicou ao estudo dos arquétipos, colocando-os como um dos elementos centrais de sua teoria, segundo a qual as personalidades individuais são projeções dos arquétipos do inconsciente coletivo.

Compreendidos à luz da Física Quântica, os arquétipos são objetos quânticos que existem como onda, energia, frequência e consciência em outras dimensões da realidade, mas que têm o poder de se comunicar com a terceira dimensão e são o modelo, o potencial, a partir do qual os objetos da realidade material são moldados. Em outras palavras, os arquétipos correspondem às ondas de informação da Matriz Holográfica®.

Na perspectiva das Neurociências, é comprovado que as ondas eletromagnéticas emitidas pelos arquétipos ativam e estimulam o sistema límbico, afetando o nosso estado emocional ao desencadear a produção de certos neurotransmissores e hormônios, de modo que a exposição a arquétipos influencia nossas emoções, sentimentos, pensamentos e comportamentos.

Como Algoritmo da Cocriação, o uso consciente e direcionado de arquétipos de poder possibilita a reprogramação da mente inconsciente e a elevação da Frequência Vibracional®. Para se beneficiar dos arquétipos de poder é muito simples, basta deixá-los à sua vista, na forma de imagens, pinturas, quadros, esculturas ou contemplá-los intencionalmente em suas versões físicas ou holográficas, nas suas visualizações.

A maioria das pessoas passa uma vida sendo estimulada por arquétipos negativos sem tem a menor ideia do poder que eles têm sobre suas emoções, sua mente inconsciente e, em última instância, sobre a realidade material que experimentam. Contudo, você, como HoloCocriador®, pode e deve, a partir de agora, fazer uso consciente dos arquétipos para programar sua mente inconsciente, cultivar emoções de alta frequência e, assim, elevar sua Frequência Vibracional® para que possa entrar em fase com a frequência do seu sonho e colapsar a Função de Onda, isto é, trazê-lo para a matéria.

Conforme o professor Hélio Couto expõe brilhantemente em seu livro *Mentes in-formadas*, os arquétipos positivos mais poderosos, que podem ser usados de maneira genérica para produzir sentimentos como alegria, harmonia, prosperidade, autoestima, sabedoria e sucesso são a águia, o falcão, a coruja e o gavião.

Na tabelinha abaixo, você pode ver os principais arquétipos que podem ser usados como ferramentas de cocriação em áreas específicas:

Prosperidade, Dinheiro	árvore, joias, ouro, quadrado, uvas
Poder, Sucesso	cavalo, espada, estrela, tigre, urso
Amor, Alma gêmea	beija-flor, flamingo, cisne, rosas
Saúde, Cura	sol, fonte d'água, girassol, serpente

ALGORITMO DA COCRIAÇÃO #269

Cores

As cores são ondas eletromagnéticas visíveis ao olho humano, elas são as frequências do espectro eletromagnético denominado de "espectro de luz visível", que é justamente a pequena parte da realidade que somos capazes de perceber. Por serem frequências distintas, cada cor possui uma informação específica capaz de se comunicar e interagir com nosso próprio campo eletromagnético que, em última instância, também é formado de luz, bem como com nossa mente inconsciente e com nossos corpos físico e energético (sistema de chakras).

Conforme ensinou a socióloga e psicóloga alemã Eva Heller (1948-2008) em seu livro *A psicologia das cores*, as frequências e informações das cores são capazes de afetar nossas emoções, sentimentos, pensamentos e comportamentos, produzindo efeitos positivos ou negativos no nosso fluxo de energia vital, bem-estar e humor de maneira objetiva.

A autora ousa afirmar que o conhecimento da linguagem simbólica das cores é de extrema relevância e poupa tempo na conquista de abundância e sucesso em qualquer área da vida, o que torna o uso consciente e exposição intencional às frequências das cores um importante Algoritmo da Cocriação.

Para incluir as cores no seu processo de cocriação, você deve escolhê-las intencionalmente conforme a frequência que emitem e manter contato físico com elas ao adotá-las em suas roupas, objetos pessoais, paredes da casa, arte, decoração etc.

A Cromoterapia também é interessante e recomendada, contudo, você ainda pode entrar em ressonância com a informação emitida pelas cores fazendo contato apenas com a onda da cor através da sua imaginação, projetando mentalmente as cores que deseja ou adicionando-as aos cenários e elementos das suas Visualizações Holográficas.

ALGORITMO DA COCRIAÇÃO #270

Sons

Os sons são expressões do Princípio da Vibração (Algoritmo da Cocriação #116 – Tudo é vibração) que são intimamente interrelacionadas com o eletromagnetismo – os sons produzem padrões eletromagnéticos, e o eletromagnetismo também gera padrões sonoros, de modo que o eletromagnetismo pode ser traduzido em sons e vice-versa.

Por isso, na cocriação da realidade, você pode usar os sons como ferramenta para moldar a sua frequência eletromagnética com a intenção de emitir uma vibração ressonante com a vibração dos seus sonhos e, assim, acelerar o processo do colapso da Função de Onda.

Existem várias formas de você usar o som como ferramenta de elevação da sua Frequência Vibracional®, a mais elementar delas é a música, em especial a música clássica, cujos padrões sonoros traduzidos em frequências eletromagnéticas calibram entre 600 e 700 Hz, de acordo com David Hawkins.

Outra ferramenta de cocriação que aplica o recurso do som são as Frequências Binaurais, que emitem ondas sonoras que atuam diretamente na programação da mente inconsciente sem passar pelo filtro da mente consciente. Esse é um recurso pelo qual eu tenho apreço e interesse especiais, inclusive, no meu canal do YouTube você encontra vários áudios com frequências específicas para diferentes programações.

Naturalmente todas as palavras verbalizadas como afirmações positivas, decretos, comandos, mantras e orações emitem ondas sonoras que são traduzidas em frequências eletromagnéticas capazes de afetar a matéria, como comprovou Masaru Emoto com seu lindo experimento com as moléculas cristalizadas de água.

ALGORITMO DA COCRIAÇÃO #271

Pote da Gratidão

O Pote da Gratidão é uma ferramenta de cocriação lúdica, muito divertida, pela qual além de, obviamente, trabalhar a gratidão, você também cultiva a alegria e a criatividade.

A ideia é muito simples: consiga um pote, o ideal é que ele seja razoavelmente grande, por exemplo, com capacidade para 3 litros. Então, se desejar, decore seu pote e deixe-o a vista ou guardado, como você preferir. Daí você começa a encher o seu pote com papeizinhos nos quais você deve escrever "hoje eu estou tão feliz e agradecido por (motivo)".

Além dos bilhetinhos de agradecimentos, você também pode encher seu pote com cupons fiscais do que comprou, com recibos de contas pagas, com cartões de embarque de viagens que você fez e tudo mais pelo que você desejar expressar sua gratidão.

Pouco a pouco, seu pote vai enchendo e, além de continuar seu exercício de gratidão, você pode usá-lo como ferramenta de elevação instantânea de Frequência Vibracional®, pois sempre que for cair na tentação de reclamar ou se vitimizar, você pode simplesmente contemplar seu pote e recordar de toda a abundância com a qual você é abençoado, reafirmar sua gratidão para logo sair de qualquer frequência inferior e, ao mesmo tempo, sintonizar ainda mais motivos para agradecer.

Se você preferir, em vez de um "pote da gratidão", você pode adotar uma "agenda da gratidão", o que pode ser um pouco menos lúdico que a atividade de encher um pote de bilhetinhos, mas que surtirá os mesmos efeitos.

ALGORITMO DA COCRIAÇÃO #272

HoloPainel

O HoloPainel, também conhecido como Painel dos Sonhos ou Quadro de Visualização, consiste na versão física da sua Visualização Holográfica, ou seja, é um painel físico no qual você vai usar a criatividade para colocar principalmente imagens que expressem seus sonhos realizados, mas também pode colocar afirmações positivas, HoloAformações®, decretos, comandos, códigos, pequenas orações, frases e palavras de poder.

A ideia é que você posicione seu HoloPainel em um local estratégico de fácil acesso visual, como no espelho do seu banheiro ou na porta do seu guarda-roupas, de modo que sempre que você passar por perto, você o verá, ainda que não seja sua intenção (mas é!).

Seria perfeito, mas claro, você não pode passar o dia inteiro no seu Incrível Mundo, então ter imagens físicas dos seus sonhos para visualizá-los esporadicamente enquanto trabalha, cuida da casa, dirige etc., é uma ótima ideia, afinal, quanto mais você se expor intencionalmente às imagens que representam seu desejo realizado, mais você ativa as emoções elevadas correspondentes, programando sua mente e seu corpo para receber suas lindas cocriações.

Ter as imagens do seu sonho realizado sempre disponíveis à sua vista também vai funcionar como um lembrete dos seus objetivos, sustentando sua motivação, além de despertar os sentimentos de abundância, alegria e gratidão. Seu HoloPainel também pode funcionar como um "dispositivo antivitimização e antireclamação", pois sempre que, "sem querer", começar a vitimizar ou reclamar, você pode mudar sua frequência imediatamente olhando para o painel!

Se você preferir e tiver habilidades para isso, também pode fazer um HoloPainel moderno, em uma versão digital para acessar no seu computador ou celular, onde e quando puder. Essa é uma ótima ideia para viagens ou para quem passa a maior parte do dia fora de casa.

ALGORITMO DA COCRIAÇÃO #273

Carta Mágica

A Carta Mágica é uma ferramenta muito especial e divertida que se apresenta como um poderoso Algoritmo da Cocriação que possibilita o despertar da percepção de abundância, o cultivo da gratidão, a elevação da Frequência Vibracional® e a sintonização dos potenciais desejados para a realização dos seus mais lindos sonhos, em todas as áreas da sua vida.

Escrever um Carta Mágica é uma atividade de autoconhecimento que, ao mesmo tempo em que é profunda, é também simples e lúdica. Sua elaboração pressupõe algumas orientações:

- Escreva a mão, de preferência usando um lápis;
- Use todos os verbos no tempo presente;
- Antes de começar, concentre-se, acalmando o seu corpo e a sua mente;
- Coloque a criatividade em ação e escreva quantas páginas desejar, agradecendo os seus sonhos realizados, contando nos mínimos detalhes como está sua saúde, seu corpo, sua vida financeira, afetiva, familiar, profissional e social, como está seu desenvolvimento pessoal, sua conexão com a Fonte etc.

Se você desejar, você pode ler sua Carta Mágica todos os dias, para elevar sua Frequência Vibracional® e sentir o gostinho dos seus sonhos realizados. Se preferir, pode também gravar um áudio com a leitura da Carta e usá-lo como roteiro para sua Visualização Holográfica.

Algoritmos da Cocriação decodificados sobre emoções, sentimentos, pensamentos e comportamentos que você deve EVITAR ou ELIMINAR

Tão importante quanto saber o que fazer para cocriar os seus sonhos, é saber o que não fazer, isto é, do que você deve se abster para não atrapalhar suas cocriações e, por isso, nesta próxima sequência de Algoritmos da Cocriação, vou explicar quais são os pensamentos, sentimentos, emoções e comportamentos nocivos para sua Frequência Vibracional® e que, portanto, você deve evitar ou, melhor ainda, eliminar da sua vida.

ALGORITMO DA COCRIAÇÃO #274

Vitimização

A vitimização é, por natureza, a polaridade contrária da cocriação de sonhos. Simplesmente não existem vítimas cocriadoras. Aliás, melhor dizendo, não existem vítimas cocriadoras *conscientes* de sonhos, apenas cocriadoras *inconscientes* de pesadelos – escassez, doença, traição, pobreza, desemprego, solidão, tristeza etc.

A vítima é aquela pessoa que, ainda que de maneira inconsciente, acredita firmemente que todos os seus problemas foram causados por alguém ou por alguma coisa, afinal, de acordo com o cenceito da palavra, a existência de uma vítima pressupõe a existência de um algoz. Nessa dinâmica, enquanto a pessoa permanece na posição de vítima, na posição de algoz se alternam pais, filhos, companheiro(a), sogros, vizinhos, chefes, colegas, professores, clientes, governantes, pandemia, crise, alta do dólar, chuva, Sol e até mesmo Deus.

Dessa maneira, a vítima sempre tem um "culpado da vez" e não acessa o princípio fundamental da cocriação segundo o qual somos 100% responsáveis por tudo o que nos acontece, seja sucesso, seja fracasso, como explicado logo no início deste livro, no Algoritmo da Cocriação #2.

A única saída da vitimização é, portanto, através da consciência de autorresponsabilidade, isto é, a certeza de que cada um é 100% responsável pela própria felicidade. Quando compreende que você (e a frequência que estava emitindo) é o responsável pela manifestação da realidade desfavorável em que você se encontra no momento, automaticamente você compreende que tem o poder para alterar essa realidade – o seu poder de cocriador de sonhos.

Entenda que sempre que você tem um desafio na vida, Deus não está fazendo uma "pegadinha" com você – "o jogo do encontre o culpado". Ele está, na verdade, dizendo "vamos lá, estou lhe dando mais uma chance, cure o que precisa ser curado e permita que eu organize tudo para você!".

Ao renunciar o falso conforto da posição de vítima e assumir 100% de responsabilidade, dedicando-se para reprogramar suas crenças e elevar sua Frequência Vibracional®, você finalmente acessa a alegria, o amor, a harmonia e a paz, são a sua própria essência e frequência original, na ressonância da abundância infinita do Universo.

ALGORITMO DA COCRIAÇÃO #275

Vergonha

A vergonha é o mais baixo nível da Escala das Emoções, vibrando apenas 20 Hz, uma frequência quase nula, beirando a frequência da morte. Esse sentimento que faz com que uma pessoa sobreviva praticamente como um zumbi, um morto-vivo, é caracterizado pela mais profunda e dolorosa percepção de inadequação, incapacidade, autocrítica e indignidade.

A vergonha é motivada por algum comportamento que a pessoa teve, situação que experienciou no passado ou mesmo que experimenta no presente ou alguma característica física, intelectual, financeira, familiar ou social que a faz se sentir indigna do convívio social e, em casos mais extremos, indigna da própria vida, literalmente tendo vontade de desaparecer, de sumir. Por outro lado, a vergonha pode se expressar de maneira compensatória, como comportamentos exagerados de crueldade, julgamento, acusação, intolerância, perfeccionismo e moralismo.

Vibrando na vergonha, a cocriação de sonhos de felicidade, sucesso, amor e prosperidade é impossível e, na verdade, nem é algo que passa pela cabeça da pessoa, pois o vislumbre de uma nova realidade está totalmente fora do seu "radar".

O caminho para a desprogramação da vergonha pressupõe, como você deve imaginar, a aceitação daquilo que não pode ser modificado, o autoperdão e o perdão.

ALGORITMO DA COCRIAÇÃO #276

Culpa

Um pouquinho acima da vergonha, a culpa é a segunda frequência mais baixa na Escala das Emoções, calibrada pelo dr. Hawkins em somente

30 Hz. Não é à toa que esses dois sentimentos autodestrutivos estão tão próximos, pois um se alimenta do outro: a pessoa sente vergonha pelo motivo da culpa e culpa pelo motivo da vergonha, ficando presa em um ciclo sem fim de pensamentos e sentimentos que sustentam sua frequência nas mais insignificantes vibrações.

A vergonha e a culpa se diferenciam sutilmente: enquanto na vergonha predominam sentimentos de humilhação e inadequação, na culpa predominam sentimentos de arrependimento e remorso; na vergonha, a pessoa pensa *eu sou um erro*, já na culpa a pessoa pensa *eu cometi um erro*.

A culpa é decorrente da percepção de ter cometido um erro e causado um dano a si mesmo ou a outra pessoa, fazendo com que a pessoa seja corroída por dentro pelo sofrimento, arrependimento e autopunição psicológica ou, até mesmo, automutilação física. A culpa leva ao masoquismo, à autorrecriminação, ao autoflagelo e a todo o espectro de sentimentos de vítima, inclusive, eventualmente, em associação com o conceito de pecado.

Como na vergonha, na culpa também é impossível a cocriação de sonhos, pois não há energia para isso, uma vez que a pessoa que vibra na culpa não tem sequer vestígios de merecimento, alegria ou amor-próprio.

Se você sente que está preso na vibração da culpa por algum erro que cometeu, a primeira providência é verificar se você pode reparar o dano; se sim, repare. Se a situação for irreparável, então você precisa se dedicar diretamente a acessar a vibração da aceitação, do comprometimento em não repetir o comportamento, do autoperdão e da gratidão pelo aprendizado.

Por fim, entenda que, por mais grave que tenha sido o erro cometido e o dano causado, no momento em que a situação aconteceu, você agiu em conformidade com o nível de consciência que tinha. Em outras palavras, a consciência que você é hoje não pode julgar a consciência que você foi no passado. É preciso muita serenidade e sabedoria para aceitar isso e apaziguar seu coração.

ALGORITMO DA COCRIAÇÃO #277

Apatia

Sem dúvida, a apatia paralisa a cocriação de sonhos, pois vibra apenas a 50 Hz na Escala das Emoções, de modo que não tem expressão alguma para provocar qualquer tipo de colapso. Vibrando na apatia, você tranca qualquer fluxo, seja da área financeira, amorosa ou de qualquer realização pessoal e profissional, isso porque simplesmente ressoa como nulo, apagado, indiferente e omisso perante o mundo, as pessoas, suas próprias escolhas ou falta de tomada de decisão.

Assim, se deseja ser um cocriador consciente e eficiente, você terá de sair urgentemente dessa zona perigosa de manifestação da consciência. E para lhe ajudar nesse processo, você deve usar o amor, a alegria e pedir a Deus que lhe liberte dessa sensação.

Procure visualizar ainda uma vida diferente em suas meditações, buscando a prática de exercícios físicos alinhada à uma alimentação saudável, com o consumo de bastante água, repouso constante e a predominância de atividades que o fazem bem. Além disso, procure mudar o foco dos pensamentos e de suas emoções, pois em pouco tempo perceberá os efeitos positivos, conseguindo sair desse caminho pedregoso.

ALGORITMO DA COCRIAÇÃO #278

Tristeza

Na Teoria Psicoevolucionária de Robert Plutchik, a tristeza é a emoção primária que tem a função básica de nos permitir conhecer nossos próprios limites, de reconhecer uma perda e de proporcionar o comportamento de recolhimento e de introspecção necessário para se recuperar, se reintegrar, se reorganizar diante de uma dor.

Já na Escala das Emoções, a tristeza, que vibra em apenas 75 Hz, corresponde ao nível de consciência do sofrimento, o qual é marcado pela percepção de fracasso, escassez, vitimização e impotência diante da vida.

Repare que enquanto Plutchik define a tristeza como a emoção que nos permite reconhecer uma dor e nos recolhermos para nos recuperarmos, David Hawkins se refere ao sentimento de tristeza contínua que marca um nível de consciência que percebe a dor como sofrimento e limitação, não como oportunidade de desenvolver a resiliência.

Quer dizer, biologicamente, a tristeza se relaciona com a dor, mas não tem nada a ver com sofrimento. Nesse sentido, faz parte da fisiologia humana (e de todos os seres vivos) sentir tristeza em algum momento, diante de uma dor, mas não é natural perceber a tristeza como sofrimento. Como disse o grande poeta Carlos Drummond de Andrade, "a dor é inevitável, o sofrimento é opcional".

A dor é algo passageiro que vem, machuca e vai embora, já o sofrimento é a manutenção e cultivo da memória da dor, que permanece corroendo a pessoa por dentro. É nesse sentido que a tristeza se torna um problema, quando ela está associada ao sofrimento, como bem explicou Hawkins.

A tristeza como sinônimo de sofrimento é um sentimento de apego a uma dor que aconteceu no passado, que não está mais acontecendo no presente, mas que mantém a pessoa na vibração da vitimização e do pesar, tornando impossível a cocriação de qualquer maneira de abundância e sucesso. Uma vez que a essência da frequência do Universo é a alegria, a tristeza se apresenta, portanto, como a polaridade contrária do próprio fluxo e harmonia do Universo.

Para desprogramar a tristeza, é preciso se elevar pouco a pouco à vibração da coragem (200 Hz), da neutralidade (250 Hz) e da boa vontade (310 Hz), para então acessar a aceitação (350 Hz) do que aconteceu e, enfim, acessar a frequência superior da alegria (54 0Hz). Combinada com o amor e com a gratidão, a alegria é senha secreta para emitir o mais potente campo eletromagnético capaz de sintonizar instantaneamente qualquer desejo.

ALGORITMO DA COCRIAÇÃO #279

Medo

De acordo com Robert Plutchik, o medo é uma emoção primária que tem um papel fundamental na garantia da sobrevivência, ativando o instinto de autoproteção e prevenção do perigo, de modo a ser cuidadoso diante de algum estímulo percebido como ameaça.

O medo, quando sentido pontualmente, é uma emoção capaz de salvar sua vida, contudo, quando a emoção se converte em um sentimento permanente, em um estado de ser, o medo se torna um grande problema – em vez de salvar sua vida, ele vai atrapalhá-la. E é desse medo, na forma de sentimento, que estamos falando aqui.

Na Escala das Emoções, o medo vibra em apenas 100 Hz e, em geral, é associado a sentimentos igualmente negativos e limitantes de insegurança, impotência, vulnerabilidade, desconfiança, ansiedade ou, até mesmo, desespero e pânico. Além disso, o medo constante faz com a pessoa transite entre passado e futuro sem se conectar com o presente, na percepção de que, com base em suas experiências passadas, algo muito ruim está prestes a acontecer em seu futuro.

Embora o medo tenha uma frequência muito baixa, por ser um sentimento profundamente visceral, ele tem a capacidade de colapsar as piores funções de onda, que se expressam pela manifestação de eventos e situações confirmadoras daquilo que a pessoa mais teme – medo de doença, cria doença; medo de ser traída, cria traição; medo de ser assaltado, cria assalto e assim por diante. Além disso, o medo é um sentimento paralisante, que impossibilita a tomada de decisões e a execução de ações.

Por ser uma emoção primária inerente a todos os seres vivos (sim, até amebas têm medo!), ele é inevitável e mesmo cocriadores experientes e bem trabalhados na espiritualidade em algum momento terão experiências de medo. A diferença está no fato de que quem está definitivamente comprometido a cocriar seus sonhos, não vai se permitir ser dominado e imobilizado pelo medo, vai agir com medo e apesar do medo.

ALGORITMO DA COCRIAÇÃO #280

Raiva

Ainda segundo Robert Plutchik, a raiva é a emoção primária, presente em todos os seres vivos e, quando disparada, promove mudanças fisiológicas para a mobilização de força, energia e atenção direcionadas para encarar uma situação potencialmente perigosa ou ameaçadora. Em geral, os gatilhos para a raiva são decepções, frustrações, bloqueios ou obstáculos para a realização de um desejo.

Para nós, humanos, únicos seres vivos com a capacidade de transmutar uma emoção de curto prazo em um sentimento de longo prazo, bem como únicos seres vivos com a capacidade de estimular emoções apenas através da imaginação, a raiva, enquanto sentimento contínuo, é muitíssimo nociva não só para a cocriação de sonhos, mas também para a saúde, uma vez que não somos biologicamente preparados para viver sob a química do estresse.

Enquanto os outros animais têm apenas a emoção da raiva, que é momentânea, os humanos têm o sentimento da raiva, que é duradouro. É por isso que, se você passa por uma situação de raiva de manhã, é possível que de noite ainda esteja remoendo e cultivando pensamentos que potencializam o sentimento e vice-versa. Inclusive, dependendo da situação, é possível que o ciclo perdure por dias, semanas, meses, anos e até mesmo décadas.

Na Escala das Emoções, a raiva é o nível de consciência que vibra em 150 Hz, o que significa que é uma emoção incompatível com a cocriação de sonhos. A raiva não cocria sonhos porque ela impede a conexão com o momento presente, fazendo você ou remoer o passado (não aceitação) ou planejar alguma vingança para o futuro.

Além disso, a raiva faz com que seu foco e sua atenção fiquem presos à pessoa ou situação que deu origem ao sentimento, de modo que você não consegue direcionar seu olhar de observador para colapsar a Função de Onda do seu próprio sonho, pois está muito ocupado sentindo raiva.

As polaridades contrárias a serem trabalhadas na desprogramação da raiva são, primeiro, a aceitação, seguida do perdão, da gratidão, da alegria, do amor, da harmonia, da benevolência e da paz.

ALGORITMO DA COCRIAÇÃO #281

Ódio

O ódio é uma variação acentuada do grau de intensidade da raiva, podendo ser definido como uma raiva potencializada ao extremo. Enquanto sentimento duradouro, é devastador e corrosivo, que não só sabota a cocriação de sonhos, como, a longo prazo, leva a doenças físicas, além de comprometer o bem-estar geral da coletividade.

Por ser a acentuação máxima da raiva, a qual, em níveis "normais" já é uma frequência inferior e densa, o ódio é ainda pior, é mais que um sabotador de sonhos, é aniquilador de todas as formas de prosperidade, saúde, sucesso e felicidade.

O ódio contrai as moléculas de DNA e, em nível subatômico, provoca uma desaceleração na vibração das partículas elementares e até mesmo a degeneração e a desintegração das partículas, uma vez que o que mantém a integridade e atividade dos átomos é, em última instância, a vibração do amor. E ódio é a completa ausência de amor, frequência que sustenta a criação, a harmonia e a própria vida.

O comprometimento da integridade atômica reduz a vibração do campo eletromagnético pessoal e diminui drasticamente a Frequência Vibracional®, deixando a pessoa apta a sintonizar em sua realidade nada além de potenciais indesejados que se apresentam como toda sorte de eventos e circunstâncias negativas que alimentam ainda mais o sentimento de ódio.

Para evitar chegar a esse sentimento extremo, o ideal é praticar a auto-observação e a autodisciplina para, sempre que sentir raiva, observá-la e deixá-la ir, não permitindo que ela permaneça vibrando por mais que algumas poucas horas, no máximo.

Contudo, se o sentimento de ódio já está efetivamente vibrando, é necessário tomar a decisão firme de não permitir que nada nem ninguém determine como você se sente, pensa e age e, muito menos, determine sua frequência e lhe impeça de ser feliz. A partir dessa decisão, deve-se então programar as polaridades contrárias, cultivando a consciência do amor, da paz, da liberdade, da aceitação e, sobretudo, do perdão.

ALGORITMO DA COCRIAÇÃO #282

Ingratidão

A ingratidão anula a cocriação de sonhos porque transmite uma vibração destrutiva ao Universo, algo que contraria os valores primordiais da existência humana. Ao ser ingrato pelo que é ou tem, você contrai o seu campo eletromagnético, de modo que ele não tem força ou impulso para elevar a emoção e o seu desejo ao Cosmos. E o que voltará? Mais motivos para ser ingrato, para blasfemar, irritar-se, para viver o próprio caos, pois você é aquilo que vibra, sente, deseja, pensa e se comporta.

O Universo interpreta a sua ingratidão como um sinal de que você está insatisfeito e de que as coisas que você tem não são agradáveis ou importantes, de modo que você receberá mais situações ressonantes com sua insatisfação, bem como o Universo trabalhará para remover da sua vida as coisas pelas quais você não é grato, uma vez que a interpretação é de que elas são irrelevantes.

A ingratidão é a própria expressão da frequência da escassez, que o deixa cego para perceber e agradecer a abundância que está a sua volta. Dessa maneira, quando embevecido por ingratidão, é lógico que mais circunstâncias e eventos de escassez e mais motivos para expressar insatisfação e descontentamento serão colapsados ou produzidos em sua vida. Assim, é preciso inverter essa polaridade para que você possa prosperar de fato e se tornar um cocriador de possibilidades infinitas e feitos incríveis no mundo.

A gratidão, certamente, é a chave-mestra para atravessar as fronteiras da prosperidade e do Universo. Sem sentir a essência desse sentimento, você não atinge as elevadas frequências do Criador e não entra em ressonância com os próprios sonhos.

ALGORITMO DA COCRIAÇÃO #283

Falso perdão

Certamente a falta de perdão congela a prosperidade e bloqueia o fluxo da riqueza, pois é a base de toda e qualquer cocriação, inclusive do dinheiro, da fortuna e da abertura quântica aos tesouros universais. Sem o perdão, você não consegue expandir seu campo de amor vibracional e, dessa maneira, não chegará aos níveis mais eletrificados de sua consciência. No entanto, o falso perdão é pior que a falta de perdão, pois emite a vibração da mentira para o mundo, para as pessoas e para si mesmo.

Nessa subtração do perdão (que é o engano), sua vida segue para o caos e para o fundo do poço, porque em sua mente, seus pensamentos, ideias e emoções, você pode até esboçar ou crer que há a verdadeira remissão, mas a sua vibração não mente, jamais.

O Universo entende a mentira como uma frequência confusa, antagônica e desse modo devolverá mais e mais confusão em sua vida e, consequentemente, o campo da abundância, prosperidade, sucesso e harmonia seguirá ofuscado, nublado, nas sombras, sem qualquer acesso à luz da cocriação.

Dessa maneira, a única saída para evitar o falso perdão é a verdade. Então, comece por você mesmo: exerça o autoperdão com suas limpezas e reprogramações para depois pedir desculpa a tudo e a todos, pois esse exercício será benéfico na promoção do seu alinhamento energético e na elevação da sua Frequência Vibracional®.

ALGORITMO DA COCRIAÇÃO #284

Reclamação

Quando você reclama, em vez de ativar, bloqueia o código vibracional da cocriação, dado que a reclamação vibra na ingratidão, insegurança, falta de fé e de amor-próprio. Ao reclamar, você se porta como vítima, e não como um cocriador autorresponsável, e demonstra que não aceita seu potencial, não admite que a dádiva do Criador vibre em seu coração, e isso tudo faz com que anule o seu poder.

Da reclamação nasce o fracasso, a desmotivação, a aura de tristeza e depressão, o medo inexplicável e a inoperância. Sendo assim, você se torna apático e desmotivado perante a vida, a tudo e a todos, por isso, em vez de reclamar, agradeça, aceite, receba, apoie e permita que o seu potencial para cocriar todos os seus sonhos de abundância se manifestem livremente em sua existência terrena e quântica. Afinal, se você já tem tudo o que deseja e o Universo lhe permite manifestar todos os seus sonhos de riqueza, prosperidade, amor, abundância e sucesso, por que, então, você leva a insígnia da reclamação na sua consciência?

ALGORITMO DA COCRIAÇÃO #285

Ansiedade

A ansiedade é uma emoção bloqueadora de sonhos e inibidora da cocriação, pois gera uma frequência inferior a 100 Hz segundo a Escala da Consciência e, por isso, é altamente prejudicial à materialização do que você deseja.

Esse sentimento devastador, consumidor da sua paz e da sua energia, provoca a incidência do Efeito Zenão, explicado no Algoritmo da Cocriação #42, o qual anula qualquer possibilidade do seu campo eletromagnético se emaranhar quanticamente com a frequência do seu sonho, ou seja, de formar alguma composição, que se torne matéria neste plano físico através do colapso da Função de Onda.

Vibrando e sentindo ansiedade, você não vai longe, quer dizer, na verdade, pode até ir, mas, na hora H, seu desejo sofre o revés do descolapso, de modo que as partículas não se juntam, não colam uma na outra, nem tomam aderência para virar realidade. Em vez disso, tudo volta a ser, novamente, uma onda, um vento de energia solto, sem precisão, aparência ou ideia de realidade, e você, mais uma vez, se frustra e se deixa levar por mais e mais desse sentimento, enchendo seu corpo de cortisol, o que provoca efeitos nocivos à sua saúde, aumenta a acidez das células e moléculas, causando desconforto e novos impedimentos, sobretudo no campo da riqueza e da prosperidade.

Os antídotos para a ansiedade são a rendição à impossibilidade de controlar ou prever o futuro e a forma e a velocidade com que o seu desejo se manifestará, bem como a fé, a confiança e a certeza de que, apesar de você ainda não ser capaz de perceber seu sonho com seus sentidos físicos, ele já é real, já é seu e está a caminho.

ALGORITMO DA COCRIAÇÃO #286

Julgamento

Quando abandonamos a necessidade de estar sempre classificando as coisas como boas ou más, certas ou erradas, sentimos um silêncio maior em nossa consciência, e nossa Frequência Vibracional® se eleva, ativando, assim, o poder infinito para cocriar a prosperidade que existe dentro de cada um de nós.

O diálogo interior começa a silenciar quando largamos o fardo do julgamento, facilitando o acesso à intuição em conexão com a Centelha Divina. Por isso, é importante nos afastarmos de definições, rótulos, descrições, interpretações, avaliações, análises e preconceitos, pois todos eles criam a turbulência que é o nosso diálogo interior.

ALGORITMO DA COCRIAÇÃO #287

Negatividade

A negatividade é uma espécie de vício mental que faz com que você tenha pensamentos negativos, enxergando prioritariamente o lado ruim, feio ou desagradável das pessoas, objetos, lugares e situações, e impedindo-o de perceber e entrar em sintonia com a beleza e abundância da vida.

Trata-se de padrão terrível em que pensamentos e sentimentos negativos se retroalimentam, sugando a energia do seu campo eletromagnético e impossibilitando você de elevar o seu nível de consciência e a sua Frequência Vibracional®.

Um amigo me ensinou uma técnica muito simples para afastar a negatividade: sempre que surgir um pensamento negativo, apenas diga para si mesmo: *Que venha o seguinte* e continue em frente!

ALGORITMO DA COCRIAÇÃO #288

Desespero

Sem dúvida, o sentimento de desespero é um dos principais bloqueadores da cocriação, uma vez que está associado a emoções de baixíssima frequência como medo, insegurança, escassez, fracasso e ansiedade. O desespero anula qualquer pretensão de elevação de consciência e de Frequência Vibracional®.

Em geral, a sensação do desespero se instala na infância, ainda na barriga da mãe ou mesmo na adolescência, a partir de algum evento ou de vários fatores que causaram sentimentos de falta, carência, ausência ou escassez relacionados a alguma situação de sobrevivência. Essa falta pode ser familiar, afetiva, financeira, pessoal, inconsciente, cármica ou circunstancial, tudo depende do histórico de cada pessoa e de como ela lidou, consciente ou inconscientemente, com determinada situação.

A ausência paterna ou materna, por exemplo, pode causar a sensação de carência afetiva, abandono e desespero financeiro, ou uma pessoa que passou fome alguma vez na vida, que precisou de dinheiro para se alimentar e não tinha, ou que não teve recursos para comprar comida para os filhos, pode ativar, dentro de si, a emoção de desespero.

Eu mesma passei por várias faltas como essas e pela sensação de desespero. Precisei trabalhar a minha mente, reprogramar o meu cérebro e ressignificar muitas crenças sobre qualquer sentimento passageiro de desespero que surgisse em minha vida e obtive êxito total.

Eu superei todo esse sentimento e apliquei a minha experiência de transformação no desenvolvimento dos meus cursos e muitos materiais exclusivos que ofereço ao meu público, de modo que pude ressignificar tudo isso e transformar o desespero em possibilidade, ao entender que as emoções são frequências, e essas frequências podem ser calibradas, começando dentro da mente para, então, mudar a vibração do campo relacional e a onda de energia pessoal que segue até o núcleo da Matriz Holográfica®.

Eu sou a prova viva de que é possível quebrar todas as barreiras e eliminar bloqueadores emocionais como o desespero. Posso dizer ainda que, muitos alunos meus superaram o medo, o pânico, o desespero e a ansiedade que envolviam as suas almas para se tornarem pessoas autoconscientes das próprias emoções, de seus sentimentos, de novos padrões mentais positivos e recondicionados para uma vida próspera, cheia de paz, harmonia e tranquilidade.

Como eu, eles aprenderam a mudar o foco, a mudar a direção dos pensamentos e a focalizar emoções saudáveis, olhando apenas para a prosperidade e para a abundância em suas existências. E você também pode fazer o mesmo, usando como ferramentas a meditação, a visualização, o Ho'oponopono e outras que sejam capazes de baixar seu ciclo de onda cerebral e ativar o mecanismo de relaxamento do sistema nervoso autônomo.

ALGORITMO DA COCRIAÇÃO #289

Resistência

Sua mente inconsciente tem como função protegê-lo e evitar que você corra riscos; ela faz isso em conformidade com as programações que tem instaladas, decorrentes das memórias das experiências passadas, ou seja, suas crenças. A mente inconsciente "entende" que, para o seu bem, é melhor e mais seguro viver com base naquilo que é familiar, não se aventurando em possibilidades desconhecidas nem tentando experimentar nada novo.

A mente inconsciente opera à revelia dos seus desejos conscientes de mudança na compreensão de que, mesmo estando vivenciado uma realidade desagradável e insatisfatória, ainda assim é melhor se manter na mediocridade familiar, afinal, tudo pode piorar.

Assim, aparece a resistência como um mecanismo de garantia de sobrevivência, que pode se expressar de várias maneiras, como controle, procrastinação, preguiça, medo, comodismo, justificativas, conversas internas sabotadoras etc.

Todas as formas de resistência têm em comum a sugestão de manter as coisas como estão, o que significa manter sua vida estagnada, sua Frequência Vibracional® baixa e não cocriar a mudança que você deseja.

Contudo, se você realmente deseja uma mudança de vida, de realidade e até mesmo de personalidade, precisa colocar em prática a auto-observação para identificar o seu padrão de resistência e as crenças subjacentes e fazer a reprogramação necessária para sair do piloto automático e assumir o controle da sua vida.

A cocriação do seu sonho está além do que você considera ser o seu limite, por isso, a superação da resistência, em última instância, pressupõe a decisão firme de renúncia à aparente estabilidade da zona de conforto e a disposição para agir na transcendência do ego e na conexão com sua Centelha Divina.

As polaridades contrárias da resistência são a fé, a rendição e a permissão, sentimentos que possibilitam a abertura para as infinitas possibilidades e a confiança na Mente Superior. Acreditando, confiando e se rendendo ao Divino, você acessa o que Joe Dispenza denomina de Campo do Desconhecido, que corresponde às infinitas possibilidades do nosso conceito de Matriz Holográfica®. Em outras palavras, quando você libera a resistência, você acessa o infinito "catálogo" de possibilidades do Universo, abrindo caminhos para oportunidades nunca antes cogitadas pela sua modesta mente finita.

Dispenza explica que se você tem um sonho na sua mente e no seu coração, isso significa que esse sonho também existe no Campo do Desconhecido, e a única coisa que separa você da materialização desse desejo é a sua própria resistência. Entretanto, quando você eleva sua vibração para sair da resistência e acessar a permissão, automaticamente você entra em fase com a onda do seu sonho, colocando-se na posição de recebimento.

Em outras palavras, para realizar seus sonhos, tudo o que você precisa fazer é parar de ser um obstáculo no seu próprio caminho através de pensamentos, sentimentos, palavras e comportamentos contrários aos seus sonhos, ou seja, seu trabalho é elevar sua Frequência Vibracional® para permitir que o Universo lhe entregue o que você desejou!

ALGORITMO DA COCRIAÇÃO #290

Desejo de vingança

Jonah Hex, personagem principal do filme *Desejo de vingança*[19] afirmou com muita propriedade que "um homem com desejo de vingança em seu coração deve cavar duas covas: uma para o inimigo e outra para si". De fato,

---

[19] DESEJO de vingaça. Direção: Brian Trenchard-Smith. EUA: Voltage Pictures, 2013. DVD. (92 min).

o desejo de vingança é um sentimento extremamente nocivo e destrutivo que pode chegar ao cúmulo de ser a causa da morte de alguém.

Do ponto de vista racional, é até justificável que quem sofreu um prejuízo deseje se vingar de seu suposto agressor, contudo, do psicológico, o desejo de vingança é o sentimento que promove a perpetuação do sofrimento. Energeticamente, o desejo de vingança prende a pessoa ao passado e faz com ela desperdice sua preciosa energia vital ao direcionar seu foco e atenção para suas fantasias de vingança, em vez de canalizar essa energia para cocriação de uma nova realidade livre de sofrimento e repleta de alegria e amor.

Além disso, como você sabe, o outro não existe e, portanto, todo o mal que desejamos para alguém fica poluindo a vibração de nosso próprio campo eletromagnético. Como o desejo de vingança é fortemente associado aos sentimentos de raiva, ódio, mágoa, arrogância e vitimização, enquanto você estiver ocupado planejando sua vingança, infelizmente, não existe a menor possibilidade de cocriação de sonhos; o que existe como um risco iminente é, na verdade, a somatização desse coquetel de sentimentos negativos na forma de doenças físicas.

A superação do desejo de vingança pressupõe a aceitação do que aconteceu e a mudança de perspectiva pela qual você sai da posição de vítima, compreendendo que tudo o que lhe aconteceu foi sintonizado pela sua própria frequência e representa, em última instância, uma belíssima oportunidade de aprendizado, cura e evolução da consciência. Portanto, por mais desafiador que seja, em vez de desejar se vingar de quem lhe fez mal, você deve é agradecer pela oportunidade de acessar uma sombra sua e transcendê-la.

ALGORITMO DA COCRIAÇÃO #291

Arrogância

Na Escala das Emoções, a arrogância está em ressonância com a frequência do orgulho, que é de 175 Hz, ou seja, abaixo do nível crítico de 200 Hz e ainda mais longe da frequência da cocriação, que é o nível da aceitação, que vibra em 350 Hz.

Por definição, a arrogância é o sentimento que mascara baixa autoestima e falta de amor-próprio pela expressão de uma autoimagem de superioridade. A pessoa tende a se achar melhor que os outros em decorrência de alguma característica particular como beleza, riqueza, inteligência, fenótipo, nacionalidade, status social etc.

O ego da pessoa arrogante é extremamente individualista, egoísta, reativo, vulnerável a ameaças e objeções e insensível às necessidades dos outros. O arrogante geralmente é uma pessoa que trata mal as outras pessoas e acha que está sempre certo.

Por viver na perspectiva da dualidade e da separação, torna-se incapaz de acessar as frequências elevadas da abundância, alegria, paz e harmonia decorrentes da conexão com a Fonte e, por isso, mantém sua própria Frequência Vibracional® muito reduzida, totalmente incompatível com a cocriação consciente de sonhos.

Para quem identifica traços de arrogância em sua personalidade, as polaridades contrárias a serem buscadas e trabalhadas são a humildade, a compaixão, a generosidade, a benevolência, a empatia e, sobretudo, o amor.

ALGORITMO DA COCRIAÇÃO #292

Avareza

A avareza, que segundo a tradição católica é um dos sete pecados capitais, consiste no apego excessivo ao dinheiro e a bens materiais, acompanhado pela compulsão em adquirir mais e mais, de maneira irracional, custe o que custar, bem como em associação com o medo de perder o que se tem.

Em uma caricatura, o avarento é aquela pessoa que junta dinheiro embaixo do colchão com o único propósito de acumular. É aquela pessoa que morre de medo de perder esse dinheiro e, por isso, acaba morrendo, de fato, sem jamais aproveitá-lo!

Essa busca gananciosa pelo acúmulo de patrimônio e a tendência a deixá-lo parado, que muitas vezes tem suas raízes na baixa autoestima, tem a consequência de impedir o fluxo da riqueza e da prosperidade. Além disso, o avarento vive sob um constante sentimento de insatisfação, insaciedade, considerando que nunca tem o suficiente e, pior, que no Universo não existem recursos suficientes para todos.

Obviamente, a frequência da avareza é a escassez, a falta e a limitação. Já as polaridades contrárias a serem trabalhadas são a generosidade, a prosperidade e a abundância.

ALGORITMO DA COCRIAÇÃO #293

Baixa autoestima

A autoestima corresponde a sua opinião sobre si mesmo, e pode ser positiva ou negativa. Quando é negativa, falamos em baixa autoestima, sentimento que expressa pelos sentimentos de insatisfação, incapacidade e insegurança.

A baixa autoestima, característica que normalmente é desenvolvida a partir das experiências que a pessoa teve na infância, abrange um enorme espectro de comportamentos, podendo variar da máxima timidez, introspecção e melancolia à agressividade, arrogância, reatividade e violência.

Em suma, a pessoa que tem baixa autoestima está sempre se comparando aos outros, tendo percepções igualmente equivocadas de inferioridade ou superioridade, e não é capaz de enxergar quem de fato é: um ser divino, um cocriador de realidade.

Como a baixa autoestima está na ressonância das mais baixas frequências da Escala das Emoções como culpa, vergonha, apatia, tristeza e medo, não há qualquer possibilidade de cocriação enquanto a pessoa não trabalhar para reprogramar suas crenças sobre si mesma, mudando sua autoimagem. As polaridades contrárias que devem ser buscadas são a aceitação, o perdão, a coragem e, claro, o amor – sobretudo o amor-próprio.

ALGORITMO DA COCRIAÇÃO #294

Ciúme

Provavelmente o ciúme é um dos sentimentos mais tóxicos, nocivos, perigosos e devastadores. Em seus níveis mais intensos, pode levar à loucura, à violência, ao suicídio ou ao assassinato. Nos casos em que o ciúme se apresenta em níveis patológicos, nem se deve cogitar alguma preocupação com cocriação, mas procurar tratamento psicológico ou psiquiátrico o mais rápido possível.

Mesmo quando se apresenta em níveis moderados ou leves, ainda assim o ciúme é um problema que merece atenção. O ciúme compromete gravemente o poder de cocriador, posto que na vibração desse sentimento caótico, a pessoa não consegue focar nos seus objetivos e acaba direcionando toda a sua atenção e energia para tentar prever e controlar o comportamento de outra pessoa.

Ao sentir ciúme, a pessoa é capaz de ficar imaginando os piores cenários possíveis envolvendo traições que podem acontecer a qualquer momento, quando menos se espera. Isso, naturalmente, faz a pessoa vibrar no medo, o nível de apenas 100 Hz na Escala das Emoções, e o medo intenso de sofrer uma traição, mais cedo ou mais tarde, acaba cocriando a situação correspondente.

Mobilizando a energia de seus pensamentos, sentimentos e imaginação para cocriar a traição que tanto teme, acaba não sobrando energia para cocriar os próprios sonhos, e a pessoa fica estagnada nas frequências inferiores do medo, culpa, vergonha, raiva e desejo. Para desprogramar o ciúme, o caminho é trabalhar na aceitação, no amor-próprio e na alegria.

ALGORITMO DA COCRIAÇÃO #295

Comodismo

O comodismo é característica que marca a personalidade de quem é excessivamente apegado a rotinas, à estabilidade, às situações familiares com as quais já está acostumado, mesmo quando estas são medíocres ou até mesmo ruins. A pessoa acomodada até pode, de relance, desejar algum tipo de mudança e crescimento, mas acaba sempre optando por deixar as coisas como estão, seja por preguiça ou por medo de se arriscar.

A questão é que a essência do Universo é a mudança, é o movimento constante, é a ação, ou seja, no Universo não existe o conceito de estabilidade – ou você cresce e expande ou você atrofia e degenera, não existe o "ficar parado". Quem se acomoda e não busca evoluir coloca-se em uma situação de desarmonia com a natureza dinâmica do Universo, deixando seu fluxo energético perigosamente estagnado.

Quando não há movimento em direção à expansão, inicia-se um processo de entropia energética, psíquica e física, que reduz a Frequência Vibracional® de modo que não só inibe a cocriação de sonhos, como também sintoniza problemas para que a pessoa seja empurrada a decidir agir e se movimentar, como o aparecimento de doenças, acidentes, divórcios, demissões e outras formas de perdas.

Entenda que você está aqui para aprender, crescer e evoluir em harmonia com o Universo, portanto, escolha sair do comodismo em vez de ficar esperando que a vida lhe empurre ou sacuda violentamente. Movimente-se para elevar a sua consciência e para realizar os seus sonhos!

ALGORITMO DA COCRIAÇÃO #296

Controle

A necessidade de estar no controle de tudo o que acontece é uma expressão ostensiva do ego para garantir a sobrevivência. Normalmente, a tendência ao controle se manifesta de maneira mais exacerbada em pessoas que passaram por situações muito desafiadoras na infância, como abuso, abandono ou outra situação em que se sentiram perdidas, sem saber o que fazer. Mas o controle também pode ser decorrente de um traço natural de personalidade ou pelo fato de a pessoa ter sido muito estimulada intelectualmente no sentido de sempre ponderar, avaliar e calcular suas atitudes.

Independentemente da origem, o controle é muitíssimo prejudicial ao processo de cocriação da realidade porque impede que você se renda e confie que existem infinitas possibilidades para solucionar seus problemas e realizar os seus objetivos, deixando-o preso ao esforço físico e mental de tentar prever todos os acontecimentos, calcular as melhores estratégias para agir sob os menores riscos.

É simplesmente cansativo e frustrante estar no controle o tempo inteiro. Sabe por quê? Porque muitas situações não são passíveis de controle, sobretudo as que envolvem expectativas sobre o comportamento de terceiros. Nesses casos, o controle só gera sentimentos de vitimização, insegurança, incapacidade, ansiedade e até mesmo desespero, ingredientes fundamentais do Efeito Zenão que paralisa a cocriação de sonhos.

ALGORITMO DA COCRIAÇÃO #297

Paciência

Falta de evidência não é evidência da falta. Esse trocadilho apresenta um algoritmo importantíssimo que é a compreensão do fato de que você não ver evidências ou sinais de que seu sonho está prestes a se manifestar não significa que o movimento energético não está acontecendo.

Muitas vezes, quando você está no processo de cocriação do seu sonho, mas ainda não é capaz de ver nem um sinal físico de que ele está a caminho, surgem dúvidas como: *Será que estou fazendo tudo errado? Como eu sei que vai acontecer? Onde está meu sonho? Por que essas técnicas não estão funcionando?*

Na cocriação de sonhos, paciência e fé são ingredientes essenciais que permitem o soltar. Além disso, quando você direciona seu foco para a falta de evidências de que seu sonho já é seu e em breve vai se manifestar na matéria, você se alinha com a vibração da escassez e o resultado disso não é nada bom, como você sabe.

A jornada da cocriação precisa ser divertida e é preciso a compreensão de que todos os sonhos têm um período de gestação, o qual não pode ser mensurado previamente em dias, semanas, meses ou anos. Você simplesmente precisa acreditar naquilo que, embora ainda não possa ser visto como os olhos físicos, vibra intensamente dentro de você.

O Universo sempre está em movimento; as Leis nunca cessam sua operação. Sua dedicação está funcionando – Acredite!

ALGORITMO DA COCRIAÇÃO #298

Ego Espiritual

"Ego Espiritual" é uma expressão que eu ouvi assistindo a uma aula de Eckhart Tolle que, como sempre, muito brincalhão, usou essa expressão para se referir àquelas pessoas que disfarçam sua arrogância, falta de empatia, vaidade e intolerância tentando passar uma imagem de espiritualmente evoluídas, em um nível de consciência superior ao das pessoas que lhe rodeiam.

A pessoa que tem um "Ego Espiritual" tem a percepção de que, por estar na busca espiritual há bastante tempo, por já ter passado por muitas vivências, formações, rituais, iniciações, treinamentos etc., encontra-se quase em estado de iluminação e, embora não demonstre de maneira explícita, acredita ser espiritualmente melhor que os outros.

Quem tem um "Ego Espiritual" se considera um "sem ego", uma pessoa que transcendeu as limitações e necessidades do ego e, por isso mesmo, acha-se na posição de apontar as manifestações do ego das outras pessoas. Trata-se de uma questão muito sutil, mas que merece sua atenção.

Se você tiver pelo menos uma vaga sensação de que só porque está aqui, lendo este livro que contém ensinamentos tão profundos sobre os segredos do Universo, é superior a quem, neste momento, está lendo uma revista de fofocas ou de pornografia, é porque você tem uma tendência a ter um "Ego Espiritual"!

Então, é preciso, antes de mais nada, compreender que a expansão da sua consciência e a elevação da sua Frequência Vibracional® não são motivos de obtenção de honras e reconhecimentos ou do direito de julgar os outros, mas são fins em si mesmo, o propósito último da sua existência.

O "Ego Espiritual" tem uma frequência que ressoa com a vibração do orgulho, calibrada em 175 Hz na Escala das Emoções e, portanto, é uma frequência incompatível com a cocriação de sonhos.

ALGORITMO DA COCRIAÇÃO #299

Egoísmo

O egoísmo é o sentimento e comportamento negativo complementar da avareza explicada anteriormente – enquanto a avareza é a ganância do ter e do acumular, o egoísmo consiste na dificuldade ou mesmo incapacidade de compartilhar o que se tem. A pessoa egoísta é aquela incapaz de abrir mão ou ceder algo que lhe pertence com o objetivo de ser solidário e ajudar alguém, retendo suas posses, mesmo quando não for fazer falta.

O egoísmo se expande para além da questão financeira e material, podendo ser expresso também nos relacionamentos e em várias outras situações da vida em que o egoísta não consegue levar em consideração os sentimentos dos outros, pautando seu comportamento de modo a colocar seus próprios interesses sempre em primeiro lugar, mesmo que isso possa magoar ou prejudicar alguém.

Claro, o egoísta vibra na escassez e não acessa o fluxo da abundância do Universo por não compreender a Lei que determina que para receber, é preciso oferecer, vive desatento ao fato de que a autorização energética para prosperar e realizar sonhos está diretamente relacionada com sua boa vontade e intenção de retribuir ao Universo as bênçãos que recebe ajudando o próximo. Como na avareza, as polaridades contrárias a serem programadas são a generosidade, a prosperidade e a abundância.

ALGORITMO DA COCRIAÇÃO #300

Falta de Fé

Neville Goddard afirmou que "sua fé é sua fortuna" na intenção de evidenciar que todo o processo de cocriação da realidade tem como pressuposto básico a crença absoluta de que o Criador existe, está em você e age através de você. Afinal, é até uma questão de lógica: você só tem o título e o poder de cocriador porque o Criador existe, caso contrário, com quem mais você poderia cocriar?

Quando há falta de fé, a pessoa simplesmente é incapaz de reconhecer sua conexão com o Divino e, por acreditar que está sozinha, acaba deslizando com facilidade para a vibração da vitimização, da escassez, do medo, da dúvida e da insegurança.

Conforme o professor Hélio Couto ensina, você sintoniza a realidade desejada através da sua consciência de observador, mas quem, em última instância, colapsa a Função de Onda é o Todo, ou seja, sem fé no Criador, não tem colapso da Função de Onda e não tem sonho materializado.

O verdadeiro sentimento de fé é aquele que lhe permite acreditar na existência de uma realidade que ainda não pode ser percebida com os sentidos, isso é, ter a certeza de que seu sonho já existe enquanto uma Função de Onda que pode ser colapsada pelo seu olhar de observador.

ALGORITMO DA COCRIAÇÃO #301

Fofoca

Formalmente chamada de maledicência, a popular fofoca consiste no hábito nocivo de acessar, discutir e repassar informações e acontecimentos negativos sobre a vida dos outros, emitindo críticas e julgamentos, expondo sem necessidade a intimidade de terceiros.

Embora pareça inofensiva e até divertida, a fofoca é um comportamento de baixíssima vibração com alto potencial para gerar conflitos, mágoas, ódio, desejo de vingança e intolerância. A fofoca movimenta uma energia de baixíssima vibração, alinhada com as frequências inferiores da vergonha, raiva, inveja, julgamento e orgulho.

O consumo e divulgação de fofoca reduz sua Frequência Vibracional® e drena a sua energia vital, a qual poderia ser canalizada para a cocriação dos seus sonhos. A fofoca faz com você perca o foco, tirando a atenção de você mesmo e da realização dos seus objetivos para direcioná-la à vida do outro.

Além disso, como "o outro não existe", todas as vezes que você se dedica a falar mal dos outros, expondo suas intimidades e submetendo-os a constrangimentos, o Universo vai "entender" que você ama julgamentos, que você ama se sentir exposto e constrangido, de modo que você acabará por sintonizar situações em também ser alvo de fofocas.

Apesar de ser um comportamento que se acentuou enormemente em tempos de redes sociais e notícias que "viralizam", a fofoca está presente no comportamento humano desde os mais remotos tempos. O filósofo grego Sócrates, atento a esse vício moral, formulou uma metodologia de manuseio de informação que ficou conhecida como o "Triplo Filtro de Sócrates",[20] e que prega que, todas as vezes em que tivermos acesso a alguma informação e cogitarmos passá-la para frente, devemos avaliar a conveniência através dos filtros da verdade, da utilidade e da bondade.

---

[20] OMELLA, D. J. J. O triplo filtro de Sócrates. **Secretariado Nacional da Pastoral da Cultura**, fev. 2016. Disponível em: https://www.snpcultura.org/o_triplo_filtro_de_socrates.html. Acesso em: 14 ago. 2022.

ALGORITMO DA COCRIAÇÃO #302

Guardar Mágoas

Guardar mágoas é um dos piores venenos que aniquilam a cocriação de qualquer sonho; guardar mágoas é a "vitamina" que nutre o sentimento de vitimização na ressonância das frequências inferiores da tristeza, da raiva e do orgulho. As mágoas que você guarda de quem supostamente lhe fez mal, prejudicou, enganou ou ofendeu impedem que você entenda que é 100% responsável por tudo o que lhe acontece e, consequentemente, impedem que você assuma o comando para determinar o futuro que deseja vivenciar.

A pessoa que guarda mágoas sustenta uma conexão energética com o seu passado, mas a cocriação de sonhos pressupõe a conexão como o momento presente, como foi ensinado no Algoritmo da Cocriação #17 – Conexão presente. Portanto, se seu foco está em ruminar as mágoas sobre o que aconteceu, você não acessa a energia do agora para cocriar um novo futuro; se sua atenção está no passado, você só cocria uma repetição de eventos negativos confirmadores da sua percepção de vítima indefesa.

Além disso, guardar mágoas mantém seu campo eletromagnético energeticamente conectado no Emaranhamento Quântico com o campo eletromagnético do seu suposto algoz, o que consome e drena sua energia vital de maneira que não sobra nada ou quase nada de energia para ser canalizada para a cocriação dos seus sonhos ou mesmo para a manutenção da sua própria saúde.

Livrar-se das mágoas pressupõe, naturalmente, a completa aceitação do que aconteceu, e o perdão, o cultivo da percepção de autorresponsabilidade, a renúncia à posição de vítima e a transmutação do sofrimento em sabedoria e gratidão pela oportunidade de cura, aprendizado e crescimento.

ALGORITMO DA COCRIAÇÃO #303

Insegurança

A insegurança vibra da frequência do medo, calibrada em apenas 100 Hz na Escala das Emoções, e é um dos principais sentimentos sabotares da cocriação de sonhos, pois ela compromete suas crenças a respeito da sua própria capacidade, impede que você perceba a realidade com lucidez e mina sua fé no Criador.

Esse sentimento devastador compromete até mesmo sua dedicação em praticar técnicas de alinhamento vibracional e cocriação da realidade, como as visualizações uma vez que, quando você entra em contato com seus sonhos, ainda que somente através da sua imaginação, a insegurança se apresenta na forma de questionamentos sobre sua capacidade de agir para realizá-los.

Eventualmente, sentimentos e pensamentos de insegurança vão surgir – até mesmo quando você for um cocriador experiente – , de modo que a questão não se trata de evitar, mas de aprender a lidar com a insegurança para que ela não turve sua visão da realidade, não comprometa seu poder de decisão e não paralise suas ações.

Diante da insegurança, da dúvida sobre como agir, o que escolher ou que caminho seguir, é importante que você se dedique ao silêncio para acessar a orientação da sua intuição, da voz da sua Centelha Divina para potencializar sua confiança em si mesmo e na perfeição harmônica e amorosa do Universo.

ALGORITMO DA COCRIAÇÃO #304

Inveja

Antes de entender o que é a inveja, vamos entender o que ela não é. Existe uma má compreensão a respeito da essência desse sentimento negativo, pois comumente falamos da inveja usando eufemismos como "inveja branca" ou "invejinha do bem" em referência ao nosso desejo de ter algo que pertence a outra pessoa.

Quando admiramos alguma característica positiva de outra pessoa e desejamos ser como ela, ou quando apreciamos as posses dos outros e desejamos ter algo semelhante, esse sentimento não é, tecnicamente, inveja, e sim admiração e inspiração, que são sentimentos muito positivos que despertam a motivação de se dedicar para ser, ter e fazer algo que apreciamos. Desejar ter o que alguém tem e agir para conseguir ter algo semelhante é, inclusive, muito saudável.

A verdadeira inveja, nos termos em que foi brilhantemente descrita pela psicanalista austríaca Melanie Klein (1882-1960) no livro *Inveja e gratidão e outros trabalhos*, é um sentimento oposto à apreciação, que faz com que você, em vez de se sentir inspirado diante dos bens e conquistas das outras pessoas, se sinta, na verdade, ressentido ou, até mesmo, com raiva ou ódio porque a pessoa tem e você não tem, despertando o julgamento e o desejo secreto de que a pessoa perca o que tem ou sofra algum outro prejuízo.

Nesse caso, a inveja é absolutamente devastadora, um sentimento de insatisfação diante da felicidade e sucesso alheios que consome sua energia e sua própria alma, determinando uma profunda expressão de escassez, raiva, baixa autoestima, incapacidade e vitimização. Em última instância, o invejoso se sente revoltado consigo, com a realidade e com o próprio Criador; sente-se injustiçado e irado por se achar menos abençoado e menos abundante que as outras pessoas.

A inveja faz com você mantenha seu foco na abundância do outro e na sua escassez, em combinação com vários outros sentimentos inferiores e limitantes que impedem a elevação da sua Frequência Vibracional®, sustentando uma realidade de escassez e, logicamente, inibindo qualquer pretensão de cocriar um sonho.

ALGORITMO DA COCRIAÇÃO #305

Justificação

A justificação, como sempre falo nas aulas e lives, são as "historinhas para boi dormir" que você conta para explicar sua situação de escassez. Apesar do tom de brincadeira, o assunto é muito sério: as justificações são as desculpas que você dá para si mesmo e para os outros para não mudar, não agir, não ser feliz e para se manter na sua zona de conforto.

E cada vez mais as justificações se tornam elaboradas, requintadas e logicamente fundamentadas a ponto de você de fato se convencer de que não pode, não consegue, não está pronto, não tem os recursos suficientes ou não está no momento certo para ser feliz e realizar seus sonhos.

Preste atenção: todas as vezes em que afirma um desejo, uma vontade ou uma intenção e continua a frase usando a conjunção "mas", você está apresentando uma justificativa, uma belíssima desculpa que, em última instância, evidencia a força das suas crenças limitantes em ação.

Veja alguns exemplos:

- Meu sonho é ser rico, *mas* eu não tenho muito estudo;
- Eu quero cocriar minha alma gêmea, *mas* hoje em dia ninguém quer ter um relacionamento sério;
- Eu adoraria emagrecer, *mas* não tenho dinheiro para pagar a academia;
- Eu quero ter um canal de sucesso no YouTube, *mas* não tenho recursos nem conhecimentos tecnológicos para produzir vídeos de qualidade;
- Eu tento manter minha Frequência Vibracional® elevada, *mas* meus filhos me deixam louca.

Tudo o que vem depois do "mas" é você vitimizando e expressando sua escassez e seu fracasso de maneira inteligentemente elaborada. O fato é que se você vive em um Universo de infinitas possibilidades no qual pode ser, ter e fazer tudo o que desejar, as justificativas se apresentam como uma negação do próprio fluxo da abundância e movimento constante, bem como uma negação do seu poder de observador quântico para moldar a realidade.

Para desprogramar o hábito da justificação, a polaridade contrária a ser trabalhada é a disposição, que vibra em 310 Hz na Escala das Emoções, muito próxima da frequência básica da cocriação, que é a aceitação (350 Hz). A disposição é o nível de consciência da boa vontade, em que a pessoa se sente motivada a sair da zona de conforto para experimentar novas possibilidades, apesar das eventuais adversidades e objeções, começando a trilhar o caminho da realização de seus sonhos.

ALGORITMO DA COCRIAÇÃO #306

Falta de amor-próprio

Segundo Louise Hay, a falta de amor-próprio é a causa de todos os males e de todas as formas de escassez, especialmente das doenças, da solidão e da pobreza. A autora, que se curou de um câncer terminal quando descobriu que o amor-próprio é o segredo da felicidade e do sucesso em todas as áreas da vida, escreveu inúmeros livros sobre o assunto, cuja leitura eu recomendo.

O problema da falta de amor-próprio é que ele inibe completamente o sentimento de merecimento, o que impede qualquer pretensão de cocriação de sonhos. A explicação é elementar: se o Criador está em você, quando você não se ama, indiretamente, também não ama o Criador e, sem essa conexão com Ele, é impossível ser um cocriador.

É assim que, para muitas pessoas, o processo de cocriação parece não funcionar, ou funcionar "ao contrário", pois quando a pessoa não se ama em primeiro lugar, ela não consegue se reconhecer como filha e herdeira do Criador, de modo que resta impossível o alinhamento entre sua mente individual e a Mente Cósmica.

ALGORITMO DA COCRIAÇÃO #307

Malícia

A malícia é a polaridade contrária da benevolência, que foi explicada no Algoritmo da Cocriação #175. Enquanto a benevolência consiste no cultivo de bons pensamentos a respeito dos outros, a malícia corresponde ao hábito de sempre pensar mal, julgando que todos agem com dissimulação, astúcia e segundas intenções.

Em geral, a malícia é desenvolvida na infância e na adolescência como um mecanismo de sobrevivência social. É até comum ouvirmos as pessoas falarem que os próprios filhos "ainda não têm malícia", no sentido de que são ingênuos, socialmente vulneráveis e não sabem se defender.

Por um lado, é importante saber que as pessoas nem sempre vão se comportar conforme nossos pensamentos benevolentes, mas, por outro, também não podemos entrar na vibração da malícia e ficar na expectativa de que as pessoas sempre nos ofereçam o seu pior, o que provoca o colapso da Função de Onda de circunstâncias confirmadoras daquilo que foi maliciosamente previsto, como traições, desonestidades e falsidades. Em outras palavras, você cocria as situações que sua malícia previu e ainda vai se achar muito esperto por isso.

É um grande desperdício direcionar sua energia e atenção para especular a respeito de todas as maneiras pelas quais você pode ser passado para trás a qualquer momento por quem menos espera. Isso faz com que você entre na ressonância do medo, da raiva e da vitimização, esquecendo que seus pensamentos e sentimentos determinam sua realidade.

Além da benevolência, as polaridades contrárias à malícia que devem ser buscadas são a generosidade, a bondade, a harmonia, a abundância e, sobretudo, logicamente, o amor.

ALGORITMO DA COCRIAÇÃO #308

Mau humor

O mau humor é aquela característica de personalidade que se expressa por uma constante insatisfação, pela percepção de que nada nem ninguém é bom ou belo o suficiente. A pessoa mal-humorada é aquela que não consegue se divertir, que não se alegra com nada e que encontra motivos em tudo para se irritar, se queixar e reclamar.

A vibração do mau humor cria uma blindagem contra a alegria, tornando a pessoa incapaz de reagir até mesmo às melhores circunstâncias externas que se apresentem; o mau humor faz com que a pessoa coloque defeito em tudo, que sempre veja o copo meio vazio, em vez de meio cheio.

É natural que, sob as lentes e filtro do mau humor, torna-se impossível a percepção e conexão com toda a beleza, perfeição, harmonia e abundância do Universo, bem como também é impossível expressar gratidão, alegria, entusiasmo ou apreciação, o que reduz muitíssimo a

Frequência Vibracional® a um nível absolutamente incompatível com a cocriação de sonhos.

A cocriação da realidade pressupõe uma frequência mínima de 350 Hz, que é o nível de consciência da aceitação na Tabela de Hawkins, mas para atingir seu máximo potencial, a frequência ideal é a da alegria, calibrada em 540 Hz.

ALGORITMO DA COCRIAÇÃO #309

Mesquinhez

A mesquinhez é um sentimento e comportamento da mesma "família" da avareza e do egoísmo, sentimentos que formam um trio que normalmente anda junto. A diferença entre os três é sutil, uma questão interna, mas podemos definir a mesquinhez como uma intensa dificuldade de gastar, usar e usufruir do que se possui. O mesquinho tem a crença de que seus recursos vão acabar e, por isso, vive em uma percepção inconsciente de escassez, alheio à abundância que caracteriza a natureza do Universo e sua própria natureza.

A pessoa mesquinha é aquela que, por exemplo, compra um perfume e tem pena de usar, compra um pote de sorvete e tem pena de comer e é até mesmo capaz de esconder das crianças; é aquela pessoa que faz questão de receber um troco de centavos, que se sente mal ao emprestar ou doar alguma coisa, que sempre compra tudo da marca mais barata, que se orgulha de ser uma pessoa "econômica" e que, em geral, não consegue desfrutar do que tem.

A mesquinhez vibra na frequência da escassez, do medo e da separação em relação às infinitas riquezas e potenciais do Universo, isto é, a mesquinhez tira a pessoa do fluxo natural da abundância. Sentimentos, pensamentos e comportamentos de mesquinhez não só impedem a cocriação de qualquer forma de prosperidade, como colocam a pessoa no risco de descolapsar a prosperidade que já tem.

Para desprogramar a mesquinhez, é preciso auto-observação e ação para inibir comportamentos mesquinhos por comportamentos de abundância, ainda que no início seja desafiador. Naturalmente, as polaridades contrárias da mesquinhez são a generosidade, a alegria, a diversão, a prosperidade e a gratidão.

ALGORITMO DA COCRIAÇÃO #310

Visão da escassez

A visão da escassez é um terrível vício mental que faz com que a pessoa só perceba o que está faltando, mesmo diante das mais magníficas expressões de abundância. É um vírus que se instala na programação da sua mente e roda de maneira totalmente automática, sem que você se dê conta, fazendo com você sempre veja "o copo meio vazio".

Uma pessoa "contaminada" pela percepção de escassez diante, por exemplo, de uma mesa com um banquete cinematográfico com infinitas variedades de pratos requintados, vai comentar coisas como "nossa, tá faltando uma colherzinha de chá aqui do lado", ou assistir a um vídeo sobre a mansão mais luxuosa e cara do mundo, e comentar coisas como "nossa, achei que faltou uns puxadores de gaveta mais elegantes".

A percepção da escassez também faz com que a pessoa manifeste um certo incômodo ou desdém em relação à abundância, apresentando objeções e críticas. No caso do banquete, pode ser algum comentário como "sinceramente, prefiro meu miojo" ou, no caso da mansão, "este lustre de cristal enorme deve juntar muita poeira e dar trabalho para limpar".

Esta percepção de escassez não ocorre somente em termos de bens materiais, mas também na busca automática pelo que está faltando no corpo perfeito da colega da academia, pelo que está faltando em um casal apaixonado e até mesmo na pureza de um bebê sorridente.

A visão da escassez, da falta, do defeito e dos aspectos negativos, obviamente, é muito tóxica para sua Frequência Vibracional® e inibe a cocriação de qualquer discreta expressão de abundância. Contudo, apesar de um mecanismo inconsciente, a percepção de escassez pode ser reprogramada com muita dedicação através da auto-observação.

Quando você fica atento aos pensamentos que circulam na sua mente e às palavras que saem da sua boca, você consegue trazer a percepção da escassez à luz da consciência. Inicialmente, a melhor atitude é ser capaz de rir de si mesmo – o ego detesta ser ridicularizado! – e em seguida substituir os pensamentos, corrigir os comentários feitos e modificar os comportamentos.

ALGORITMO DA COCRIAÇÃO #311

Preguiça

A preguiça pode se apresentar de maneira patológica, como um sintoma de depressão, mas também pode ser apenas um traço de personalidade adquirido em decorrência de crenças limitantes. Claro, também é normal ter uma "preguicinha" leve de vez em quando, como em uma manhã de domingo, mas quando a preguiça é crônica, a pessoa entra em um estado de ser que se caracteriza por uma enorme indisposição para agir, ainda que seja algo do seu interesse.

Na preguiça crônica, a pessoa não tem ânimo para nada – não quer saber de estudar, trabalhar e até mesmo de namorar ou se divertir; na preguiça, a pessoa até pode ter um leve interesse em crescer, aprender, evoluir, mas não tem energia para agir e, em casos mais graves, não há energia nem mesmo para sobreviver.

A preguiça se alinha com a vibração da apatia, que calibra apenas 50 Hz na Escala das Emoções e, comumente, é acompanhada de outros sentimentos de baixa vibração como melancolia, tristeza e comodismo. No tocante à cocriação, a preguiça é duplamente nociva, pois ela tanto sustenta a pessoa nas frequências inferiores como não permite que tenha coragem de mudar.

Basicamente, o antídoto para a preguiça é a decisão acompanhada de ação. Transcender a preguiça é transcender a si mesmo, sendo capaz de renunciar aos convites do ego para se manter na zona de conforto e assumir o comando do próprio destino.

ALGORITMO DA COCRIAÇÃO #312

Procrastinação

Sabe aquele ditado popular que diz "não deixe para amanhã o que você pode fazer hoje"? Pois bem, a procrastinação corresponde à ideia contrária – deixar para amanhã o que você pode fazer hoje. Basicamente, na vida em geral, a procrastinação consiste no hábito, ou melhor, no vício, de adiar, de deixar tudo para depois.

Na cocriação da realidade, a procrastinação normalmente é uma forma de resistência às mudanças, uma resistência inconsciente em deixar a zona de conforto para fazer o que tem de ser feito para realizar o seu sonho.

A procrastinação se evidencia com as justificativas muito plausíveis que você dá a si mesmo para não começar a agir para cocriar o seu sonho imediatamente, deixando para depois, para o famoso "momento certo", que na verdade é o momento errado, uma vez que o único momento certo é o agora.

É a procrastinação que faz com que você deixe para começar sua dieta na próxima segunda-feira, deixe para meditar amanhã, deixe para ler um livro mais tarde e, assim, você vai adiando também a realização dos seus sonhos, permanecendo em uma vibração de inércia perigosamente perto da frequência da apatia, que é uma das mais baixas da Escala das Emoções.

De acordo com Napoleon Hill, o antídoto para a procrastinação, isto é, sua polaridade contrária, é a decisão firme e inabalável para ignorar as conversas e desculpas internas sabotadoras e agir para conquistar o sucesso desejado hoje, ou seja, transcender a procrastinação significa uma vitória da sua consciência sobre seu ego.

ALGORITMO DA COCRIAÇÃO #313

Promiscuidade

Como eu expliquei no início do livro, no Algoritmo da Cocriação #12 – Libido, a energia sexual é uma energia poderosíssima, pois é a energia da vida, da criação física de um novo ser e da criação mental de um sonho. Quando você se comporta com promiscuidade, você entra em desalinhamento com essa energia e prejudica gravemente não só a cocriação dos seus sonhos, mas também a expansão da sua consciência para o aprimoramento moral do seu espírito.

Claro, sexo é bom e é saudável; e devemos ser muito gratos por morar em um país onde, apesar de alguns tabus e preconceitos, temos um alto grau de liberdade sexual, pelo menos em comparação com alguns outros países e culturas onde existe uma repressão ostensiva. Contudo, a liberdade sexual demanda disciplina sexual, pelo menos no tocante à cocriação da realidade.

Comportamentos de promiscuidade, como o hábito de ter relações sexuais com parceiros desconhecidos, consumo de pornografia, prostituição, sexo grupal etc., são comportamentos que consomem sua energia vital e debilitam seu campo eletromagnético, o qual retém as informações dos campos dos parceiros, atrapalhando sua própria harmonia.

Em outras palavras, a promiscuidade causa um duplo prejuízo: você não só desperdiça sua própria energia, que poderia ser canalizada para a cocriação dos seus sonhos, como também contamina e confunde a energia que ficou com as frequências negativas adquiridas no intercâmbio energético das relações sexuais.

Além disso, a promiscuidade se alinha com a vibração do desejo, que calibra em apenas 125 Hz na Escala das Emoções, sendo, portanto, uma frequência muito aquém da aceitação (350 Hz) e até mesmo do nível crítico de 200 Hz, a coragem.

A desprogramação da promiscuidade, em última instância, consiste na determinação de superar a bestialidade do ego para acessar a genialidade da Centelha Divina. Você faz isso trabalhando a aceitação, o autoperdão, o amor-próprio e a autoestima.

ALGORITMO DA COCRIAÇÃO #314

Rancor

O rancor é um sentimento que combina frustração, decepção, nojo e raiva. Normalmente, ele é decorrente de alguma experiência vivida na qual a pessoa se sentiu ofendida, prejudicada ou injustiçada, ou melhor, se sentiu vítima do comportamento de outra.

O rancor é um sentimento autodestrutivo, denso e pesado que aprisiona a pessoa no passado, causando sofrimento e amargura, impedindo a pessoa de dar prosseguimento em sua vida. Guardar rancor é como guardar um potinho de veneno em seu coração, esperando pela oportunidade de envenenar quem lhe ofendeu, mas sem perceber que está se envenenando.

Guardar rancor faz parte da natureza humana, afinal todos nós temos um ego vulnerável a ataques e contrariedades. Uma das formas mais comuns de guardar rancor é pelo fim de um relacionamento amoroso que foi marcado por alguma situação de traição ou rejeição, é o famoso "rancor do ex", sentimento devastador com o qual eu mesma passei muito tempo me envenenando sem ter consciência.

Também é muito comum as pessoas guardarem rancor dos próprios pais, irmãos ou outros familiares próximos. Quanto mais íntimo tiver sido o relacionamento, maior é a percepção de decepção, traição, rejeição ou abandono, e mais intensamente o rancor é vivenciado.

O rancor é muito nocivo porque tem uma tendência a se tornar crônico, o que, a longo prazo, gera tristeza e angústia, atrapalhando todas as esferas da vida, comprometendo o humor, a capacidade de confiar nos outros e distorcendo a percepção da realidade. O rancor crônico contamina mente, corpo e espírito, enfraquecendo toda a estrutura do ser.

Além disso, obviamente, o rancor sustenta a pessoa em níveis de consciência inferiores, anulando o poder de cocriar uma nova realidade em decorrência da extrema vitimização e amargura do ser. A desprogramação do rancor pressupõe a aceitação do que aconteceu, a consciência da autorresponsabilidade, a libertação de si e do outro pelo perdão e, sobretudo, pressupõe amor e alegria.

ALGORITMO DA COCRIAÇÃO #315

Esforço

O esforço permeia muitas crenças limitantes, sobretudo aquelas que geram percepções de que "a vida é uma batalha diária", de que "é preciso lutar muito para sobreviver" ou de que "grandes conquistas só ocorrem mediante a grandes esforços".

Na percepção do esforço, como Joe Dispenza ensina, a pessoa ignora a realidade quântica na qual é possível mobilizar a matéria com a consciência, ficando presa na compreensão limitada de causa e efeito sob as leis da Física Clássica, sendo "matéria tentando mudar matéria".

No mesmo sentido, a tese central de David Hawkins em *Poder versus força* aponta que a pessoa que está agindo no esforço, não acessa os campos atratores de poder que vibram nas frequências superiores da Escala das Emoções e permitem a elevação do nível de consciência.

Deepak Chopra, em seu livro *As sete leis espirituais do sucesso*, evidencia a Lei do Menor Esforço e preconiza que, quando tentamos controlar ou lutar contra a realidade, entramos em um estado de não aceitação e vitimização diante da frustração do esforço que não gera resultados.

Quando suas ações são motivadas pelo esforço, ocorre um grande desperdício de energia vital, mas quando são motivadas pela harmonia e pelo amor, sua energia é potencializada e pode ser canalizada para a cocriação da realidade que você mais deseja.

O fato é que tudo na Natureza flui espontânea e ordenadamente, sem esforço, mas com sabedoria, harmonia e graciosidade. Quando somos capazes de incorporar essa lição e acessamos um estado de conexão com a Fonte, tudo flui com facilidade, abrindo o caminho para a ocorrência de eventos surpreendentes, popularmente chamados de milagres.

Ressalto, contudo, que as polaridades contrárias do esforço não são a estagnação, a preguiça ou a procrastinação, e sim a harmonia, o amor e o próprio Poder do Criador. Quer dizer, seu sonho não se realizará gratuitamente, mas o preço a pagar não é o esforço, mas a ressonância com o próprio fluxo inteligente do Universo e agir para fazer a sua parte.

ALGORITMO DA COCRIAÇÃO #316

Ressentimento

Ressentir, como a estrutura da palavra sugere ("re-sentir"), significa sentir novamente, ou seja, remoer e reviver um sentimento que foi sentido no passado de maneira contínua e permanente, como um hamster que corre exaustivamente na sua roda de exercício, sem chegar a lugar nenhum.

O ressentimento é uma atividade mental e emocional que deriva do rancor (Algoritmo da Cocriação #314) e se relaciona com alguma situação vivida que foi interpretada como uma ofensa. O ressentimento se alinha com as frequências da reclamação e da vitimização, o que mantém a pessoa em um estado crônico de tristeza, desgosto e pesar, em uma espécie de luto eterno por si mesmo.

A pessoa ressentida não consegue perceber sua parcela de responsabilidade pelo que aconteceu, acreditando sinceramente ser uma pobre vítima, o que desencadeia sentimentos de vingança, arrogância, ódio, tristeza, depressão e angústia.

Além das questões vibracionais que comprometem diretamente a cocriação consciente da realidade, o ressentimento, como todo sentimento negativo intenso e crônico, afeta a saúde do corpo físico, debilitando sobretudo o funcionamento do coração, do sistema imunológico e dos níveis hormonais.

O ressentimento, por sustentar a pessoa nos acontecimentos do passado, impede a conexão com o momento presente e impossibilita o vislumbre de uma realidade futura que seja feliz e próspera. O antídoto para o ressentimento é, novamente, a aceitação e o perdão, níveis de consciência que você já deve ter percebido que atuam como um tratamento genérico para todos os males.

ALGORITMO DA COCRIAÇÃO #317

Metas e prazos incertos

Estabelecer metas e definir prazos para cumpri-las é uma etapa do processo de cocriação tão essencial quando a busca pelo alinhamento vibracional, a elevação da frequência e a prática de técnicas, uma vez que a cocriação da realidade pressupõe tanto o seu movimento energético como o seu movimento físico.

Quer dizer, para que a Matriz Holográfica® responda às intenções da sua consciência, é preciso que você ofereça as condições físicas para que a energia que você mobiliza através da sua consciência se converta em matéria. Em outras palavras, você não pode ficar esperando que seu sonho aconteça, você precisa agir.

Quando você está cocriando um grande sonho, mas não se dedica à organização e ao planejamento de sua realização através da definição de metas e prazos, corre o risco de ficar perdido a respeito do que precisa ser feito e acabar caindo na procrastinação, na desmotivação e na insegurança em relação à viabilidade do seu sonho.

ALGORITMO DA COCRIAÇÃO #318

Afirmações mal formuladas

As Afirmações Positivas, como explicadas no Algoritmo da Cocriação #259, quando associadas com emoções, sentimentos e imagens mentais, são uma valiosa ferramenta de cocriação da realidade. Contudo, se forem mal formuladas, acabam não surtindo efeito ou pior, podem até mesmo produzir um efeito contrário. É essencial que, ao formular suas afirmações, você tenha bastante cuidado para que elas sempre expressem a sugestão de que seu desejo já está realizado.

Jamais comece suas afirmações com expressões como "eu vou", "eu quero/queria", "eu desejo" ou, a pior de todas, "eu preciso". Esse tipo de afirmação expressa uma ideia de um acontecimento futuro, o qual você não tem certeza de que se concretizará.

Afirmações que começam dessa maneira também contém a informação da separação, pois, se você quer, deseja ou precisa de alguma coisa é porque você e o objeto do desejo não estão em unidade, o que contraria a Lei Universal e o princípio da Física Quântica que afirmam que você e seu sonho são um porque estão imersos no mesmo Oceano Infinito de energia.

Além disso, afirmações mal formuladas assim transmitem uma vibração de escassez, posto que declarar que quer ou precisa de algo é o mesmo que declarar a falta de algo.

ALGORITMO DA COCRIAÇÃO #319

Cocriação exagerada

Muita gente, quando descobre *O Segredo* e começa algum estudo superficial sobre cocriação da realidade, fica tão empolgada com o conceito de

Infinitas Possibilidades que já começa a colocar em prática todas as técnicas que encontra para cocriar os sonhos mais exagerados e extravagantes, sem atentar para o fato de que é fundamental identificar e reprogramar suas crenças limitantes, elevar a Frequência Vibracional® e se conectar com a Fonte. Como se diz popularmente, a pessoa quer dar o passo maior que a perna, acaba se frustrando e ainda se vitimiza, acusando as Leis Universais de não funcionarem ou de conspirarem contra si.

Por exemplo, imagine uma pessoa que está desempregada, cheia de dívidas, quase passando fome. Então, essa pessoa entra em contato com os ensinamentos sobre cocriação da realidade, fica animadíssima e decide que vai se dedicar a cocriar uma mansão cinematográfica com uma coleção de doze carrões esportivos na garagem. Sabe o que acontece? Adivinha? Esse sonho não vai rolar de jeito nenhum!

E não é que existam sonhos impossíveis ou que as Leis Universais não funcionem, o problema não é o Universo; o problema é a própria pessoa gerando uma discordância e um desalinhamento vibracional entre a situação vigente e a situação desejada que é um verdadeiro abismo, de modo que, por mais que a pessoa passe vinte e quatro horas visualizando, a mente aciona imediatamente o "alarme de mentira", que é disparado todas as vezes em que o seu desejo consciente não corresponde às suas crenças inconscientes a respeito do que é possível, de maneira que não há comunicação com a Mente Cósmica.

Desculpe a sinceridade, mas se a pessoa está desempregada e passando fome, ela precisa cocriar é uma cesta básica e o dinheiro do ônibus para procurar trabalho. Uma coisa de cada vez, seguindo uma ordem de prioridade que não represente uma afronta ostensiva às crenças da mente inconsciente sobre aquilo que é possível.

Portanto, fica a sugestão de você começar suas cocriações pelos sonhos mais fáceis e prováveis de realizarem a curto prazo, isso fará com que você ganhe confiança e ancore sua crença de merecimento. Contudo, claro, nada impede que você também mantenha um olho nos próximos níveis, nos seus sonhos mais grandiosos.

ALGORITMO DA COCRIAÇÃO #320

Condicionar sua felicidade

Você já reparou que tem gente que condiciona sua felicidade ao acontecimento de um evento futuro? *Serei feliz quando eu for rico, quando eu conseguir abrir minha empresa, quando eu terminar de pagar o financiamento da minha casa, quando eu me formar, quando eu me casar, quando eu tiver filhos, quando eu emagrecer, quando eu me curar, quando isso, quando aquilo…*

Dessa maneira, as pessoas vão adiando sua felicidade, em uma tentativa frustrada de inverter a ordem natural da cocriação, que consiste em, primeiro, emanar a uma vibração elevada pautada na alegria e na gratidão para, depois, ter seus sonhos realizados.

Se você afirma e repete que só será feliz quando acontecer "tal coisa", está transmitindo a informação de que você não é feliz agora, de que não está satisfeito, de que não reconhece a abundância que já tem e nem é grato por ela, ou seja, está vibrando na escassez, na falta e na separação. E, em última instância, você também está vibrando na não aceitação de quem você é, do que tem e da própria realidade.

Além disso, você está "terceirizando" sua autorresponsabilidade ao estabelecer que sua felicidade depende de algo externo, o que significa negar a compreensão de que você é o único responsável por sua alegria ou tristeza, sucesso ou fracasso, o que acaba levando também a sentimentos de vitimização.

Assim, combinando escassez, separação, ingratidão, não aceitação, negação da autorresponsabilidade e vitimização, o resultado é uma Frequência Vibracional® insignificante, que não tem amplitude para sintonizar a própria condição que você estabeleceu. Por outro lado, como você já deve ter compreendido, ao vibrar antecipada e incondicionalmente na alegria, na abundância e na gratidão, você garante a emissão de uma frequência elevada, capaz de sintonizar de todos os seus desejos.

ALGORITMO DA COCRIAÇÃO #321

Falta de planejamento

Sabe aquela frase popular da Lei da Atração que diz "entrego, confio, aceito e agradeço"? Apesar de inspiradora, ela está incompleta e pode causar confusão em cocriadores iniciantes. Certamente, você deve confiar no Criador, entregar e soltar seu sonho, removendo toda a ansiedade, bem como agradecendo antecipadamente. Contudo, está faltando uma parte fundamental: planejar e agir.

Quer dizer, você deve confiar que o Universo fará a parte Dele no sentido de captar sua vibração e orquestrar tudo para que ocorra o colapso da Função de Onda, mas você também deve fazer a sua parte, que é se organizar, estabelecer metas, planejar ações e executá-las.

Você é um cocriador, lembra? Portanto, você também tem suas tarefas no processo de cocriação do seu sonho. Você cria sua realidade em parceria com o Criador, e Ele cria através de você, pois é você quem está no plano físico da matéria. Por isso, é indispensável que você planeje seu plano de ação para, efetivamente, materializar aquilo que entrega e agradece!

ALGORITMO DA COCRIAÇÃO #322

Discurso desempoderado

Como eu expliquei logo no início deste livro, no Algoritmo da Cocriação #1 – Emosentização®, suas palavras possuem uma frequência que compõem o somatório da sua Frequência Vibracional® e, portanto, merecem toda a sua atenção e cuidado, especialmente quando você está cocriando um grande sonho.

Quando você está se dedicando a elevar e sustentar sua frequência para sintonizar seu sonho, existem certas palavras e frases que devem ser abolidas do seu vocabulário e, até mesmo, dos seus pensamentos. Frases que começam com "eu não sei", "eu não sou", "eu não tenho", "eu não posso", "eu não consigo" e similares são extremamente desempoderadoras e debilitam sua frequência.

A explicação é simples: esse tipo de afirmação negativa emite a informação de escassez, impotência e incapacidade, em um sentido totalmente contrário à natureza abundante e perfeita do Universo e da sua própria essência divina. Quando você verbaliza uma afirmação negativa, acaba sintonizando os potenciais que vão se materializar na sua realidade para confirmar o conteúdo afirmado, especialmente se, além de falar, você também sentir que não sabe, não é, não tem ou não pode alguma coisa.

Falar frases negativas é um hábito e, como todo hábito, pode ser desprogramado e substituído por outro. Assim, pratique a auto-observação para quando "sem querer" falar algo negativo sobre você mesmo, sobre alguém ou sobre a sua realidade, imediatamente acionar o comando "cancelado, cancelado, cancelado" e afirmar a polaridade positiva contrária.

ALGORITMO DA COCRIAÇÃO #323

Muita teoria, pouca prática

Entenda que o Universo não responde ao que você sabe, mas somente ao que você é, sente e faz. Isso significa que a cocriação do seu sonho pressupõe que você transcenda a intelectualidade dos estudos sobre Princípios da Cocriação, Física Quântica, Neurociências, Leis Universais etc. e, efetivamente, incorpore o conhecimento na sua experiência.

Tem muita gente boa por aí, inteligente, com facilidade de aprendizado, fala e escrita bem articulada que sabe tudo sobre cocriação, que é capaz de escrever um livro, dar uma palestra, ter um canal no YouTube, ensinar os fundamentos da cocriação para as pessoas próximas e vê-las cocriando verdadeiros milagres, enquanto, para si mesmo, mal consegue cocriar um lugar vazio no ônibus ou uma vaga boa para estacionar na porta do supermercado.

A questão que as pessoas que são assim não acessam é que o processo de cocriação da realidade não é um passo a passo mecânico puramente lógico, intelectual ou racional; a cocriação da realidade é permeada pela sutileza do *ser*, quer dizer, o *saber* ajuda, mas se você não conseguir *ser* e vivenciar o que você *sabe*, você resta fadado à escassez.

A prova de que o *ser* é o fator determinante da cocriação da realidade é que existe uma infinidade de cocriadores espetaculares que não sabem que são cocriadores, que nunca estudaram nada sobre cocriação ou sequer ouviram falar do Segredo. Pessoas assim, certamente, deixam aquelas que já se dedicaram a ler toda a literatura disponível em estado perplexidade.

Assim, se você já está na busca pelos seus sonhos a certo tempo e sente exausto, com a mente fervilhando de tanto conhecimento e ao mesmo tempo sem ser capaz de experimentar a realidade abundante a que você se dedica a estudar, é hora de avaliar se está realmente colocando em prática o que você sabe e começar a ser e se comportar de acordo com as teorias das quais você tanto se orgulha de saber de cor.

ALGORITMO DA COCRIAÇÃO #324

Orações suplicantes

Infelizmente, a maioria de nós aprendeu a rezar ou orar de uma maneira equivocada, que é pedindo, implicando, suplicando humildemente a Deus que nos conceda uma graça.

Orações que expressam súplicas desesperadas como "Deus, por favor, eu Vos imploro/suplico que...", "Deus, por favor, eu preciso muito de..." e equivalentes têm uma frequência de total escassez, desespero, abandono e separação. Por mais lindas, sinceras e humildes que sejam as palavras de louvor e por mais genuíno e legítimo que seja o seu pedido, Deus não "entende" suas palavras, apenas sua vibração.

Quanto mais intensa for a manifestação do pedido, mais intensa é a percepção de separação entre você e o que deseja; mais intensa é a percepção de escassez e impotência, a percepção de que só Deus pode lhe salvar concedendo a graça ou o milagre de que você precisa.

O problema é que Deus não pode lhe dar nada, porque ele já lhe deu tudo, quer dizer, o maior presente Ele já lhe deu: o seu livre-arbítrio junto com o seu poder de cocriador. É você o único responsável por trazer para o plano da matéria aquilo que pede em suas preces através da poderosa vibração das suas emoções.

Como Neville Goddard e Gregg Braden ensinam, as orações mais poderosas são aquelas que não contêm pedidos, mas que assumem o sentimento do pedido já realizado e expressam alegria e gratidão por isso. A compreensão é que você não deve pedir, e sim reivindicar a posse no plano físico daquilo que já é seu no plano mental.

ALGORITMO DA COCRIAÇÃO #325

Diagnosticar as sombras dos outros

Algumas pessoas se consideram muito sensíveis e inteligentes, praticamente possuem o superpoder de, em cinco minutos de conversa ou observação, "diagnosticar" qual é a sombra do outro, o que o outro precisa trabalhar e curar em si – "fulana precisa trabalhar o feminino, fulano precisa curar a relação com o pai, sicrano precisa se conectar mais com espiritualidade, beltrano precisa trabalhar a autoestima" e assim por diante.

A não ser que você seja um terapeuta e esteja atendendo a um cliente, o exercício desse superpoder de diagnóstico dos desafios dos outros faz com que você tire o foco de si, dissipando sua energia e atenção que poderiam ser canalizadas para a cocriação dos seus sonhos. Além disso, se você não é um terapeuta em atendimento, o diagnóstico que você faz, na verdade, é um julgamento, atitude que compromete a elevação da sua Frequência Vibracional®.

Como David Hawkins explica brilhantemente, nós só percebemos a realidade a partir do nosso próprio nível de consciência, o que significa que enquanto você estiver percebendo a sombra de outra pessoa, é porque você também está no "radar" dessa sombra.

E, em última instância, sendo terapeuta ou não, tudo o que você vê no outro é o Universo espelhando algo que precisa ser curado em você também, como foi explicado no Algoritmo da Cocriação #237 – Espelhos dos Relacionamentos e seguintes. Quando você deixar de ver o problema dos outros, quando você deixar de ver a sombra do "coleguinha", você pode ter a certeza de que as dores que você via no outro foram curadas em você mesmo.

ALGORITMO DA COCRIAÇÃO #326

Sonhos urgentes

Com o perdão do trocadilho, você precisa ter pressa em compreender que o Universo não trabalha e nem compreende o seu conceito de pressa! A Matriz Holográfica® opera fora do tempo linear, ou seja, fora do tempo em que "mora" nossa percepção de pressa, portanto, ela não compreende a ideia de pressa, urgência ou emergência, apenas capta a vibração da escassez, ansiedade e desespero emitidas pelos cocriadores apressados de sonhos urgentes.

Entenda que o tempo da sua cocriação não é o tempo da necessidade do seu ego. Você pode e deve estabelecer prazos para você mesmo agir e executar suas metas, mas não pode ter a pretensão de estabelecer prazos para o Criador; você pode e deve se apressar em reprogramar suas crenças, mudar seus hábitos, elevar e sustentar sua Frequência Vibracional®, mas não pode ter a pretensão de apressar o Universo para o recompensar por isso.

A pressa produz ansiedade que, por sua vez, produz o Efeito Zenão, impedindo o colapso da Função de Onda do seu desejo. Além disso, a pressa também está associada à vibração da escassez, afinal, quem tem urgência para obter alguma coisa é porque está imerso na mais completa falta.

Portanto, se você tem pressa para realizar um sonho urgente, a primeira providência que precisa tomar é a limpeza dessa pressa e, em seguida, dos sentimentos negativos derivados dela, de preferência usando a Técnica Hertz® para se conectar com a paz e o silêncio do Ponto Zero e pedir à Fonte que limpe de você o desespero em relação à realização do seu sonho urgente, bem como para ancorar as polaridades contrárias da aceitação, paciência e gratidão.

ALGORITMO DA COCRIAÇÃO #327

Relações extraconjugais

Este algoritmo aborda uma questão delicada, que muitas vezes passa despercebida, mas que é um grande sabotador do poder de cocriação. Eu já tive vários alunos que eram extremamente dedicados nos estudos, na prática das técnicas e na mudança de hábitos e que, mesmo assim, não alcançavam resultados significativos. Sabe o que eu descobri que eles tinham em comum? Relacionamentos extraconjugais!

Aparentemente, você pode pensar que isso não tem nada a ver, mas o fato é que tem tudo a ver, e vou explicar os motivos. O primeiro motivo é que quando você é casado e tem um relacionamento fora do casamento ou quando você é solteiro e tem um relacionamento com uma pessoa casada, você está vibrando na desonestidade, que é uma frequência "antiprosperidade".

O segundo motivo é que quando você tem um relacionamento extraconjugal, os sentimentos de vergonha e culpa estão presentes de maneira automática. Como você sabe, vergonha e culpa são os dois níveis mais baixos da Escala das Emoções, vibrando apenas 20 e 30 Hz respectivamente. A culpa e a vergonha são os níveis de consciência mais perigosamente próximos da frequência da morte, ou seja, são frequências totalmente contrárias à fluidez da vida em todos os seus aspectos.

As relações extraconjugais oscilam também para a frequência do desejo (125 Hz) que, apesar de significativamente mais elevada que a vergonha e a culpa, ainda é uma frequência muito aquém do nível crítico de 200 Hz, e mais distante ainda da frequência mínima da cocriação que é o nível de 350 Hz, a aceitação.

E o terceiro motivo é que a manutenção de um relacionamento extraconjugal consiste em uma expressão velada de baixíssima autoestima, não merecimento e absoluta falta de amor-próprio. Por exemplo, uma mulher solteira que se dispõe a manter um relacionamento com um homem casado, apesar de achar que é amor, em última instância, tem a crença limitante de que não merece um homem só para ela, com quem ela possa ser feliz e fazer coisas simples como andar de mãos dadas em público, além de viver na tensão de, a qualquer momento, ter o relacionamento descoberto e ver sua intimidade exposta, ainda mais em tempos de vídeos que "viralizam".

A par de qualquer viés moralista, mas na qualidade de treinadora comprometida com o seu sucesso, preciso advertir que, se você tem um relacionamento extraconjugal e ao mesmo tempo tem um grande sonho para cocriar, terá de escolher entre um dos dois, pois esse tipo de relacionamento impede completamente o alinhamento com as frequências elevadas da abundância, da prosperidade, da harmonia e da paz do Universo. É Desse modo, o caminho para desapegar de um relacionamento nocivo assim é trabalhando a autoestima, a autoaceitação, o merecimento e, principalmente, o amor-próprio.

ALGORITMO DA COCRIAÇÃO #328

Meu sonho é pecado

Pode até parecer absurdo ou exagero, mas a verdade é que tem muita gente que vivencia o sentimento conflituoso de desejar algo e, ao mesmo tempo, temer que esse desejo possa ser um pecado ou até mesmo uma ofensa ao Criador.

A percepção equivocada de que seu sonho é pecado decorre do recebimento de condicionamentos baseados em uma educação extremamente dogmática sob um viés religioso que defende a ideia de que Deus só ama os pobres e humildes, que os ricos não vão para o Reino dos Céus, que o dinheiro é a raiz de todos os males ou outras crenças similares.

Quando esse tipo de crença está instalada e "rodando" em piloto automático, a pessoa, por um lado tem um forte desejo de crescimento, expansão, melhoria de vida, sucesso, prosperidade, mais saúde, beleza, dinheiro etc., mas, por outro, tem o sentimento de que está sendo ambicioso, egoísta, materialista ou outro sentimento que produz culpa, vergonha e não merecimento.

Trata-se de um processo sutil e totalmente inconsciente que se evidencia apenas pela sensação de que seu sonho é, de alguma maneira, errado e, assim, surge a resistência e a autossabotagem. Até mesmo a simplicidade de, por exemplo, ter o sonho de colocar uma prótese mamária para aumentar os seios, pode ativar a crença de que *Deus me fez assim e é pecado querer mudar o corpo que Ele me deu por vaidade.*

Entenda que Deus criou as infinitas possibilidades e nos criou para que Ele pudesse experimentá-las através de nossas consciências encarnadas na matéria do plano físico. Portanto, se seu sonho é uma dentre as infinitas possibilidades, seu sonho foi criado por Deus, e se o desejo por esse sonho surgiu na sua consciência, é porque Deus deseja experimentá-lo através de você. Obviamente que isso é válido somente para os sonhos que não vêm do ego, mas do seu coração, da sua alma e espírito.

A crença de que seu sonho é pecado é uma crença desafiadora de ser reprogramada porque envolve o temor do castigo divino e o medo de "arder no mármore do inferno", por isso, sua desprogramação pressupõe uma disposição para ressignificar e reconfigurar sua relação com Deus, na compreensão de que Ele é Amor Infinito.

ALGORITMO DA COCRIAÇÃO #329

Usar sua dor como desculpa

Quando uma pessoa está inconscientemente aprisionada na vitimização, torna-se muito fácil usar sua dor do passado como uma desculpa para não ser feliz no presente, para ser uma fracassada e explicar a impossibilidade de mudança em sua personalidade e em sua realidade.

Frequentemente, eu recebo mensagens que começam assim "mas Elainne, você não sabe a minha história, você não tem ideia do que me aconteceu, o meu caso é diferente..." e a pessoa continua, tentando me explicar por que justamente para ela os princípios da cocriação que ensino não funcionam: "eu não tenho como elevar minha frequência e cocriar meus sonhos porque eu fui estuprada quando criança, porque eu fui traída, porque fui abandonada pelos meus pais, porque perdi meu único filho" e por aí vai, as desculpas são infinitas.

Ok. Você teve um passado triste, marcado pelo sofrimento. A questão é: o que você vai fazer com isso? Vai usar como desculpa para ficar para sempre de luto ou vai usar como motivação para buscar um futuro feliz?

Entenda que as adversidades, tristezas e desafios da vida possuem um propósito evolucionário no sentido de que todo evento doloroso é uma oportunidade de crescimento, cura, expansão da consciência e transmutação da dor em sabedoria, generosidade, serviço amoroso à humanidade. Além disso, a dor pode ser usada como trampolim para seu sucesso e prosperidade.

Meu querido Tony Robbins, por exemplo, teve uma infância de extrema pobreza, escassez, violência e negligência, era espancado quase todos os dias pelo seu padrasto, e sua mãe, aparentemente, não se importava com isso. Ele poderia facilmente ter se tornado um adulto disfuncional, rancoroso, desviado para o caminho do crime ou das drogas, mas foi capaz de construir um verdadeiro império a partir da dor, transmutando-a em riqueza, prosperidade e abundância e, sobretudo, prestando um serviço magnífico à humanidade através dos treinamentos que oferece.

E você que conhece minha história, sabe que fiz o mesmo. Eu tinha as desculpas perfeitas para ser uma fracassada – abandonada grávida, bebê doente, deprimida, sozinha e falida. Contudo, transmutei tudo isso na vida magnífica que tenho hoje e estou aqui, amorosamente, ensinando-lhe a seguir este caminho também!

ALGORITMO DA COCRIAÇÃO #330

Vícios

Vícios, dependências e compulsões ressoam predominantemente com a frequência do desejo, que é de 125 Hz na Escala das Emoções, podendo também oscilar para as frequências ainda mais inferiores da vergonha, culpa, tristeza, medo ou raiva.

Muitos alunos me perguntam "Elainne, fumar compromete meu poder de cocriador?" ou "tomar remédio controlado atrapalha o processo de cocriação?". A verdade é que sim, compromete. Mas, é claro, a cocriação é multifatorial, e não é porque a pessoa é fumante ou toma um medicamento tarja preta que ela jamais vai conseguir realizar os seus sonhos.

Contudo, entenda que na presença de vícios, sobretudo os mais nocivos como cigarro, álcool, remédio, cocaína, crack, jogo e sexo, existe uma constante drenagem de energia vital; os vícios consomem a energia do seu campo eletromagnético na medida da sua gravidade. Nesse sentido, obviamente, ser viciado em cigarro é bem menos pior que ser viciado em cocaína.

Ter um vício e estar cocriando um sonho é como tentar encher com água um balde rachado – você se dedica a estudar, praticar técnicas e elevar sua Frequência Vibracional® e parte da energia que você movimenta acaba vazando, sendo consumida pela manutenção do vício.

Portanto, eu recomendo fortemente que a primeira cocriação de quem tem um vício seja a libertação do próprio vício, o que pode ser feito através da prática consciente da Técnica Hertz® ou das visualizações específicas oferecidas no treinamento Neurobótica – Visualização Consciente®.

Eventualmente, dependendo do caso, também pode ser necessário suporte terapêutico profissional, mas o fato é que, como ensina Joe Dispenza, você pode se tornar seu próprio placebo e curar qualquer coisa em você, desde que consiga convencer sua mente de que é possível mudar.

ALGORITMO DA COCRIAÇÃO #331

Consumo de conteúdos contrários ao seu sonho

Quando você está cocriando um sonho, você não pode, de jeito nenhum, ficar poluindo sua mente e contaminando seu banco de memórias, imagens e informações contrárias e desalinhadas com a realidade que você deseja. Entenda que todo tipo de informação com qual você interage, em algum nível, chega à sua mente inconsciente, e ela não "entende" que a informação é sobre outra pessoa.

Por isso, todos os conteúdos que você acessa através das postagens que visualiza e curte, dos vídeos que assiste, dos livros que lê, das músicas, podcasts e notícias que escuta, das conversas aleatórias que tem etc., tudo isso nutre suas memórias e programa sua mente, deixando-lhe na mesma ressonância das informações acessadas.

Por exemplo, você está cocriando riqueza, mas adora ver notícias sobre a crise econômica e ama conversar com as pessoas a respeito do absurdo que está o preço da gasolina; você está cocriando sua alma gêmea, mas fica acessando notícias sobre os divórcios escandalosos das celebridades ou fofocando com sua vizinha sobre sua amiga que foi traída; ou ainda, você está cocriando saúde, mas fica estudando sobre as possibilidades de agravamento da sua condição ou pesquisando as estatísticas de mortalidade.

Agindo assim, acessando e interagindo com informações contrárias à cocriação do seu sonho, você confunde sua mente inconsciente e também emite uma vibração confusa para o Universo. Se o Universo falasse explicitamente, com certeza Ele diria: "querido, afinal, o que você quer?". Quer dizer, você se dedica com as práticas das ferramentas de alinhamento vibracional, intenciona, visualiza e, em seguida, desfaz todo o seu trabalho acessando conteúdos contrários ao seu sonho. Isso não faz sentido, não é mesmo?

A cocriação do seu sonho demanda foco, por isso, você deve se abster de dissipar sua atenção e energia com qualquer coisa que não vá contribuir para lhe colocar na posição de ser capaz de sintonizar a realidade que você tanto deseja vivenciar.

ALGORITMO DA COCRIAÇÃO #332

Consumo de conteúdos tóxicos

No Algoritmo da Cocriação anterior expliquei como o consumo de conteúdos diretamente contrários à realização do seu sonho confundem sua mente inconsciente e confundem a Mente Superior. Agora, neste Algoritmo, vou expandir ainda mais esta orientação: além de se abster de consumir conteúdos especificamente contrários ao seu desejo, você também deve se abster de consumir conteúdos tóxicos em geral.

Quer dizer, não é porque seu sonho é cocriar um aumento no seu faturamento que você pode concluir que não tem nenhum problema consumir conteúdos sobre doenças, já que finanças e saúde são pilares diferentes da vida. Infelizmente, ou melhor, felizmente, não é bem assim que as coisas funcionam – o Universo não interpreta o teor dos conteúdos que você acessa, mas a frequência deles.

Mesmo que você se considere um consumidor imparcial de informação, no sentido de que sua intenção é apenas se manter atualizado sobre o que está acontecendo no mundo, sempre que você acessa conteúdos de baixa vibração, você entra na ressonância deles, o que é um desserviço à cocriação do seu sonho.

Veja alguns exemplos de conteúdos tóxicos:

- Fofocas;
- Notícias de crimes, corrupção e guerra;
- Pornografia;
- Estatísticas de mortos pela guerra, fome ou pandemia;
- Jogos violentos;
- Postagens que criticam, ridicularizam e julgam as pessoas, ainda que sejam "engraçadas";
- Filmes, documentários e séries de terror, guerra, violência, catástrofes, tragédias etc.;
- Músicas com letras que expressam pornografia, violência, pobreza e "sofrência".

Todos esses conteúdos não só não contribuem para a elevação da sua Frequência Vibracional® como provocam uma redução significativa, uma vez que sua mente inconsciente não distingue realidade de ficção e tampouco a realidade do outro da sua própria realidade, de modo que tudo fica impregnado na sua mente e no seu campo.

ALGORITMO DA COCRIAÇÃO #333

Terceirizar sua Limpeza Energética

O processo de reprogramar suas crenças e sua Frequência Vibracional® pressupõe que você limpe do seu campo eletromagnético a energia densa e estagnada decorrente dos seus pensamentos, sentimentos, palavras e comportamentos negativos, de baixa vibração.

Você faz isso de maneira muito eficaz através da meditação e, especialmente, através da Técnica Hertz®, que lhe permite tanto limpar e desprogramar suas vibrações negativas, como também programar a vibração positiva contrária.

Basicamente, o processo de limpeza e reprogramação é um trabalho individual, interno e íntimo, é um movimento que tem de partir de você e que acontece através de você. Não é possível "terceirizar" sua limpeza, pagando alguém para fazer por você, como receber Reiki, passe, benzimento, banho de descarrego ou que o quer seja sem fazer sua parte.

Não estou desmerecendo o poder dessas ferramentas de cura energética, elas são valiosíssimas – veja que eu mencionei "sem fazer a sua parte", quer dizer, receber uma limpeza e uma canalização de energia, vai elevar sua frequência e fazer com você se sinta bem apenas momentaneamente, mas a sustentação da sua frequência e bem-estar dependem sobretudo dos pensamentos e sentimentos que você escolhe cultivar.

Da mesma maneira que um medicamento tarja preta pode ser extremamente útil para casos agudos de depressão, não tratam a doença, mas aliviam os sintomas, dando a oportunidade de a pessoa se reorganizar mental e emocionalmente para recuperar sua motivação para agir e realizar as autotransformações que precisam ser feitas para a sua cura, as limpezas energéticas praticadas por terceiros também suavizam os sintomas, entretanto, não promovem a cura definitiva.

Somente você pode acessar a "caixa preta" da sua mente para limpar a sujeira, não existem recursos externos que sejam capazes de promover, definitivamente, a sua mudança interna. A porta da mudança possui uma fechadura que só abre por dentro, mas, felizmente, ao ler este livro, você fica com a chave a seu dispor!

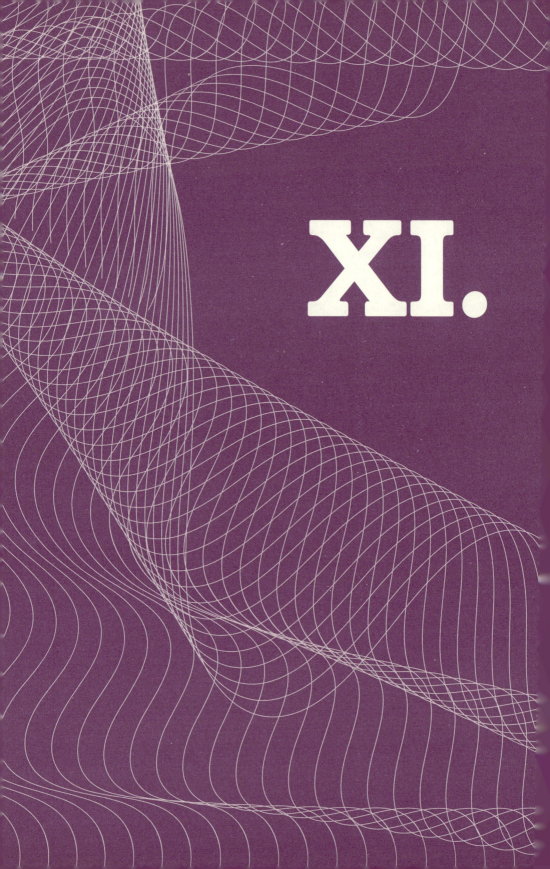

Algoritmos da Cocriação específicos para Riqueza e Prosperidade Financeira

Como você sabe, eu cocriei a vida dos meus sonhos em todos os aspectos e pilares, desde à cura e saúde do meu filho Arthur à cocriação da minha alma gêmea, meu marido Fernando, e à conquista do corpo dos meus sonhos. Contudo minha principal habilidade e especialidade foi e é a cocriação de riqueza, abundância financeira e sucesso profissional.

Por isso, nesta seção, para finalizar o livro, vou compartilhar com você uma última sequência de Algoritmos da Cocriação que são específicos para a manifestação da riqueza, os quais decodifiquei ao longo da minha jornada de cocriação da vida milionária. Agora você também vai aprender a decodificar quanticamente segredos incríveis para manifestar o dinheiro e todos os recursos de que precisa para experimentar uma vida extraordinária, regada pelo melhor champanhe e em torno de uma piscina de moedas de ouro, se assim quiser.

Com os códigos vibracionais da cocriação de riqueza, que integram a plataforma universal dos Algoritmos da Cocriação que vou apresentar a seguir, você poderá realizar todos os seus sonhos de prosperidade, pois não haverá limites para eles.

Eu quero que você compreenda, aceite, sinta e perceba que já nasceu rico, que é milionário e que tem um incipiente repleto de riquezas, prosperidade e todo o tipo de abundância a seu dispor. Agora, você tem todos os Algoritmos da Cocriação, os códigos vibracionais para acessar o espaço amorfo da realidade e cocriar o holograma da vida de sucesso e promissora financeiramente que alimenta em sua alma e consciência todos esses anos. Por isso, venha comigo e aproveite essa leitura fenomenal e transformadora!

ALGORITMO DA COCRIAÇÃO #334

Frequência da Prosperidade

> *Para ser um sucesso, é necessário abraçar e operar a partir de princípios básicos que produzem sucesso, não apenas imitar as ações de pessoas bem-sucedidas. Para realmente fazer o que eles fazem, é necessário ser como eles são.*
>
> **DAVID HAWKINS**

Com minhas pesquisas sobre Frequência Vibracional® na minha própria busca pessoal, compreendi que o nosso nível de consciência é o fator determinante para a quantidade de prosperidade a que temos acesso, independentemente da profissão ou ramo de atuação.

Nos níveis de consciência inferiores a 200 Hz na Escala das Emoções, aqueles que estão abaixo da coragem, não existe a menor possibilidade de prosperidade, abundância ou sucesso financeiro e profissional, pois esses níveis são marcados pelo egoísmo e pela individualidade que impedem que a pessoa perceba que qualquer que seja seu trabalho, sempre há um propósito maior que transcende o lucro e os benefícios pessoais.

A Frequência da Prosperidade está em alinhamento, portanto, com os níveis de consciência que permitem que a pessoa compreenda seu trabalho, além de prover seu sustento e prazer, e tem como objetivo primeiro se colocar a serviço da humanidade para melhorar o mundo e contribuir com a circulação das riquezas.

Dessa maneira, quando se trata de cocriar prosperidade financeira através do trabalho, não importa o *que* você faz, e sim *como* você faz. Em outras palavras, é a percepção decorrente do seu nível de consciência que vai determinar sua prosperidade.

Se você vê seu trabalho como um fardo que faz parte da vida e sua única preocupação é receber sua remuneração no fim do mês, não importa o quanto você ganhe, você sempre terá a percepção de que o "dinheiro não dá para nada". Mas, se vê seu trabalho como uma oportunidade de aprendizado, crescimento, expansão, como uma oportunidade de autoaperfeiçoamento através dos relacionamentos profissionais e, sobretudo, como uma forma de contribuir para um mundo melhor, então, você se alinha com a frequência da prosperidade, e o fluxo abundante de dinheiro será mera consequência.

ALGORITMO DA COCRIAÇÃO #335

Inconsciente emocional

O que comanda a cocriação milionária é a vibração da emoção gerada por seu campo quântico ou relacional e que está profundamente conectada com seu inconsciente, pois, é nesse recinto ainda oculto que a maior parte de suas crenças, sabotadores, bloqueadores ou potencializadores se escondem. Por isso, o inconsciente é emocional e tem relação direta com a fonte criadora, Matriz Holográfica® e seus desejos.

Assim, identifique quais emoções ainda estão ocultas em sua mente inconsciente, ressignifique e mude seu padrão vibracional de escolha, sobretudo no campo da prosperidade, riqueza e abundância.

ALGORITMO DA COCRIAÇÃO #336

Não existe certo e errado

O certo e o errado não existem, o que existe são as crenças criadas por você ou estabelecidas por outra pessoa. Dessa maneira, não critique, não julgue ou condene, apenas entenda que cada um tem sua própria programação cultural, suas convicções dominantes e, independentemente da maneira como esteja agindo, está apenas expressando seu próprio nível de consciência.

Isso vale também para o dinheiro, riqueza ou nível de compreensão sobre o verdadeiro sentido da prosperidade, pois quanto menos estigmas ou padrões condicionantes tiver, mais liberdade financeira, pensamento milionário e mentalidade próspera farão parte de sua essência vitoriosa.

Dessa maneira, seu mapa mental precisa ser livre, aberto e concordar com o conceito das infinitas possibilidades, de que tudo é possível e, para isso, basta acreditar, experimentar o futuro milionário hoje e não se condicionar nunca, mas nunca mais, visto que já é rico e alguém completamente realizado, em uma dimensão que pode ser logo transferida para a sua realidade atual.

ALGORITMO DA COCRIAÇÃO #337

Microssensações negativas

Você precisa banir de seu sistema emocional ou da sua programação cultural instaurada na sua mente toda e qualquer sensação ou microssensação negativa oposta à vibração da riqueza e prosperidade.

O que isso significa? Significa que você deve ressignificar crenças e eliminar padrões mentais (pensamentos) e emocionais contrários aos seus desejos para se tornar um cocriador milionário, porque não deve haver dúvidas de que já rico e próspero, nem na sua mente, nem no seu coração.

Para conseguir mudar esse padrão pode usar, diariamente, afirmações positivas de riqueza, ouvir áudios de reprogramação, praticar o Ho'oponopono e a própria Técnica Hertz, criada e desenvolvida por mim. Além disso, nas minhas redes (www.elainneourives.com.br), você encontra uma série de exercícios, técnicas, práticas, artigos e produtos vibracionais que podem lhe ajudar nesse caminho.

Lembre-se, tudo é uma questão de escolha e mudança de hábito. A partir de agora, sua mente é milionária, e todo sentido de escassez já foi banido do seu sistema de crenças, carga emocional e energética e até mesmo de seu vocabulário.

ALGORITMO DA COCRIAÇÃO #338

Agressor × Agredido

Não existe agressor ou agredido, nem culpado ou vítima, pois é sempre você quem cocria a sua realidade de pobreza ou prosperidade, de luxo ou lixo, de glória ou desgraça. Quem escolhe é você mesmo através de sua intenção, seja consciente ou inconsciente, a partir da programação cultural que carrega, de suas atitudes e do poder do olhar do observador, logo, é sempre você também quem colapsa a onda da riqueza.

Por isso, abandone a relação que há com a agressão, deixe o campo da vitimização e assuma o poder de manifestação de sonhos em prosperidade, que transporta desde o núcleo do DNA até seus neurônios mais ativos para a cocriação milionária.

Compreenda que as pessoas que você supostamente considera como seus agressores são, na verdade, seus professores ou, como eu costumo denominar, seus "atores", e que, em decorrência de acordos encarnatórios, aceitaram atuar um papel na sua vida para lhe presentear com uma oportunidade de cura, autoconhecimento e elevação da sua consciência pela aceitação, perdão e compaixão.

Entenda que você também, eventualmente, agrediu, ofendeu, enganou ou maltratou alguém, e que você agiu expressando o nível de consciência que tinha no momento. Talvez, hoje, com outro nível de consciência, você teria agido diferente, mas não pode julgar a si mesmo por isso nem se permitir entrar nas frequências baixas da culpa e da vergonha. Você não pode mudar o que aconteceu, então, aceite, perdoe-se e comprometa-se a agir orientado pelo amor e pela compaixão.

ALGORITMO DA COCRIAÇÃO #339

O outro não existe

O outro não existe, ele é você, é o seu espelho. O que quero dizer com isso? Que há um efeito de ressonância por trás de tudo, pois o que você enxerga em outra pessoa na verdade está dentro de suas próprias crenças de vida e percepção do mundo.

E isso leva você à compreensão de que tudo o que você deseja para o outro também retorna para você, pois é o seu mental quem está cocriando a realidade. Em termos de prosperidade, a minha dica é se espelhar em quem você admira, desejar o bem, querer o sucesso dos outros, ajudar, ser solidário, querer ver o outro saudável, milionário e extremamente feliz, dado que essa será a realidade dele e já pode ser considerada a sua, pois o outro é você, porque somos feitos da mesma fonte de energia e carregamos a centelha da abundância dentro de cada célula do nosso organismo.

ALGORITMO DA COCRIAÇÃO #340

Frequências compatíveis

Você é como uma estação de rádio e vai sintonizar sempre a frequência ou a onda de vibração semelhante à sua, ou seja, se vibra, internamente, prosperidade, abundância e riqueza, entrará em fase e sintonizará com eventos, fatos, encontros e pessoas com essa mesma frequência.

Portanto, se por dentro você se sente falido, tem pensamentos conflituosos de desesperança, medo, insegurança, tristeza e desmotivação, é claro que não sintonizará a prosperidade e nem conseguirá cocriar milhões em sua conta. Simplesmente porque não há ressonância, "a soma não bate", visto que a sua emoção não condiz com sua ideia de riqueza, pois está vibrando baixo e não tem campo para alcançar a dimensão da fortuna no Universo, isso é matemática.

Quer riqueza e se tornar um cocriador milionário? Então, ressoe a prosperidade de dentro para fora, mude seu estado mental para uma essência abundante e feliz. Essa é a fórmula do sucesso, mas ela só funciona quando suas atitudes pessoais, comportamentais e mentais também estão alinhadas à mesma frequência.

ALGORITMO DA COCRIAÇÃO #341

Acesso à realidade pelo Emosentizar®

Você Emosentiza® quando acelera suas emoções com ações, pensamentos e poder mágico da Visualização Holográfica, em ressonância com a imagem e o desejo de riqueza e prosperidade. E pode intensificar isso, diariamente, enquanto meditar ou visualizar a vida dos seus sonhos, cheios de ouro e abundância, e, ao sentir, perceba e aceite que tudo já é real, já existe e que há um outro eu de você rico e plenamente realizado em todas as áreas, sobretudo a financeira.

Com isso, você agiliza a emoção do campo eletromagnético do coração e colapsa a prosperidade de um modo rápido, dinâmico, no momento presente e totalmente eficaz. Também consegue romper o campo dimensional, a barreira do tempo e do espaço, atingindo horizontes esplendorosos de infinitas possibilidades futuras a fim de alicerçar sua realidade presente.

ALGORITMO DA COCRIAÇÃO #342

Idioma vibracional

A linguagem do cérebro é visual e vibracional, ou seja, ele interpreta a realidade através da vibração gerada por uma emoção específica que é estimulada por uma situação, por isso, o que determina a compreensão do cérebro é a vibração sentida por você no momento, mesmo que seja na imaginação ou em alguma Visualização Holográfica.

É assim que você consegue se comunicar com Universo, transmitindo e recebendo mensagens e codificando cocriações milionárias em sua vida. A magia da riqueza está escondida dentro da sua mente e é revelada por meio da emoção gerada por uma realização presente e momentânea, em uma realidade vibrátil criada por sua ideia manifestada de prosperidade e abundância.

ALGORITMO DA COCRIAÇÃO #343

Não diga "Não"!

O não é inexistente, tem efeito nulo, pois sua mente só compreende a vibração do momento, isto é, aquilo que emite com sinal elétrico e magnético. Veja: se desejar não ser pobre, o entendimento será outro, pois o cérebro e o Universo compreenderão que tem medo da escassez, e será isso o que vai vibrar. E o que volta? Voltará mais emoção, frequência e energia ressonante ao medo, que nesse caso é o receio da pobreza, falta material ou escassez financeira.

Então, em vez de não querer ser pobre, pense, se emocione, mentalize, veja, observe, atente-se e sinta a riqueza dentro de si, independentemente da situação que esteja vivendo. É isso que mudará sua realidade e abrirá espaço mental e energético para se tornar um cocriador milionário.

Em outras palavras, sua riqueza depende da sua capacidade de percepção e mudança de padrão mental e emocional, e por meio dela conseguirá alterar qualquer situação ao seu favor, portanto, vibre o tempo todo na prosperidade, e não dê foco à falta.

ALGORITMO DA COCRIAÇÃO #344

Gratidão

A gratidão é o código da riqueza que gera a frequência da prosperidade e abundância universal, vibrando acima de 500 Hz na Escala da Consciência e representando a própria natureza do Criador e da criação, pois essa é a sua essência.

Assim, perceba quantas coisas o Universo, Deus, lhe proporcionou, sua vida é um exemplo claro disso, devido ao ar que respira, a composição de suas ideias e à sua capacidade de escolha, pois é você um ser vivo, autossuficiente e tem o livre-arbítrio para cocriar e manifestar tudo o que anseia. Claramente esse é o maior gesto de gratidão e amor do Criador.

Tudo isso é manifestado todos os dias através de sua existência, então respeite o tempo das coisas, seja grato por tudo e por todos, independentemente do momento que esteja vivendo. Uma vez que tudo faz parte de um plano maior, tudo é desencadeado para o bem coletivo, e você é uma peça fundamental nessa engrenagem cósmica. Assim, pratique a gratidão e ajoelhe-se, se necessário, pois ela voltará multiplicada em sua vida material, pessoal, afetiva e profissional. Mas não esqueça, agradeça de verdade, com o coração aberto e sentimento de generosidade, pois vale a pena.

ALGORITMO DA COCRIAÇÃO #345

Amar a riqueza dos outros

Não há nada mais justo, coerente, honesto e igualitário que o amor e, certamente, o Universo é a favor dele e o devolve na mesma proporção que você está oferecendo. Isso porque, quem vibra amor receberá com total integralidade de volta esse sentimento, de modo que quem pratica o bem, o terá sempre presente em sua vida. Esse sinal é libertador e instala todo o manancial de riquezas do Universo para você, mas claro, desde que seja sincero, vibre sempre no carinho, na felicidade, sentindo-se satisfeito, grato, abençoado e transmitindo isso, essencialmente.

Quando você ama, admira, respeita, parabeniza, aprecia a riqueza, deseja o bem, sente amor pelos outros, por conquistas e cocriações produtivas, você provoca um efeito espelhado em sua vida, porque ampliou esses sentimentos benevolentes através do altruísmo e abençoou a fortuna e a riqueza do alguém.

Como tudo o que você emana é refletido de volta em sua própria vida, procure demonstrar esse sentimento de amor e apreço pela riqueza do próximo. Você não pode, ao mesmo tempo, amar a riqueza na sua vida e ter sentimentos negativos pela riqueza das outras pessoas; a vibração da riqueza é uma só, de modo que ou você está totalmente alinhado com ela em todas as suas manifestações ou não está de maneira nenhuma. O Cosmos não aceita enganação e a sua vibração não mente, jamais.

Além disso, amar a riqueza do outro é um exercício poderoso de limpeza emocional, autopurificação e depuração do próprio ego e, por isso, recomendo que incorpore esse hábito próspero na sua rotina.

ALGORITMO DA COCRIAÇÃO #346

Determinação cocriativa

Até que ponto você está determinado no seu propósito para materializar a prosperidade? Até onde topa ir ou qual é o limite do seu desafio interior? A riqueza, a prosperidade e a abundância obedecem ao limite que você mesmo estabelece!

Atenção, pois ser determinado e decido não significa ser esforçado, e sim capaz de produzir uma ou várias ações específicas focadas na direção de seu desejo de riqueza e prosperidade.

Assim, para cocriar abundância e materializar riquezas, você deve ser assertivo, dedicado, manter o foco e o olhar atento para aquilo que quer e para o que não quer também. Por isso, determine sua concentração na sua meta e no objetivo traçado, seja através de suas visualizações, do plano estratégico que definir ou por suas emoções e pensamentos elevados de prosperidade.

ALGORITMO DA COCRIAÇÃO #347

Diversão próspera

Este é o Algoritmo da Cocriação da Riqueza mais legal porque estimula o uso da sua imaginação para cocriar seus sonhos materiais, financeiros e a prosperidade que deseja, de modo divertido, espontâneo e maravilhoso.

Ao se divertir, mesmo que seja apenas na sua imaginação, mas focando em uma sensação verdadeira e real com o objetivo de ativar a frequência da alegria e felicidade, que vibram acima de 500 Hz na Escala das Emoções, você entra em fase com o Universo, em harmonia com o fluxo do Campo Quântico da cocriação universal.

Como você pode fazer isso? É simples. Basta visualizar a cena, o desejo e a realidade milionária que deseja, vivenciá-la com muito prazer, satisfação e alegria, totalmente integrado ao cenário imaginário, percebendo-se rindo, feliz, contando dinheiro, admirando sua nova casa, sua conta bancária recheada de milhões, seu negócio muito próspero, a viagem que sempre quis fazer ou qualquer outra expressão de prosperidade financeira que você deseje.

Sua mente é o seu parque de diversões; quando você o visita e aproveita o passeio quântico que gera dentro de si, na sua mente, em suas células e no seu campo relacional a vibração ideal que vai provocar o colapso de Função de Onda para a cocriação da prosperidade universal. Logo, divirta-se, pois há um mundo de riqueza, fortuna e alegrias indescritíveis à sua espera.

ALGORITMO DA COCRIAÇÃO #348

Energia de Troca

A Energia de Troca é o Algoritmo da Cocriação da Riqueza que evidencia, em primeiro lugar, que o equilíbrio em sua vida financeira está diretamente relacionado com a gratidão, princípio essencial para a cocriação de riqueza e prosperidade. Sua gratidão é a Energia de Troca, é a moeda com a qual você adquire seus sonhos no Universo, por isso, agradeça o que tem, o que conquistou, e harmonize a troca de energia entre seus serviços, produtos ou conhecimentos.

Em segundo lugar, a Energia de Troca também se expressa através da sua honestidade, justiça e coerência em suas relações profissionais, seja com parceiros, fornecedores, clientes ou empregados. Por exemplo: nunca cobre mais caro pelos seus serviços ou produtos oferecidos só porque seu cliente parece rico.

Seja justo e autêntico sobre a remuneração que deseja receber. Isso não significa que sua oferta deve ser mais barata só para agradar o cliente ou prestador de serviços. Na verdade, não deve ser caro, nem barato, mas justo e coerente. Essa é uma relação de troca energética e a gratidão positiva com o dinheiro e os negócios de sucesso que vai dar consistência às suas cocriações de abundância e o manterá em um nível vibracional elevado, em plena ressonância com a prosperidade universal, em todos os campos da sua vida.

ALGORITMO DA COCRIAÇÃO #349

Sentimento próspero

Na cocriação de prosperidade, riqueza, abundância e dinheiro, você precisa observar qual é o sentimento predominante quando conquista algo, recebe recompensas financeiras ou oportunidades no mundo dos negócios. O que você sente quando isso acontece? Qual emoção fica mais evidente quando alguém lhe paga, presenteia, dá dinheiro ou faz alguma oferta? Você sente desconforto, irritação ou medo? Ou se sente mais confiante, convicto, livre, feliz e entusiasmado?

Observe também qual o sentimento que surge quando dá dinheiro – você sente pena de gastar? Sente desconforto e irritação quando dá seu dinheiro ao outro? Tem gente que sente vergonha e culpa quando recebe, ao passo que quando dá ou perde, sente alívio. Lembre-se de que crenças sabotadoras podem estar por trás dessas dinâmicas.

Lembre-se também de que essa vibração vai ressoar dentro e fora de você e provocará colapso da realidade próspera que você deseja ou o descolapso da Função de Onda. Portanto, é preciso identificar se nesse caso o que vibra é culpa, medo e vergonha ou satisfação, prazer, alegria e entusiasmo.

Se vibrar culpa, por exemplo, sua oportunidade, provavelmente, em pouco tempo, será perdida, pois o Universo percebe que você se sente culpado ao receber dinheiro ou oportunidades de prosperidade. Assim, a partir dessa vibração densa e negativa, cocriará mais eventos para sentir remorso, culpa e frustração por receber qualquer coisa.

Do mesmo modo, você passará a não se sentir merecedor, qualificado ou capaz de receber dinheiro, atrair riquezas e cocriar abundância em sua vida, pois isso fica registrado em seu campo eletromagnético e é interpretado dessa maneira pelo Universo.

Você deve treinar sua mente pouco a pouco, buscando, dentro de si, os sentimentos de prosperidade, abundância, alegria e gratidão com qualquer coisa que receber e conquistar. Sempre agradeça e se sinta a pessoa mais próspera do mundo, pois, agindo assim, em pouco tempo irá criar o campo de ressonância ideal para programar a realidade abundante e receber quantias e mais quantias de dinheiro em sua vida.

ALGORITMO DA COCRIAÇÃO #350

Energia do dinheiro

As leis dinâmicas do Universo e os princípios da Física Quântica mostram que o dinheiro é uma potente energia, mas ele não tem uma frequência específica, porque a sua vibração depende do nível proposto pelo portador, ou seja, a energia do dinheiro é, essencialmente, neutra e será determinada como positiva ou negativa, conforme a vibração que suas emoções, sentimentos, pensamentos e atitudes que você designar a ele.

Como energia, o dinheiro precisa circular para a livre manifestação da prosperidade, então não adianta deixá-lo parado ou guardar suas reservas financeiras sob sete chaves. Sendo assim, movimente a energia do dinheiro para satisfazer seus sonhos, realizar seus desejos e banhar-se com a vibração de prazer e satisfação. Por exemplo, seu desejo é viajar para a Europa ou para os Estados Unidos? Faça, então, um planejamento, ou até mesmo guarde dinheiro com esse propósito, mas vá fazer a viagem.

Quando há um objetivo a ser conquistado, como o caso de viajar, fazer um curso, comprar uma casa ou carro, guardar dinheiro é bom e positivo. O problema é guardar por guardar, com medo do futuro ou de passar por dificuldades, pois quando você age dessa maneira, cria um campo quântico regido pela frequência do medo, falta, abandono e carência, o que significa que ainda tem retido dentro de si os sentimentos de baixa autoestima e falta de amor-próprio.

Nos termos da Física Quântica, isso representa uma vibração inferior, abaixo de 200 ou 100 Hz, o que lhe impossibilita de cocriar qualquer coisa, porque bloqueia principalmente a riqueza e a prosperidade, de modo que você permanece estagnado em uma faixa vibracional distante do fluxo da energia de abundância do Universo. Por isso, guardar dinheiro por guardar pode se tornar um movimento perigoso e o levar à pobreza.

Por outro lado, quando usa o dinheiro para realizar os seus sonhos, é claro que de modo consciente e organizado, sem estrapolações, você vai produzir em si, na sua mente e no seu organismo, a química necessária para vibrar em altas instâncias, acima de 500 Hz. Isso porque, ao aplicar esse recurso fabuloso para realizar seus desejos, você confia no poder supremo do Todo em prover todas as suas necessidades, age com fé e com a certeza da abundância, além de promover um movimento intenso dentro de si, de satisfação absoluta, alegria e harmonia universal. Imantado por essas frequências superiores a 500 Hz, você será capaz de cocriar holograficamente qualquer coisa, sobretudo o dinheiro, e estará apto para multiplicar a sua fortuna no mundo.

ALGORITMO DA COCRIAÇÃO #351

Sua relação com o dinheiro

Qual o sentimento que você alimenta dentro de si sobre dinheiro e riqueza? Você deve compreender e perceber o que sente em relação ao dinheiro para ganhar dinheiro. Parece confuso ou bobagem, mas não é, na verdade, tem respaldo na explicação da Física Quântica sobre a manifestação da riqueza, prosperidade e abundância na vida de cada pessoa.

Se você quer cocriar holograficamente a matriz do dinheiro, então precisa compreender qual a frequência emanada por você ao Universo a partir do sentimento que vibra dentro de si sobre esse recurso tão importante para a nossa civilização.

Calma, vou dar um exemplo para deixar mais claro: quando você paga uma conta, seja de água, luz, aluguel, condomínio, internet ou qualquer outro débito, o que realmente sente dentro de si? Você sente satisfação, felicidade, contemplação, apreciação, poder, conquista, realização? Ou fica indignado, se revolta, reclama, julga, aponta, condena e nega o pagamento? Pense e reflita sobre isso, pois talvez a resposta mostre o fator que está emperrando o seu progresso financeiro.

A reclamação excessiva quando paga as contas gera escassez, falta, pobreza e miséria, pois ao reclamar, criticar e condenar, você manda para o Universo uma vibração negativa de medo, raiva, ódio, revolta e falta. Todos esses sentimentos vibram abaixo de 200 Hz, de acordo com a Escala das Emoções e representam uma vibração lenta, lerda e pesada, que permanece impregnada no seu campo eletromagnético.

Você é o que o você vibra, então, se usa o dinheiro com essa má vontade e indisposição, seja para pagar as contas ou para outras coisas, você carregará sua vibração inicialmente neutra com essas vibrações inferiores e muitos problemas de ordem financeira serão vinculados à sua vida econômica.

O sentimento que você emitir quando pagar uma conta ou a alguma pessoa e os pensamentos transferidos por você ao Universo serão incorporados ao seu campo eletromagnético para formar a base da sua Frequência Vibracional®, por isso, é importante saber quais são os sentimentos e pensamentos que você nutre dentro de si sobre o dinheiro para que consiga prosperar definitivamente.

Eu dei o exemplo do pagamento de contas, mas pode ser para qualquer coisa. Imagine ir a uma loja ou um restaurante requintado e olhar com desdém para os valores das peças e produtos. Nesse instante, qual emoção vibra dentro de você? Considera cara aquela roupa da vitrine ou excessivo o valor cobrado por aquele prato sofisticado? Ou você já tem consciência sobre o valor do dinheiro e o fato de que é responsável por dar a conotação energética para toda e qualquer situação, especialmente para aquelas que se associam à riqueza e à prosperidade?

O seu comportamento, as suas emoções e os seus pensamentos vão definir os acontecimentos de sua vida pertinentes à questão monetária. Lembre-se de que o Universo compreende apenas a linguagem das suas emoções e faz a leitura do seu campo eletromagnético.

Você, como eu sempre digo, é como um código de barras para o Cosmos, que vai fazer a leitura com base no campo de força magnética emitido por você, e a melhor parte é que você tem o poder de dar uma conotação positiva para o dinheiro, para a prosperidade e para a riqueza.

ALGORITMO DA COCRIAÇÃO #352

Pague suas contas

Você deve quitar as suas dívidas para prosperar e expandir a sua consciência em todas as áreas da vida, especialmente no campo financeiro. Claro, você não precisa fazer isso agora, neste exato momento; faça no seu passo, planeje e execute, sabendo que o pagamento de suas contas começa, antes de tudo, no plano espiritual e no plano mental, na esfera quântica da realidade, através do seu pensamento e intenção.

Quando você, internamente, decidir pagar as suas contas, nos planos extrafísicos elas já são consideradas como pagas e, no seu tempo, na medida das suas possibilidades, você as paga, efetivamente, no plano físico da matéria. Para o Universo, tudo acontece no mesmo instante presente, pois Ele é atemporal, de maneira que a sua decisão e intenção em quitar suas contas surte efeito imediato no holograma, possibilitando que você comece a limpar todo o seu campo eletromagnético.

Ao intencionar firmemente o pagamento de suas dívidas, a preocupação, o medo, a revolta, a angústia, a aflição, a desesperança, a apatia, a desmotivação e outros sentimentos que acabariam, com o tempo, sendo somatizados em diferentes doenças pelo seu corpo, são eliminados. Todas essas emoções negativas que contaminam a sua psicosfera vibracional com sentimentos de baixa frequência, inferiores a 100 Htz, que formam barreiras e congelam a sua aura como pedras de gelo, são dissipadas.

Quando você começa a quitar as suas dívidas, seja no plano mental ou no físico, abre espaço para o novo, para novas oportunidades, empregos, para a chegada de dinheiro e de todas as formas de recursos financeiros e materiais para melhorar a sua qualidade de vida, da sua família, amigos e pessoas de quem gosta, e os seus recursos econômicos seguem em constante evolução. Esse Algoritmo da Cocriação da Riqueza definitivamente libera o fluxo da prosperidade em sua vida, e todos os caminhos para o seu progresso e para a expansão cocriadora de sua consciência são descortinados.

ALGORITMO DA COCRIAÇÃO #353

Desprendimento

Por definição, a consciência de riqueza e o poder vibracional de riqueza contidos no seu DNA são estados mentais. Ter milhões guardados no banco sem viver a experiência do desprendimento e da caridade é um estado de pobreza. Você deve contrapor esse pensamento limitador. Se você está sempre preocupado com quanto dinheiro vai precisar, por maior riqueza que possua, dentro de si, na vibração das suas moléculas, na verdade você é pobre.

O desprendimento leva de maneira automática à caridade e à partilha, pois ele deriva da consciência de que a Fonte, que dá origem a tudo, é infinita, ilimitada e inesgotável. Portanto, quanto mais você pratica a caridade, mais entra em sintonia com a frequência da abundância universal; e quanto mais abundância você compartilha com o mundo, mais abundância manifesta no seu mundo.

ALGORITMO DA COCRIAÇÃO #354

Ame o luxo

Ame-se. Ame sua família. Ame seus clientes e fregueses. Ame a todos. Ame o mundo. Não existe um poder vibracional maior do que o amor para ativar o seu poder infinito de cocriador da realidade.

Se você deseja riqueza, ame também o luxo. Defina o que significa luxo na sua realidade e adote-o como estilo de vida, sabendo que ele é o estado natural do ser humano e faz parte da natureza abundante do Criador. Amar o luxo é um dos requisitos para o livre fluxo da riqueza e para se alinhar com o fluxo da abundância, uma vez que o Universo sempre vai oferecer mais daquilo que você sinaliza que ama e aprecia.

ALGORITMO DA COCRIAÇÃO #355

Riqueza sem preocupação

> Certa vez, quando conversava sobre um projeto de paz mundial com o mestre Maharishi Mahesh Yogi (1917-2008), alguém lhe perguntou: "E de onde virá todo esse dinheiro?" Ao que ele respondeu, sem hesitação: "De onde quer que ele esteja neste momento".[21]
>
> **DEEPAK CHOPRA**

A consciência de riqueza implica na ausência de preocupação com o dinheiro. As pessoas realmente ricas (ricas na mente, no espírito e na matéria) jamais temem perder sua riqueza porque sabem que no lugar de onde ela veio, existe uma fonte inesgotável de dinheiro e prosperidade. Elas têm consciência de sua origem divina, perfeita e abundante, que permanece viva na vibração do seu DNA e em suas moléculas abundantes.

ALGORITMO DA COCRIAÇÃO #356

Crença da Solidão Financeira

A Solidão Financeira é uma crença limitante associada ao medo de ficar sozinho, de ser criticado e até rejeitado caso se torne muito rico. A Solidão Financeira é um sabotador que fica alojado na mente inconsciente de muitas pessoas que ouviram e aprenderam, ainda quando eram crianças, que dinheiro era algo ruim, que afastava as pessoas, que causava conflitos, que quem era rico, na verdade, era um solitário e que, se a pessoa tivesse muito dinheiro, ninguém se aproximaria verdadeiramente dela, se não fosse por algum tipo de interesse. Então, a pessoa cresceu com essa ideia oculta na mente.

E o que acontece? Duas coisas, basicamente. A primeira é que ela, de maneira inconsciente, tem medo de ganhar dinheiro, pois poderá acabar sozinha e será solitária; a segunda é que o dinheiro pode até chegar em sua vida, mas ela dá um jeito, de modo inconsciente também, de perder o que ganha.

Aí, aparecem contas do nada, despesas, dívidas, ela é roubada, o dinheiro fica preso no banco e sua vida, nunca, mas nunca mesmo, prospera.

---

[21] CHOPRA, D. **Criando prosperidade**: 26 passos para uma vida mais rica e abundante. São Paulo: Alaúde, 2018.

Tudo fica sempre na mesma: ganha dinheiro e perde ou nem chega a ganhar, pois a energia do dinheiro, que é essencialmente neutra, está interpretada e imantada em sua mente e em seu campo eletromagnético como algo negativo.

Por trás da Solidão Financeira subjaz o medo de ficar sozinho ou sozinha ao se tornar alguém rico e bem-sucedido. A própria pessoa acaba se sabotando, gastando demais, desvalorizando o dinheiro e a prosperidade, desmerecendo seu sucesso e começa, de fato, a ficar e a se sentir sozinha, uma vez que passa a vibrar em uma frequência muito baixa, inferior a 50 Hz, carregada de medo, tristeza, vazio, abandono, solidão e vitimização.

Na Solidão Financeira, a própria pessoa afasta os outros do seu campo e se distancia do mundo. Então, para piorar, fica sozinha, sem dinheiro, sem sucesso, sem riqueza, sem prosperidade e sem nada, em um mar de tristeza e de solidão.

Qual a saída para esse labirinto? Mudar a programação da mente. E eu tenho áudios fantásticos de reprogramação e holofractometrias no meu canal no YouTube que podem ajudar. Basta acessar, buscar o conteúdo mais interessante e começar a reprogramar a sua mente desses bloqueadores ocultos.

Também lancei, recentemente, um e-book poderoso chamado *Crenças Holográficas*®. Você pode encontrar esse livro digital no meu site: www.elainneourives.com.br. O livro digital *Crenças Holográficas*® desmistifica crenças e ensina como eliminar todos esses bloqueadores ocultos que impedem o seu sucesso e a realização de seus sonhos. Nele, você vai encontrar técnicas exclusivas e um material complementar poderoso.

Entenda que tudo, na verdade, é uma questão de interpretação e de percepção da realidade e que, portanto, basta você mudar o foco e aceitar sua outra versão próspera e milionária. É assim que sua mente começa a mudar e toda a parte neurológica é modelada com o objetivo que desejar acesso à riqueza e a novos caminhos neurais de abundância no Universo.

ALGORITMO DA COCRIAÇÃO #357

Crença da Rejeição

Na mesma linha da crença da Solidão Financeira, o Crença da Rejeição leva uma pessoa, de maneira inconsciente, a ter medo de enriquecer, de ganhar dinheiro ou ser bem-sucedida e, assim, sofrer com a rejeição, seja a rejeição dos familiares, dos pais, de amigos, de colegas de trabalho, da mulher, dos filhos, do marido ou de qualquer pessoa.

Isso até pode parecer exagero, mas a mente inconsciente funciona dessa maneira mesmo. Há um bloqueador nocivo na mente inconsciente da pessoa que dispara o alerta: *Olha, pensa bem, se você ficar rico, em vez de fazer um monte de amigos e de ser amado pelas pessoas, você será, na verdade, rejeitado e deixado de lado por todo mundo. Será que vale à pena ganhar dinheiro. Não seria melhor já se contentar com o que você tem?*

Esse pensamento pode até parecer esdrúxulo, mas cria uma enorme rejeição em todo o sistema da pessoa, pois, sempre que ela conquista algo, sua mente cria uma sensação imediata de vazio, de tristeza, de solidão e de abandono, fazendo, assim, com que gere vibrações negativas em torno disso, o que é muito cruel e gera um tremendo desconforto, angústia e infelicidade, porque a pessoa não se sente apta para aproveitar a riqueza ou o dinheiro que recebe, não se sente merecedora e tem a nítida sensação de que está desagradando alguém.

Então, inconscientemente, para evitar todo esse transtorno, ela acaba recusando oportunidades, novas possibilidades, anulando-se sempre, evitando o confronto consigo, o enfrentamento do "julgamento" de outras pessoas, conforme seu próprio mapa mental, e condicionando seus pensamentos e suas emoções à derrota, de modo que deixa de ganhar dinheiro, vive uma vida frustrada, não realiza seus verdadeiros sonhos e acaba ofuscando seu próprio brilho.

Em outras palavras, sua mente fica apagada, resignada, não são ativadas novas conexões e a luz da prosperidade do Criador não consegue penetrar em seu estado de ser. Tudo fica muito, mas muito confuso mesmo, o dinheiro começa a desaparecer e a pessoa passa a lamentar a própria existência. A única saída para esse estado é elevar a frequência para se alcançar uma maior clareza mental.

Eu recomendo a prática da Técnica Hertz® e os áudios de reprogramação, porém, diria ainda que é preciso aprofundar todo esse conhecimento e mergulhar, inteiramente, em um processo de autocura e de reprogramação de sabotadores e crenças.

No meu treinamento Holo Cocriação de Sonhos e Metas®, temos resultados extraordinários nesse sentido. Com três ciclos de vinte e um dias cada, o praticante do curso consegue desprogramar e reprogramar uma nova realidade junto comigo e com minha equipe de luz, modificando as sinapses, instalando novas crenças potencializadoras e eliminando todas estas emoções tóxicas do seu campo quântico. Temos mais de 50 mil provas sociais e comprovações de pessoas que passaram por todas estas transformações com muito sucesso. É, simplesmente fantástico e está ao alcance para quem acessar: www.holococriacao.com.br

ALGORITMO DA COCRIAÇÃO #358

Ame o que faz

Para se tornar um cocriador milionário, você vai precisar amar o que faz ou sabe fazer. Mais do que amar, você deverá manter a consistência em tudo o que se propuser a executar, independentemente das circunstâncias ou objeções, você deverá sustentar seu estado de amor consciente e inconsciente por toda a vida.

Isto significa trabalhar, atuar, meditar, aceitar, acolher, propor, empreender, programar ou projetar, seja na área que for, tudo com muito amor, carinho, generosidade, afeto, aceitação, harmonia e interesse máximo, ou seja, você deve oferecer o que há de melhor em você, mantendo disciplina, regularidade e consistência, independentemente se sofrer críticas, rejeição, desprezo, desinteresse de terceiros, falta de vontade ou de ajuda de outras pessoas, no projeto que propõe a implementar.

Como o fluxo do Universo permanece em plena expansão, jamais desanime, porque tudo isso existe dentro de você e você deve ser o seu maior motivador, fazendo com amor e executando qualquer obra consciente, com ideias claras e livres. Nunca desanime, espere sempre o Sol na manhã seguinte, ele seguirá iluminando as mentes que ainda estão aprisionadas por sombras e levará seu brilho, com amor e muita consciência, para os lugares por onde passar.

Nessa jornada para se tornar um cocriador milionário, leve em consideração suas metas maiores, o desejo de ajudar, ao máximo, todas as pessoas que puder e o amor que deve transcender para todos os hemisférios da existência, porque o amor consistente e sua capacidade para modelagem de qualquer cena ou evento a seu favor, com a vibração do coração e a força cognitiva dos pensamentos idealizados, farão você colapsar a riqueza e cocriar a prosperidade.

ALGORITMO DA COCRIAÇÃO #359

Escolha a riqueza

Ser próspero, rico, bem-sucedido, milionário, abundante e realizado é, de fato, um aspecto de escolha. É uma decisão, um caminho a seguir, um futuro predeterminado por você em contato com o seu Novo Eu e sua versão ideal, no Universo Holográfico e multidimensional.

Mas isso deve partir de você, de dentro para fora, em direção ao modelo ideal de vida que pensa, projeta e experimenta, desde já, quando fecha os olhos e se transforma mentalmente em onda informacional consciente, alcançando o melhor futuro possível com sua personalidade quântica idealizada, seu Eu Holográfico®.

Não adianta apenas querer, é preciso escolher a riqueza e a prosperidade que deseja manifestar. Por isso, você precisa ter convicção no que deseja cocriar em termos financeiros, econômicos e profissionais. Saber o que deseja, qual caminho quer seguir na vida, ter consciência dos desafios e do prognóstico idealizado. Essa certeza de que a riqueza faz parte de você, que a riqueza é algo natural e que lhe pertence, que existe em abundância em todo o Universo e é liberada para todo o Ser, para todos os seres, filhos do Criador de Tudo o que É, deve vibrar dentro das suas células e moléculas.

Então, você precisa sentir que é rico, próspero e abundante, seu coração deve pulsar como o de alguém milionário e rico, sua mente e seus pensamentos devem alimentar, diariamente, essa convicção, desde o momento em que levanta da cama até quando se deita para dormir, a riqueza e a prosperidade devem vibrar na sua essência.

Você precisa acreditar nesse caminho porque não existe outra alternativa se não o sucesso, o dinheiro, a abundância, a fartura e a riqueza infinita. Pois todos esses recursos naturais vibram dentro de você, que carrega a Centelha Divina e a energia abundante do Criador.

A riqueza é uma escolha. É uma decisão. É um ato assertivo que deve se manifestar livremente todos os dias, em cada pensamento, emoção, sensação, percepção ou atitude em sua existência. É isso que você deverá viver, experimentar e clamar todos os dias para cocriar a riqueza e se tornar um cocriador milionário.

Questione-se e responda para si: *Qual a sua escolha? Você deseja a riqueza ou prefere iludir-se por um conluio de crenças limitantes, pensamentos devastadores, sentimentos obsoletos e atitudes incoerentes diante do horizonte de seus maiores sonhos? Qual é a sua escolha de riqueza?*

ALGORITMO DA COCRIAÇÃO #360

Pague seus tributos

A fraude fiscal é uma prática muito comum, tem sempre muita gente que procura um "jeitinho" de sonegar ou reduzir o pagamento de seus tributos, inclusive há até uma série de profissionais especialistas no assunto. E não pense que esse comportamento é exclusivo dos empresários bilionários, a sonegação fiscal permeia a sociedade independentemente da natureza do empreendimento, pois a desonestidade é um nível de consciência humana e não um privilégio dos ricos.

Reflita comigo: sabe quem é isento de, por exemplo, pagar imposto de renda? Conforme a legislação, é isento de imposto de renda quem ganha até aproximadamente 2 mil reais por mês ou possui alguma condição limitante, como por exemplo, ser cadeirante, soropositivo, cego, ter câncer maligno, entre outros. No nível sutil da energia, quando você reclama do valor dos seus impostos e dá um jeitinho de pagar menos, você pode estar, inconscientemente, sintonizando algum desses motivos para não os pagar.

Entenda que pagar impostos altos é um elemento que acompanha a riqueza e a prosperidade, então, paradoxalmente, em vez de reclamar dos ônus, deseje mais tributos para pagar, pois eles significam o crescimento do seu faturamento e o aumento do seu patrimônio.

Além disso, são esses tributos que viabilizam a existência, por exemplo, do SUS e das escolas públicas. Então, tire seu foco de possíveis mecanismos de corrupção e desvio dos valores arrecadados e foque na alegria e gratidão decorrente do fato de que a sua riqueza contribui para o bem-estar da coletividade.

Pague seus impostos com honestidade, alegria e gratidão, pois eles são a evidência da sua abundância e de que você está no fluxo de prosperidade e riqueza infinita do Universo e, que, portanto, mais e mais riqueza chegará para você e fluirá através de você!

ALGORITMO DA COCRIAÇÃO #361

Riqueza × Prosperidade

A prosperidade é muito mais intensa, mais poderosa e muito mais abrangente do que a riqueza, pois o sentimento de ser próspero carrega uma energia infinita e se correlaciona quanticamente com a essência energética do Universo, do Criador e da Matriz Holográfica®. Ao compreender o que é uma mentalidade próspera e implementá-la em sua vida, você entra em ressonância vibracional com a luz do Criador, com o poder cocriativo e com a Onda Primordial, o que naturalmente eleva a sua Frequência Vibracional®.

Há uma diferença enorme entre ser rico e ser próspero: enquanto ser rico está associado a posses e recursos que uma pessoa tem no plano material, ser próspero é um estado de ser, um nível de consciência e sucesso que independe de expressão material de riqueza, mas que leva a ela.

Assim, uma pessoa pode ser rica e não ser próspera, isto é, não estar no fluxo quântico da prosperidade que abrange não só dinheiro e bens, mas também amor, saúde, felicidade, liberdade, paz, harmonia, plenitude entre outros sentimentos de alta frequência.

A riqueza, por si só, não gera prosperidade, mas a prosperidade pode gerar a riqueza (se esse for o seu desejo) e multiplicar esse condicionamento para muitas ou até milhares de pessoas, pois também está associada à compaixão e à generosidade.

Quando você vivencia realmente a prosperidade em toda a sua amplitude, sabe que todos os tesouros do Universo são infinitos e tudo pode ser cocriado instantaneamente, por isso, não há reclamação, preocupação excessiva, medo, ansiedade ou desgosto; você permanece em um estado de êxtase, em harmonia, sintonizado com o amor universal e, assim, cocria facilmente, alcança seus objetivos pessoais, profissionais e materiais muito mais rápido. A riqueza e a fortuna são meros efeitos colaterais, consequências inevitáveis para quem mantém a percepção elevada e verdadeira de uma mentalidade próspera.

Quando essa percepção é imantada no ser da pessoa que se envolve nessa energia da prosperidade e isso fica impregnado em suas células, em suas moléculas e no seu DNA. A mente muda, é recondicionada, e tudo é desbloqueado, destravado e reprogramado. Uma nova vibração de luz e de prosperidade nasce na mente, novos hormônios do bem – como ocitocina, endorfina e serotonina – são gerados no cérebro e afetam todo o sistema relacional, modifica a estrutura cognitiva cerebral e faz a mente sintonizar apenas energias das altas esferas do Universo, o que a faz navegar pelo oceano infinito da Matriz Holográfica®, estimulando todo o processo de cocriação de prosperidade e de abundância.

Comigo funcionou dessa maneira, e todas as pessoas treinadas por mim também aprenderam a aplicar esses recursos para se tornarem prósperas antes de serem ricas, milionárias e bem-sucedidas. E essa mentalidade as mantém com grandes conquistas em suas vidas, nas mais diversas áreas, na vida profissional, nos relacionamentos, na família, no campo financeiro, nas possibilidades concretas que aproveitam frequentemente.

ALGORITMO DA COCRIAÇÃO #362

Felicidade "compra" dinheiro

Popularmente, diz-se que "dinheiro não compra felicidade". De fato. Apesar de o dinheiro comprar muitas coisas boas e úteis, a felicidade em si não pode ser comprada porque ela não é uma "coisa" que alguém possui, mas um estado de ser, algo que você é.

No mundo quântico da cocriação da realidade, este ditado popular merece uma ressalva: o dinheiro pode não comprar a felicidade, mas a felicidade compra dinheiro! Eu explico: a felicidade, que vibra na frequência superior da alegria, 540 Hz na Escala das Emoções, inevitavelmente leva à riqueza, se assim a pessoa desejar, uma vez que é a própria frequência da prosperidade.

Se você é uma pessoa feliz, alegre e entusiasmada com a vida, pode até, por um momento, não estar experienciando riqueza material, mas naturalmente alcançará a prosperidade, abundância, riqueza e fortuna, desde que esse seja seu desejo (sim, porque tem gente que é feliz, mas não faz questão de riqueza material).

ALGORITMO DA COCRIAÇÃO #363

Dinheiro é espiritual

> É uma espécie de esnobismo espiritual que faz com que as pessoas pensem que podem ser felizes sem dinheiro.
> **ALBERT CAMUS**

Uma crença limitante extremamente debilitante e autossabotadora que anula a cocriação de riqueza é aquela que prega que dinheiro e espiritualidade são incompatíveis. Quer dizer, em algum nível, a pessoa acredita que precisa fazer uma escolha entre riquezas materiais e o próprio progresso espiritual, sendo impossível ter as duas coisas ao mesmo tempo.

A questão é que tanto o dinheiro como o espírito são feitos de energia, por isso, em última instância, são expressões diferentes da mesma Substância Amorfa Primordial, que, por natureza, é neutra. Somos nós que a moldamos a partir da frequência emitida pelos nossos pensamentos e sentimentos.

Assim, conforme o sentido que damos ao dinheiro, ele pode ser uma ferramenta magnífica para promover o bem-estar, o desenvolvimento pessoal e o próprio desenvolvimento espiritual, afinal, ainda que sua escolha seja uma vida simples, você vai precisar de dinheiro para pagar cursos, treinamentos, retiros e viagens para lugares sagrados.

Para além dos benefícios pessoais, o dinheiro também é uma ferramenta poderosa e extremamente necessária, capaz de produzir muitos benefícios para a coletividade, pois ser rico e espiritualmente generoso é a melhor maneira de ajudar os demais.

Entenda, por fim, que o que vai determinar o seu aperfeiçoamento espiritual e a expansão da sua consciência não é a renúncia ao dinheiro e à riqueza material, e sim a renúncia ao julgamento, à vitimização, à raiva, ao medo e a todas as frequências de baixa vibração. Em outras palavras, a evolução do seu espírito não se relaciona com a ausência de posses, mas com suas ações!

ALGORITMO DA COCRIAÇÃO #364

Seja grato por suas contas

A quantidade de contas que você tem para pagar e o valor delas são um indicativo da abundância e prosperidade financeira que flui pela sua vida. Por isso, se você tem um monte de contas para pagar – embora não tenha os recursos suficientes no momento para saudá-las –, entenda que elas representam abundância, não escassez.

Você não é vítima das suas contas, é o beneficiário delas! Suas contas e suas eventuais dívidas são a prova de que você comprou coisas e consumiu serviços, isto é, são a prova de que a prosperidade anda circulando pela sua vida! Ter uma conta de luz para pagar, por exemplo, significa que você passou um mês inteiro desfrutando da maravilha de ter energia elétrica em casa! Você já pensou na quantidade de pessoas que há no mundo e que não têm acesso a essa forma de abundância?

Portanto, experimente olhar suas contas com amor, reconhecendo que elas simbolizam produtos e serviços dos quais você pode usufruir, então, expresse toda sua gratidão! Se você puder, pague-as imediatamente ou até mesmo de maneira antecipada; se não tiver condições de honrar o vencimento, intencione o pagamento, visualizando-as pagas na sua imaginação e sentindo a gratidão e a abundância correspondentes.

ALGORITMO DA COCRIAÇÃO #365

Plante para colher

Um comportamento muito comum em pessoas que têm mentalidade de escassez é querer colher antes de plantar, o que é uma ideia absurda, não é? Querer colher antes de plantar é, por exemplo, estar cocriando um iPhone de última geração e, em vez de focar para elevar sua Frequência Vibracional®, trabalhar e poupar o dinheiro, a pessoa vai na loja e compra o aparelho parcelando o valor em 24 longas prestações.

Agindo assim, a pessoa pode até entender que cocriou seu sonho e outras pessoas podem até achar que isso é uma expressão de abundância, mas endividar-se para Ter antes de Ser é a mais pura expressão da mentalidade de escassez. Quem tem mentalidade de abundância, é rico antes de ter riqueza, portanto não se endivida, só compra a vista, porque pode!

O alinhamento com o fluxo da abundância do Universo pressupõe que você seja capaz de se respeitar e de se adequar ao ritmo da semeadura e da colheita, de modo que a ordem natural das coisas é primeiramente trabalhar com amor, alegria e dedicação para, então, se colocar na posição de colher os frutos.

Conclusão

Tenho certeza de que a pessoa que chegou até aqui e está lendo a conclusão deste livro não é a mesma que leu a introdução da obra. Pelo menos neurologicamente não é, pois com tantos aprendizados, novas redes neurais brotaram no seu cérebro!

Espero que você consiga expandir essa mudança na sua arquitetura neural para uma mudança positiva na sua Frequência Vibracional®, projetando toda essa mudança interna na sua realidade externa sob a forma do seu grande sonho realizado.

Talvez alguém possa ter ficado perplexo com tanta informação valiosa e pensado *nossa, Desvende os algoritmos do Universo é muita coisa!* De fato, é muita coisa mesmo, mas nós trabalhamos na perspectiva da unicidade e todos esses Algoritmos magníficos convergem para um só ponto: a expansão da sua consciência.

O percurso para colapsar seus desejos não é um caminho único, mas uma conjunção sincronizada de vários caminhos, elementos e diversidade extraordinária de códigos secretos. Essencialmente, os Algoritmos da Cocriação representam a síntese dos poderes transcendentais do Universo para cocriação de todas as formas de abundância.

Eu sei disso porque decodifiquei e apliquei cada um deles na minha vida no decorrer de vinte e dois anos de estudos em diferentes áreas do conhecimento, buscando respostas na Física Quântica, Neurociências, Epigenética, Leis Universais, Desdobramento Quântico do Tempo, Princípios da Cocriação e na Espiritualidade Sagrada.

Com esses recursos em mãos, aprendi e pratiquei exercícios, teorias, conceitos, visualizações e experimentos que me levaram ao caminho da glória, da riqueza, da fortuna, do sucesso, do reconhecimento pessoal e profissional, envolto de muito dinheiro, prosperidade e abundância.

É isso que eu sou hoje: uma mulher bem-sucedida, palestrante renomada, empresária de sucesso, que gera empregos e renda para muitas famílias em todo o Brasil e no exterior, autora best-seller da trilogia: *DNA Milionário*®, *DNA da Cocriação*® e *DNA Revelado das Emoções*®, além claro de uma pessoa muito feliz na vida familiar e amorosa.

E é exatamente o passo a passo e todos os elementos do processo da minha transformação que compartilhei com você aqui, porque recebi a permissão dos meus mentores espirituais, que me concederam a autorização quântica para transmitir esse conhecimento avançado sobre todos os mistérios revelados e decodificados para se tornar, definitivamente, um cocriador da realidade.

Saiba que essa é uma chance em um milhão, e você acabou de acertá-la ao sintonizar a aquisição deste livro, por isso, aproveite e extraia ao máximo tudo o que puder destes textos, e os coloque à prova a partir de suas próprias experiências, pois lhe garanto que se aplicar todos os Algoritmos da Cocriação revelados aqui, você será bem-sucedido em sua empreitada e se tornará, finalmente, um cocriador consciente da própria realidade.

Logo, a escolha é sua, prefere permanecer como está ou ativar toda a sua capacidade para manifestar seus sonhos, criar a abundância, entrar no fluxo da prosperidade universal? Transforme sua existência com base em todo o conteúdo espetacular que lhe apresentei aqui. Se você disser sim a este chamado, estamos juntos!

Bibliografia

ATKINSON, W. W. **O Caibalion**: um estudo da filosofia hermética do antigo Egito e da Grécia. São Paulo: Mantra, 2018.

BÍBLIA. Mateus 6:2. Português. *In*: Bíblia Online. Disponível em: https://www.bibliaonline.com.br/nvi/mt/6. Acesso em: 14 ago. 2022.

BÍBLIA. João 20:29. Português. *In*: Bíblia Online. Disponível em: https://www.bibliaonline.com.br/nvi/jo/20?q=jo%C3%A3o. Acesso em: 14 ago. 2022.

BÍBLIA. Lucas 17:21. Português. *In*: Bíblia Online. Disponível em: https://www.bibliaonline.com.br/nvi/lc/17. Acesso em: 14 ago. 2022

BRADEN, G. **A Matriz Divina**: uma jornada através do tempo, do espaço, dos milagres e da fé. São Paulo: Cultrix, 2018.

BRADEN, G. **Segredos de um modo antigo de rezar**: descubra a linguagem poderosa que nos liga à mente de Deus. São Paulo: Cultrix, 2017.

BRADEN, G. **O Efeito Isaías**: decodificando a ciência perdida da prece e da profecia. São Paulo: Cultrix, 2002.

CHOPRA, D. **As sete leis espirituais do sucesso**: um guia prático para realização de seus sonhos. Rio de Janeiro: BestSeller, 2020.

CHOPRA, D. **Criando prosperidade**: 26 passos para uma vida mais rica e abundante. São Paulo: Alaúde, 2018.

COUTO, H. **Mentes in-formadas**: ondas de in-formação, transferência de consciências e outras infinitas possibilidades. São Paulo: Linear B, 2021.

CUDDY, A. **O poder da presença**: como a linguagem corporal pode ajudar você a aumentar sua autoconfiança e a enfrentar os desafios. Rio de Janeiro: Sextante, 2016.

DISPENZA, J. **Como criar um novo eu**: descubra o método quântico para controlar a sua mente e mudar a sua vida. Rio de Janeiro: Lua de Papel, 2014.

DISPENZA, J. **Como se tornar sobrenatural**: pessoas comuns realizando o extraordinário. Porto Alegre: Citadel, 2020.

DISPENZA, J. **Quebrando o hábito de ser você mesmo**: como reconstruir sua mente e criar um novo eu. Porto Alegre: Citadel, 2018.

DISPENZA, J. **Você é o placebo**: o poder de curar a si mesmo. Porto Alegre: Citadel, 2019.

EKER, T. H. **Os segredos da mente milionária**: aprenda a enriquecer mudando seus conceitos sobre o dinheiro e adotando os hábitos das pessoas bem-sucedidas. Rio de Janeiro: Sextante, 2006.

EPSTEIN, G. **Imagens que curam**: práticas de visualização para a saúde física e mental. São Paulo: Ágora, 2009.

ELROD, H. **O milagre da manhã**: o segredo para transformar sua vida (antes das 8 horas). Rio de Janeiro: BestSeller, 2018.

GODDARD, N. **O despertar da consciência**. Joinville: Universo Livros, 2018.

GODDARD, N. **O sentimento é o segredo**. Joinville: Universo Livros, 2016.

GOSWAMI, A. **O universo autoconsciente**: como a consciência cria o mundo material. São Paulo: Goya, 2015.

HAANEL, C. **A chave mestra**: alcance a vida extraordinária que você deseja... São Paulo: Universo dos Livros, 2020.

HAWKINS, D. **Poder versus força**: os determinantes ocultos do comportamento humano. Barueri: Pandora Treinamentos, 2018.

HAY, L. L. **Você pode curar sua vida**: como despertar ideias positivas, superar doenças e viver plenamente. Rio de Janeiro: BestSeller, 2018.

HELLER, E. **A psicologia das cores**: como as cores afetam a emoção e a razão. São Paulo: Olhares, 2021.

HILL, N. **A escada para o triunfo**. Porto Alegre: Citadel, 2016.

HILL, N. **Quem pensa enriquece!** Porto Alegre: Citadel, 2020.

KLEIN, M. **Inveja e gratidão e outros trabalhos (1946-1963)**. Rio de Janeiro: Imago, 1991.

LIPTON, B. **A biologia da crença**: ciência e espiritualidade na mesma sintonia: o poder da consciência sobre a matéria e os milagres. São Paulo: Butterfly, 2007.

LIPTON, B. **O efeito lua de mel**: a arte de criar o paraíso na terra. Lisboa: Sinais de Fogo, 2015.

MALTZ, M. **Psico cibernética**. California: BN Publishing, 2014.

MILLER. J. P. **O livro dos chakras, da energia e dos corpos sutis**: uma nova visão das tradições antigas e modernas sobre os nossos centros de energia. São Paulo: Pensamento, 2015.

MURPHY, J. **O poder do subconsciente**. Rio de Janeiro: BestSeller, 2015.

PLUTCHIK, R. **Emotions and life**: Perspectives from Psychology, Biology, and Evolution. Whashington: American Psychological Association, 2002.

PONDER, C. **As leis dinâmicas da prosperidade**. Barueri: Novo Século, 2020.

PONDER, C. **Ouse prosperar**. Barueri: Ágape, 2019.

PROCTOR, B. **Você nasceu rico**: as chaves para maximizar o incrível potencial que nasceu com você. São Paulo: É Realizações, 2013.

SAINT GERMAIN. **O livro de ouro de Saint Germain**: a sagrada alquimia do Eu Sou. Rio de Janeiro: OrgTask, 2019.

SHARMA, R. **O clube das 5 da manhã**: controle suas manhãs, mude de vida. Rio de Janeiro: BestSeller, 2019.

ST. JOHN, N. **O código secreto do sucesso**: viva com mais riqueza e felicidade. Rio de Janeiro: BestSeller, 2012.

STONE, J. D. **Psicologia da alma**: chaves para a ascensão. São Paulo: Pensamento, 1999.

TAYLOR, S. A. **A ciência do sucesso**: descubra o segredo para a saúde e a felicidade. São Paulo: LaFonte, 2013.

TOLLE, E. **O poder do silêncio**. Rio de Janeiro: Sextante, 2016.

TOLLE, E. **O poder do agora**: um guia para a iluminação espiritual. Rio de Janeiro: Sextante, 2004.

TOLLE, E. **Um novo mundo**: o despertar de uma nova consciência. Rio de Janeiro: Sextante, 2007.

TREVISAN, L. **O poder infinito da sua mente**. Santa Maria: Da Mente, 1980.

VITALE, J. **Attract money now**. Austin: Hypnotic Marketing, 2012.

VITALE, J. **O milionário consciente**: transforme seus desejos em riqueza pessoal. São Paulo: Cultrix, 2019.

VITALE, J. **Limite zero**: o sistema havaiano secreto para prosperidade, saúde, paz, e mais ainda. Rio de Janeiro: Rocco, 2009.

VITALE, J. **Marco zero**: a busca por milagres por meio do Ho'oponopono. Rio de Janeiro: Rocco, 2014.

Aponte a câmera do seu celular para o QR Code abaixo e tenha acesso a um presente especial que preparei para você!

http://www.algoritmosdouniverso.com.br/presentes

Este livro foi impresso pela Edições Loyola
em papel pólen bold 70 g/m²
em outubro de 2022.